Construindo Sociedade
Ativa e Moderna e
Consolidando o Crescimento
com Inclusão Social

XXII FÓRUM NACIONAL

NA CRISE, BRASIL, DESENVOLVIMENTO DE UMA SOCIEDADE ATIVA E MODERNA (SOCIEDADE DO DIÁLOGO, DA TOLERÂNCIA, DA NEGOCIAÇÃO), "PROGRAMA NACIONAL DE DIREITOS HUMANOS." E NOVOS TEMAS

17 a 20 de maio de 2010

PATROCINADORES

GRANDES BENEMÉRITOS

PATROCINADOR ESPECIAL FIESP / **AGRADECIMENTO: PREVI**

INSTITUTO NACIONAL DE ALTOS ESTUDOS - INAE
RUA SETE DE SETEMBRO, 71 - 8º ANDAR - CEP: 20050-005 - RIO DE JANEIRO / RJ
TEL.: (21) 2212-5200 - FAX: 2212-5214 - e-mail: inae@inae.org.br - site: www.inae.org.br

coordenador
João Paulo dos Reis Velloso

Construindo Sociedade Ativa e Moderna e
Consolidando o Crescimento com Inclusão Social

José Alencar • José Eduardo Dutra • Cristovam Buarque
• Fernando Gabeira • Márcio Fortes • Paulo Delgado
• Paulo de Tarso Vannuchi • Paulo Brossard • Arthur Virgílio
• Affonso Celso Pastore, Maria Cristina Pinotti e
Terence de Almeida Pagano • Raul Velloso, Marcos Mendes e
Marcelo Caetano • José Tavares de Araujo Jr. • Welber Barral
• Ricardo Markwald e Fernando Ribeiro
• Eduardo Portella • Roberto Cavalcanti de Albuquerque
• Sonia Rocha

JOSÉ OLYMPIO
E D I T O R A

Reservam-se os direitós desta edição à
EDITORA JOSÉ OLYMPIO LTDA.
Rua Argentina, 171 – 3º andar – São Cristóvão
20921-380 – Rio de Janeiro, RJ – República Federativa do Brasil
Tel.: (21) 2585-2060 Fax: (21) 2585-2086
Printed in Brazil / Impresso no Brasil

Atendimento e venda direta ao leitor:
mdireto@record.com.br
Tel.: (21) 2585-2002

ISBN 978-85-03-00845-7

Capa: LUCIANA MELLO & MONIKA MAYER

Texto revisado segundo o novo Acordo Ortográfico da Língua Portuguesa

CIP-Brasil. Catalogação-na-fonte
Sindicato Nacional dos Editores de Livros, RJ.
———————————————
C775 Construindo sociedade ativa e moderna e consolidando o
    crescimento com inclusão social / coordenador João Paulo dos Reis
    Velloso, colaboradores José Alencar... [et al.]. – Rio de Janeiro: José
    Olympio, 2010.

    ISBN 978-85-03-00845-7

    1. Brasil – Condições sociais. 2. Brasil – Política social. 3.
    Desenvolvimento econômico – Brasil. 4. Integração social – Brasil. I.
    Velloso, João Paulo dos Reis, 1931-. II. Alencar, José.

            CDD 305.550981
10-3858   CDU 316.342.2

SUMÁRIO

Introdução

PRIMEIRA PARTE
O DESENVOLVIMENTO DE SOCIEDADE ATIVA E MODERNA

SEGUNDA PARTE

A CONSOLIDAÇÃO DAS BASES DO CRESCIMENTO

TERCEIRA PARTE

CRESCIMENTO COM INCLUSÃO SOCIAL

INTRODUÇÃO

Na crise, Brasil — desenvolvimento de uma sociedade ativa e moderna, Programa Nacional de Direitos Humanos, e outros temas

João Paulo dos Reis Velloso *

* Coordenador-geral do Fórum Nacional (Inae), presidente do IBMEC-Mercado de Capitais e professor da EPGE (FGV). Ex-ministro do Planejamento.

O presente livro contém material apresentado no XXII FÓRUM NACIO-NAL, em maio deste ano.

ESTE FOI UM FÓRUM DIFERENTE.

Vejamos os destaques.

Poucas vezes, como agora, ficou tão nítida a característica do FÓRUM NA-CIONAL, de voltar-se para a questão do destino do Brasil, e de procurar ver como pode ele ser realizado.

Realizar esse destino exige, realmente, desenvolver no país uma socie-dade ativa (que se manifeste) e moderna (voltada para o interesse público). Sociedade do diálogo, da tolerância, da negociação.

Daí a ideia de que a iniciativa de propor essa sociedade venha dos Poderes da República – Executivo, Legislativo, Judiciário. Convidamos, então, para tal fim o presidente da República (em exercício), José Alencar (Sessão de Abertura).

Discutiram-se ainda, na Sessão de Abertura, dois outros temas de particu-lar relevância.

Primeiro, a questão da sociedade integrada, através da entrega, às autori-dades estadual e municipal, dos projetos de integração social de nove favelas do Rio de Janeiro:

- Comunidade da Rocinha – Carlos Costa, ONG Rocinha XXI.
- Comunidade do Cantagalo – Luiz Bezerra do Nascimento, presidente da Associação de Moradores do Cantagalo.
- Comunidade do Pavão/Pavãozinho – Antonia Ferreira Soares, líder comunitária.

- Comunidade de Santa Marta – José Mário Hilário, presidente da Associação de Moradores do Morro de Santa Marta.
- Comunidade do Borel (Tijuca) – Mônica Francisco, líder comunitária.
- Complexo da Maré – Francisco Marcelo da Silva, Observatório das Favelas (Vila do João, Maré).
- Complexo de Manguinhos – Marcelo Radar, secretária-executiva do Fórum de Manguinhos.
- Comunidade de Vigário Geral – José Júnior (AfroReggae), líder comunitário.
- Comunidade da Cidade de Deus – Cleonice Dias, líder comunitária.

O ponto mais importante a salientar, em relação a esses projetos, é que foram elaborados pelas próprias Comunidades, através de suas Lideranças, acima citadas.

O segundo tema foi o "Programa Nacional de Direitos Humanos", com diferentes visões, como é próprio do FÓRUM NACIONAL.

Complementando a ideia de sociedade ativa e moderna, colocou-se o problema do fortalecimento das instituições políticas do país – Sistema de Partidos e Congresso Nacional (Painel II), com propostas formuladas por lideranças partidárias e por congressistas.

Sem negligenciar a consolidação das bases, para emergir da crise melhor que antes (Painel I), verificamos como está o país, no tocante ao aproveitamento das principais oportunidades estratégicas (Painel III). Nesse tema, destacamos "O pré-sal – Grande Oportunidade e Grande Desafio" e a "Estratégia de Implantação do Carro Elétrico no Brasil" – assunto da mais alta prioridade para o Brasil.

Ganhou destaque, em seguida, a questão de melhores Oportunidades para as Empresas Privadas – a Grande Empresa Competitiva e a Pequena Empresa Moderna (Painel IV).

Importante foi, igualmente, voltar o interesse para a questão do Desenvolvimento com Inclusão (inclusive oportunidades para as favelas) (Painel V e Sessão de Abertura).

Finalmente, a Sessão de Encerramento cobriu o desafio de Novas Ideias: Brasil, 2022 (Bicentenário da Independência); Economia Verde; Visão das

Olimpíadas (2016) e da Copa (2014) – Grandes Eventos como Símbolo de Modernidade. E o seu legado. Responsabilidade Cultural.

Oportuno esclarecer que o XXII FÓRUM NACIONAL deu origem a quatro livros. Em maio, *Projetos de integração social de comunidades* e *Estratégia de implantação do carro elétrico no Brasil"*. E agora, *Construindo sociedade ativa e moderna e consolidando o crescimento com inclusão social*; e *Brasil, novas oportunidades: Economia verde, pré-sal, carro elétrico, Copa e Olimpíadas.*

PRIMEIRA PARTE

O DESENVOLVIMENTO DE SOCIEDADE ATIVA E MODERNA

Os compromissos de uma sociedade ativa e moderna

*José Alencar**

---

* Vice-presidente da República (na ocasião no exercício da Presidência).

PARA MIM É motivo de imensa satisfação participar do XXII Fórum Nacional, presidido pelo ilustre e eminente ministro João Paulo dos Reis Velloso, a quem dirijo minha especial saudação e meu agradecimento pela honrosa oportunidade deste convívio.

Este encontro é de extrema relevância, pela abrangência e atualidade dos temas abordados, cuja dimensão e repercussões podem ser avaliadas pelo alto nível dos conferencistas e pelo grande número de participantes. A todos estendo os meus cumprimentos pela valiosa contribuição ao debate, que abrilhanta o encontro e elucida questões nacionais.

O atual momento político e econômico brasileiro é propício a uma reflexão madura sobre "A Sociedade Ativa e Moderna", que tem a sua mais expressiva definição no contexto social de cidadania, participação e responsabilidade de todos.

Compromisso é a palavra que sintetiza a promoção de uma Sociedade Ativa e Moderna, em que todos os segmentos assumem a sua parte no encargo de realizar os direitos humanos, individuais e coletivos, sem apegar-se à ideia moral da tutela e do favor prestado pelo Estado.

Em uma sociedade comprometida com o bem comum, todos têm participação na vida pública, seja pelo voto que escolhe os governantes, ou pela vigilância permanente da gestão administrativa governamental, e assim se faz um governo em que eleitores e eleitos caminham juntos e com o mesmo interesse, o de ver a nação progressista, desenvolvida e independente.

Esse modelo de sociedade sabe e deve dialogar, e consegue estabelecer uma relação harmônica quando se depara com interesses diferentes, opiniões

17

divergentes, doutrinas conflitantes, e o diálogo é o instrumento capaz, senão o único, de favorecer o consenso que visa ao bem maior, o da nação, que deve estar acima dos proveitos particulares.

Assim se dá entre os três Poderes da República, harmônicos e independentes entre si, como preceitua a Constituição Federal e de acordo com o exercício de suas lideranças no cotidiano, na prática de suas lidas, sem submissão nem subserviência. Isso é a democracia, que pode ter falhas, mas contempla a independência entre os Poderes Legislativo, Executivo e Judiciário. E, sem independência e diálogo, não há convivência que prospere no campo das relações humanas e no Estado.

Um governo não se faz apenas com governantes, por mais bem intencionados que sejam. Um governo se faz com projetos exequíveis, que vislumbrem soluções para um país com a dimensão e as complexidades do Brasil, que podemos resolver com vontade política e ação conjunta, em busca do nosso desenvolvimento econômico.

Assim é que chegamos a resultados incontestáveis, que demonstram que o governo Lula alcançou objetivos que fizeram da esperança uma realidade, e da expectativa, a retomada do crescimento com geração de empregos.

Oportunidades se criam, sabemos, e no caso brasileiro as oportunidades de desenvolvimento se realizam por meio de projetos que definem rumos de um governo que se propõem a atingir patamar de crescimento jamais visto, não por vaidade política, mas por ser imperativo de atender aos apelos da sociedade, que quer e precisa evoluir da esperança para a concretização de uma realidade digna e fértil em realizações.

Para efetivamente transformarmos a esperança em fatos de que nos orgulhemos, é preciso somar forças e esforços, porque o sucesso de um será a vitória de todos, onde há trabalho conjugado pelo bem comum.

Assim, é imperiosa a união de todos pelo Brasil que construímos juntos e pelo qual assumimos responsabilidade solidária. É fundamental que todas as lideranças conjuguem inteligência e capacidade para a promoção do desenvolvimento que se assenta em ação, trabalho e aliança.

As lideranças empresariais — de trabalhadores, sociais, intelectuais, culturais e populares — precisam acionar suas habilidades e meios para desenvolver o Brasil, que não se constrói apenas com ações que o governo pode fazer ou não, mas com o engajamento de todas as lideranças nacionais. É desse modo que deixamos de ser o sonho do país desenvolvido do futuro para sermos o presente de crescimento que todos podem ver.

O sonho brasileiro do Brasil desenvolvido já se transformou em realidade! O Brasil da fome e das doenças ficou no passado! O Programa Fome Zero, que foi criticado por tantos e elogiado por muitos, proporcionou às populações mais carentes o que era mínimo à sobrevivência humana: três refeições por dia. As campanhas de saúde erradicaram doenças que, antes, matavam em grande número.

O país se desenvolve saudavelmente porque há planos, projetos e realizações e, sobretudo, porque há confiança no que é feito pelo governo, e união dos diversos segmentos pelos mesmos objetivos, o de sair da estagnação para o crescimento e o de deixar o plano das ideias para a execução daquilo que faz bem ao povo e o de que ele mais precisa.

Eu confio no trabalho, confio na capacidade dos brasileiros e confio no Brasil. Quem confia, ajuda os outros e faz o que é melhor para o bem de todos. Reclama do que não está bem, mas não se acomoda. Age com consciência de coletividade, não se isola no limitado cerco de seus interesses. Tem um olho no que é seu e o outro no que é de todos, para alcançar o sucesso sem perder de vista o sentido de comunidade, o valor do privilégio de ser o que somos: brasileiros.

Importância da representatividade no fortalecimento das instituições políticas

José Eduardo Dutra *

* Presidente do PT.

PARA FALAR EM fortalecimento das instituições políticas e do sistema de partidos, eu destacaria o tema da representatividade. Qual o grau de representatividade que têm hoje as instituições políticas, particularmente os partidos e o Congresso Nacional, em relação ao poder que originariamente os elege, que é o povo brasileiro.

Na sua evolução, cada partido procurou desenvolver um modelo de organização que, na medida do possível, fosse além das regras básicas da legislação, procurando incorporar novos conceitos que possibilitassem uma maior participação dos seus filiados, dos seus militantes e da sociedade.

Nós, do PT, mesmo considerando que a legislação eleitoral estabelece algumas amarras, temos procurado inovar em relação a alguns pontos organizativos. É nesse sentido que, desde a nossa fundação, as definições de candidaturas e as eleições de dirigentes não se pautam exclusivamente em cima das regras definidas na legislação.

Inicialmente, estabelecemos encontros democráticos, que em nível municipal possibilitavam a participação de todos os filiados com a eleição de delegados para as instâncias superiores. A partir de 2001, no nosso 2º Congresso Nacional, instituímos as eleições diretas para renovar todas as instâncias decisórias do partido. Eu, por exemplo, sou presidente do PT depois de um processo eleitoral, no ano passado, em que percorri quase todos os estados do Brasil. Esse processo culminou com uma votação na qual 512 mil filiados de todo país elegeram as direções dos diretórios municipais, os presidentes municipais, as direções estaduais, seus respectivos presidentes e a direção nacional e o seu presidente.

Mas o fato é que hoje, de uma maneira geral, os partidos vivem uma crise de representatividade que, a meu ver, poderá ser atacada a partir de modificações profundas na legislação político-eleitoral.

Sempre que se faz uma pesquisa sobre a imagem do Congresso Nacional, essa imagem é bastante negativa. É claro que há aí um componente relativo à própria atuação dos deputados e senadores que, algumas vezes, dependendo da visão popular, não está de acordo com o esperado. Mas há um componente original estatístico dessa imagem negativa. O modelo de eleição no Brasil faz com que, em média, apenas 40% da população consigam realmente eleger um deputado. Isso significa que os outros 60% escolheram um candidato que não se elegeu.

Portanto, independentemente da atuação posterior do parlamentar no Congresso, já no processo eleitoral há um problema de representatividade, porque 60% da população quando vê os eleitos diz "ora, o meu candidato não se elegeu!".

Isso se. dá porque no Brasil nós temos uma combinação de sistemas na eleição para os parlamentos: voto proporcional com o voto nominal, o que só existe no Brasil e, me parece, na Islândia. Em todos os outros países, ou você tem eleição proporcional com o voto em lista, partidária, ou você tem a eleição nominal, no caso de voto distrital. Em alguns, há o modelo distrital misto, que é a combinação do voto majoritário com a outra metade do voto proporcional — e aí o candidato é eleito pela lista, não pelo voto individual.

O problema é que no Brasil, toda vez que se fala em reforma política, e isso virou uma espécie de salsaparrilha, sempre se busca o ótimo. E o ótimo é inimigo do bom, dentro desse processo de modificação que nós defendemos que aconteça. Para o PT, existem duas questões que deveriam ser focadas na discussão da reforma política: o voto em lista nas eleições proporcionais (embora eu, particularmente, não veja com maus olhos o sistema de voto distrital misto) e a combinação disso com o financiamento público.

A questão do financiamento eleitoral é um grande problema.

Todos nós somos contra o caixa 2 mas, por incrível que pareça, estamos vendo recentemente uma tentativa de criminalização da contribuição legal. Um jornal na semana passada publicou na primeira página: "Empreiteira que tem contrato com a Petrobras doou não sei quantos mil reais ao PT." Eu, em uma entrevista para um canal de televisão, disse o seguinte: eu faço pelo menos quatro manchetes semelhantes e tão verdadeiras quanto essa. Por exemplo: empreiteira que tem contrato com a Petrobras doou tantos mil ao PSDB; empreiteira que tem contrato com a Petrobras doou tantos mil ao PMDB; empreiteira que tem contrato com a Petrobras doou tantos mil ao DEM. E isso acontece por uma questão simples: todas as grandes empreiteiras do Brasil ou têm ou já tiveram contrato com a Petrobras e todas elas já doaram para todos os partidos políticos.

E tudo isso é feito absolutamente dentro da lei. Manchetes como essa que eu citei não são resultado de uma denúncia ou de uma investigação. Essa manchete é forjada a partir da simples consulta ao site do TSE, que mostra que a empresa tal doou tanto para o partido tal, e que este prestou contas de acordo com a lei.

Por outro lado, quando se fala em financiamento público, muitos apelam para o senso comum, afirmando que é um absurdo se pegar dinheiro do Orçamento para aplicar em eleição quando há tantas carências na saúde, na educação, nos transportes etc. etc. etc. E aí não há saída.

Nós defendemos o financiamento público combinado com voto em lista. Não adianta financiamento público com o modelo de voto individual. Não resolve porque vai continuar o mesmo número absurdo de candidatos que há hoje, em que o processo de acompanhamento da prestação de contas não é absolutamente fiscalizável.

A combinação de voto em lista com financiamento público vai baratear significativamente as eleições. Além disso, da mesma forma que a sociedade desenvolveu instituições e mecanismos para fiscalizar a aplicação das verbas no SUS, ou dos recursos Fundeb, a partir do momento em que o financiamento eleitoral passa a ser público, a sociedade igualmente criará mecanismos de fiscalização. E mais: quando começar a eleição, ou até antes, a sociedade já vai saber quanto cada partido vai dispor para fazer sua campanha, porque isso vai estar estabelecido na própria legislação em função do número de deputados. Então, se ao longo da campanha determinado partido começa a dar as chamadas "demonstrações exteriores de riqueza", que não condizem com os recursos aos quais tivemos acesso, o Ministério Público eleitoral e a própria sociedade já terão condições de apurar possíveis irregularidades no decorrer da própria eleição.

Agora, a aprovação no Congresso não é fácil. Todos sabem como ocorrem as votações. Em qualquer assunto, você sempre tem o especialista da matéria e o líder da bancada que, normalmente, encaminha os debates e as votações, e o conjunto de deputados e senadores vota de acordo com a orientação dos especialistas e de seus líderes. Quando se trata de questão eleitoral, existem 81 especialistas no Senado e 513 especialistas na Câmara dos Deputados! Portanto, não é uma questão que se resolve apenas por orientação de liderança. E mais: todos os que estão lá no Congresso foram eleitos com as regras atuais, o que torna absolutamente natural e legítimo que pensem: "olha, tudo bem, o sistema é ruim, mas mesmo com esse sistema estou aqui. Será que com a modificação vai ser possível eu estar aqui?" Então esse é um processo que dificulta a própria aprovação no Congresso Nacional.

Eu entendo que, para trabalharmos em condições objetivas de se conseguir uma aprovação de uma reforma política nessa linha, tem de haver um convencimento do conjunto da sociedade, para que a sociedade passe a entender que a questão da reforma política não envolve apenas os políticos, não diz respeito apenas aos partidos políticos. Ela diz respeito a cada um de nós de forma tão ou mais importante quanto ao orçamento para a saúde, para a educação, para o transporte e para a energia, porque aí está a base onde se fará qualquer alteração concreta para a mudança do Brasil.

Entendo também que, nesse aspecto, é fundamental a ação do Executivo do governo. Todos nós sabemos o empenho que o governo federal faz com as matérias a serem votadas, que tenham uma tramitação mais fácil no Congresso Nacional.

Tanto o governo anterior quanto o atual enviaram projetos de reforma política ao Congresso, mas não houve empenho necessário para que o processo avançasse. Essa é uma reforma que o próximo Presidente da República, quem quer que seja, deve encarar como necessária e prioritária; deve ser abordada já no primeiro ano de governo, até porque vamos estar a três anos das eleições ficando mais fácil discutir.

De outro modo acontecerá o que ocorreu recentemente, quando havia um projeto de reforma praticamente fechado (com voto em lista e financiamento público), mas que não passou porque era véspera de ano eleitoral, e aí aparecem aquelas preocupações que apontei.

Então, a modificação da legislação político-eleitoral é a base para aprimorar a representatividade das instituições políticas do Brasil — e entendo que isso só irá prosperar se nos livrarmos de certos sensos comuns, como aquele que prega que o voto em lista tira o direito que a pessoa tem de escolher determinado candidato.

Mas sou um pouco pessimista em relação a esse tema, exatamente porque aqueles que serão os atores da mudança acabam sendo conservadores, até por preservação legítima de seus mandatos. Daí a necessidade de que haja uma pressão externa por parte da sociedade em relação ao Congresso Nacional. O projeto Ficha Limpa, por exemplo, está objetivamente andando devido à pressão externa. Devemos desenvolver mecanismos para que a sociedade entenda que a questão das eleições, do financiamento, não é um tema que interesse aos políticos ou aos partidos. É um tema que deve interessar, principalmente, àqueles que vão votar e que vão definir os destinos da nação, que é o povo brasileiro.

A modernização do Senado Federal*

*Cristovam Buarque***

* Sem revisão do autor.
** Senador (PDT-DF).

EM PRIMEIRO LUGAR, minha satisfação de estar outra vez neste grupo que, graças à dedicação e à liderança do ministro Reis Velloso, sobrevive há 22 anos (15% da história da República). Só isto seria um mérito, ainda mais quando se sabe que o Fórum pensa o Brasil com uma rara abertura suprapartidária e ideológica. Por isso, ministro, conte sempre comigo quando achar que posso contribuir.

Sobre o assunto que me foi pedido — a modernização do Senado — é preciso dizer que existem quatro tipos de modernização: técnica, legislativa, política e eleitoral.

Do ponto de vista da técnica, o Senado é extremamente moderno. Quando recebo parlamentares de outros países, eles ficam surpresos com os recursos de que dispomos: computador individual em frente de cada senador no plenário, ligado *on-line* com acesso a todas as informações do mundo; temos imprensa, televisão, rádio, jornal diário, acompanhamento de toda a mídia. Mas, ao lado da modernização do ponto de vista técnico, temos uma insuficiência na modernização dos objetivos, a ética: legislativa, política, eleitoral. Não há mais o que fazer pela evolução técnica, por isso, vou por tipo de modernização. Também não apresentarei por ordem de importância.

Neste sentido, a primeira medida modernizadora é reduzir o mandato, de oito anos para quatro. Oito anos é um tempo extremamente longo, perde-se o contato com o processo eleitoral, acomoda-se.

A próxima é acabar com a suplência. A escolha de substituto, em caso de morte, renúncia, cassação, pode ser indiretamente pela Assembleia Legislativa, ou por uma nova eleição durante o momento eleitoral seguinte para prefeito, ou até deixar o Estado sem um senador durante alguns anos. Sobretudo se o mandato é reduzido, os destinos nacionais não se abalam por falta de um senador.

A terceira mudança concreta é a possibilidade de candidatura independente. Os partidos estão tão semelhantes, que não há problema em permitir candidatos independentes, como em outros países. No momento em que os partidos estão tão parecidos uns com os outros e todos eles caóticos do ponto de vista programático-ideológico, a possibilidade de candidatura independente será positiva para atrair quadros novos para a política.

Outra reforma é o fim de qualquer benefício privado ao parlamentar, afora o salário. Além dele, só o apoio ao exercício da função.

Outra ação modernizadora é a divulgação *on-line* de todos os gastos do exercício do mandato: viagem, telefone, inclusive a soma da folha de pagamento do pessoal do gabinete.

Devemos reduzir o tempo de recesso, que deve ser como o de qualquer trabalhador: um mês de férias, que poderia ser concentrado em janeiro.

Além disso, o parlamentar deve estar com seus pares e suas bases. A viagem semanal à base esvazia o Plenário. A modernização consiste em Sessões Ordinárias todos os dias úteis, durante três semanas por mês, e uma semana por mês nas bases.

Outra proposta é a necessidade de renúncia ao mandato para poder assumir cargo no Executivo. Como acontece no cargo de presidente do Banco Central. A promiscuidade entre Executivo e Legislativo não é boa no regime presidencialista, embora possa ser a regra da convivência no parlamentarismo. A ideia é forçar a opção: um mandato parlamentar ou um cargo no Executivo.

A proposta seguinte é a redução no número de servidores por gabinete.

Para se modernizar, o Senado precisa dispor de uma Comissão Permanente de Inquérito. Com a CPI, com a representação dos partidos, toda vez que houvesse escândalo ou malfeito ela seria acionada e automaticamente se faria o inquérito.

Além disso, minha sugestão é instalar Comissões Especiais para discutir temas fundamentais do país, como: o atraso científico e tecnológico do Brasil, a pobreza e a desigualdade, a crise ecológica, a transformação da atual rede de proteção social em uma escada de ascensão social, a crise educacional.

Outra proposta é acabar com a votação por líderes representando os senadores. Hoje, a maior parte dos assuntos são votados sem que os senadores tomem conhecimento. Sem levantar a mão na hora da votação, nem apertar o botão do painel, o senador acaba permitindo que se passem as votações sem assumir sua responsabilidade. Toda votação deve ter a participação do parlamentar.

Outro item é a proibição de mais de uma reeleição consecutiva para os parlamentares, como já acontece para o Executivo. Não deve haver mais de dois mandatos seguidos. Isso ajudará a quebrar a política como uma profissão e fará que seja como uma função pública. Além disso, permitiria maior renovação. Faria bem, inclusive, para que as pessoas não se desligassem radicalmente de suas profissões e soubessem que há vida fora do Congresso, no caso de se perder a eleição.

Mais uma mudança modernizadora seria que os executivos cumprissem obrigatoriamente seus mandatos até o final. Isso quer dizer que o governador, prefeito ou presidente não disputará qualquer cargo na eleição em que se escolhe seu sucessor. A possibilidade de licença de seis meses antes para se candidatar à reeleição, ou no segundo mandato para candidatar-se a outro cargo, faz com que percam o foco. Com esta proposta, a pessoa fica sabendo: ele vai concluir o mandato.

Outro ponto é a moratória partidária de seis meses. No atual caos programático, mais que ideológico, seria positivo um período de rearrumação partidária. Durante seis meses ninguém teria partido. Pode-se mudar de partido ou criar outros; para que cada um possa se reorganizar em um quadro partidário com o qual sinta afinidade.

Uma modernização fundamental é a doação do Fundo Público de Campanha. Ninguém pensa em financiar a Justiça Eleitoral com contribuições privadas de empresas, mas para decência do processo eleitoral é tão importante a Justiça independente quanto candidatos independentes do poder econômico. Tanto o financiamento equitativo, independente e transparente da Justiça Eleitoral que fiscaliza, quanto dos políticos e partidos que disputam as eleições.

Mas para implantar o Fundo Público é preciso mudar e baratear o programa eleitoral. Limitá-lo à apresentação dos candidatos, sem os custos de marketing. Com o custo atual do programa eleitoral, o fundo público vai sacrificar o contribuinte. Vai ficar injustificado, mas sem esse fundo não há decência. Só tem um jeito: baixar o custo da campanha. Fazer com que o gasto seja muito menor do que os gastos com a Justiça Eleitoral. A maneira de reduzir o custo do programa é limitá-lo à defesa de propostas pelo candidato, sem marketing.

Mais uma medida complementadora é a cassação do eleito que tiver usado recurso além do fundo público, porque de nada adiantará se for permitido a busca de financiamento fora dele.

Outra mudança diz respeito à modernização nas prioridades: considerar quebra de decoro o uso de serviços privados, como educação, pelos parlamentares e seus familiares diretos. O parlamentar deve lutar por uma escola boa para todos, fica incoerente usar escolas privilegiadas. Quem regula, comanda, define recursos para a educação deve dar o exemplo e conhecer a realidade de onde estudam os filhos do povo.

A outra proposta que apresentei e foi arquivada pela Comissão de Constituição e Justiça é que todo parlamentar deva submeter anualmente sua declaração de renda à "malha fina" da Receita Federal. Não deixa de ser um privilégio ter os auditores da Receita analisando sua declaração, porque permite descobrir os erros e corrigi-los, o que faria com que os parlamentares fossem mais cuidadosos, responsáveis e transparentes.

Além disso, claro, a adoção da Ficha Limpa. Mas não só para o candidato, também para o dirigente partidário. A Ficha Limpa é fundamental, embora possa pegar pessoas que não cometeram qualquer crime, apenas algum erro, inclusive da assessoria jurídica, em algum cargo executivo que tenham ocupado no passado.

Uma mudança óbvia: o parlamentar que renunciar ao mandato deve ficar impedido de disputar a eleição seguinte.

Mais uma mudança fundamental ajudaria na reformulação partidária: proibir alianças eleitorais para cargos executivos no primeiro turno. O instituto de dois turnos é para o eleitor votar no candidato que considere mais próximo do que deseja, com a possibilidade de, no segundo turno, votar no menos distante. Com a aliança desde o primeiro turno, o partido impede alternativas, rouba um direito do eleitor.

Outra é a possibilidade do ato revocatório, com o qual, no meio do mandato, o eleitor pode cassar o político.

Sugiro também coisas que podem parecer simples e até aparentemente ir-risórias: substituir o título de "vereador" por "conselheiro municipal" e tirar a remuneração nas cidades pequenas; o título de "deputado" por "representante do eleitor". Uma coisa é o eleitor acordar de manhã e pensar, "hoje vou ter de votar para deputado", outra é "hoje vou poder escolher o meu representante". Muda a cabeça!

Ainda é conveniente separar eleições federais das municipais.

Finalmente, quero falar das propostas, já em discussão, das quais eu dis-cordo. Não sou favorável ao parlamentarismo no Brasil, pelo menos enquan-to houver o caos partidário atual; sou contra o voto facultativo, porque vejo o voto e a eleição como um processo político e também pedagógico; temo que o voto distrital, apesar de mais democrático, termine municipalizando o Congresso.

Falta falarmos das mudanças necessárias para incorporar as novas téc-nicas de mídia. Elas vão permitir um imenso avanço na modernização par-lamentar, da participação popular, da democratização, mas isto é tema para outro Fórum, exclusivo sobre este tema.

Quero concluir dizendo que nada disso será possível se não fizermos uma revolução na educação brasileira. Enquanto no máximo 20% terminam o ensi-no médio com um mínimo de qualidade, toda reforma política será insuficien-te, porque o eleitor não tem alternativa e fica submetido a votar em troca de uma camisa, um aviamento de receita médica, um emprego. Só uma revolução educacional permitirá a modernização política, legislativa, ética e eleitoral do Congresso.

A modernização da Câmara dos Deputados*

*Fernando Gabeira***

---

* Sem revisão do autor.
** Deputado Federal (PV-RJ).

EU QUERO INICIALMENTE agradecer ao ministro Reis Velloso, cumprimentar os companheiros da mesa, sobretudo os da área política, como José Eduardo Dutra, senador Cristovam, Márcio Fortes, deputada Íris de Araújo, Paulo Delgado. Posso dizer que o meu roteiro talvez seja um pouco diferente daquele apresentado pelo senador Cristovam, mas, possivelmente, alguns temas vão convergir e a modernização do Senado prevista por ele talvez não seja assim tão diferente da que prevejo para a Câmara.

É um roteiro diferente. Um primeiro aspecto que me preocupa na modernização do Congresso brasileiro e que deveria preocupar a fóruns desse tipo é o fato de que o Brasil está cada vez mais dentro do mundo e o mundo, cada vez mais dentro do Brasil. O processo de globalização se intensificou, nossas relações internacionais, que já eram ricas, ficaram muito mais a partir do avanço econômico e também da diplomacia presidencial. Nós tivemos alguns passos dados pelo presidente Fernando Henrique e outros agora, talvez muito mais vistosos e visíveis, do presidente Lula e, com isso, alcançamos uma demanda internacional não atendida, que se expressa de várias maneiras.

Em primeiro lugar, o Congresso não possui estrutura suficiente para analisar o conjunto de acordos feitos com o exterior. Não pretendo aumentar a estrutura, mas podíamos revolucionar o processo para adaptar a essa necessidade. O problema é que os parlamentares precisam conhecer os acordos internacionais sobre os quais votam, pois alguns são votados sem ser lidos e às vezes não são entendidos. Essa é uma questão a ser trabalhada.

Nós recebemos semanalmente, na Câmara dos Deputados, um grande número de deputados do exterior. Vem gente da Ásia, da Europa, da América

Latina, sempre procurando contato, informações sobre o Brasil, e dificilmente estamos preparados para, do ponto de vista do conhecimento dessas áreas, estabelecermos um diálogo além da formalidade diplomática. Uma vez, na livraria do Congresso, fui procurar uma revista chamada *Foreign Affairs*, e o número que encontrei era de 2003, quer dizer, estamos praticamente no final da década, já iniciando outra e a última edição que tínhamos era essa. A Câmara dos Deputados e o Congresso Nacional precisam se modernizar no sentido de reconhecer e se adaptar a uma nova tarefa internacional que temos.

Isso é visível a todos, não apenas com a presença dos acordos, com a visita de diplomatas ou de deputados estrangeiros, mas com o próprio crescimento da comunidade política internacional no país, o número maior de industriais que se interessam pelo tema e aumento do número de estudantes que vão assistir às nossas reuniões na Comissão de Relações Exteriores. É um processo crescente, então eu acho que aí se joga um elemento importante de modernização do Congresso brasileiro, que é o estar no mundo de uma forma diferente, reconhecendo a importância do Brasil neste momento e estando à altura dessa importância.

A segunda questão que acho essencial e envolve, na verdade, todas essas discussões é o que os americanos chamam de *accountability*, uma certa responsabilidade que a política brasileira ainda não adquiriu. Conseguimos, ao longo desse período democrático, um grande avanço no sentido econômico, com uma política econômica que se manteve e é hoje internacionalmente reconhecida. Nós conseguimos também um grande avanço em termos sociais, pois temos uma política social generosa e admirada em muitas partes do mundo. Mas não avançamos na política, propriamente dita, que ficou como um elemento degradado nesse processo, já que os políticos são vistos como caras de pau, mentirosos, interessados apenas em suas questões. E como resolver esse processo?

Muita gente fala, como já mencionado, na questão da reforma política. É muito difícil que seja feita por pessoas que temem essa reforma. Então, quando se fala em reforma política, de um modo geral, sempre somos remetidos a um impasse: como fazer uma reforma política que não desagrade àqueles que devem votar nela? A senadora Marina Silva propõe uma saída sobre a qual ainda não estou totalmente convencido, da necessidade de uma constituinte específica para esse caso. Mas antes disso, porque evidentemente vai demorar, é preciso pensar o que se vai fazer. O que temos visto é que existe hoje no Brasil uma grande percepção da corrupção política, que talvez tenha existido também no passado, determinada não só por alguns hábitos que foram estimulados e ampliados, mas também pela riqueza e pela modernidade dos novos instrumentos de monitoramento. Temos hoje no Brasil grande parte dos nossos corruptos que parecem os Irmãos Metralha, mas assim são devido também ao fato de existir a internet, com instrumentos que os desmentem quase que *on-line*, quase no momento em que eles contam sua mentira.

Esse é um processo que promete muito. Primeiro, porque cada vez mais estamos apertando. Tivemos na Câmara dos Deputados, e valia a pena fazer um estudo comparativo, uma grande crise envolvendo o uso de passagens aéreas. Simultaneamente, na Inglaterra houve também uma grande crise envolvendo outras coisas como gastos com piscina, e alguns conservadores até se retiraram do panorama político por causa disso. Eu acho que a maneira como a Câmara de Deputados se comportou, dando uma satisfação à sociedade, fez com que se mudasse a regra do uso das passagens, economizando hoje 32 milhões por ano nesse processo. Mas a verdade é que isso só foi possível, como tudo está sendo possível, a partir da pressão da sociedade, dos meios de comunicação e dos instrumentos de monitoramento que, hoje, são muito maiores.

Essa reforma política que tanto ansiamos, que sempre vemos no impasse de como será feita, quem a fará, na verdade está pensada e sendo feita aos poucos, progressivamente, pela própria sociedade, exatamente como o senador José Eduardo Dutra mencionou. É a pressão externa que já está em curso determinando esse processo. Não teríamos alterado o processo de uso de passagem na Câmara dos Deputados se não houvesse uma pressão externa. Não teríamos aprovado o projeto Ficha Limpa na Câmara dos Deputados se não tivesse havido uma pressão externa.

Então esse é um processo que eu vivi na Câmara e vejo que é mais promissor, sobretudo nos anos eleitorais, quando os deputados são sensíveis à pressão popular em determinados momentos. Nós tivemos uma vez a votação do voto aberto, quando havia ainda o secreto. Na primeira vez que votamos aberto, houve um grande interesse da população e, apesar de muitos deputados contra, a votação foi 300 e poucos a quatro, porque muitos não ousaram expressar o seu voto. Da mesma maneira agora no Ficha Limpa, houve várias tentativas de alterar o processo. Eles apresentavam e quando viam um grande número de deputados votantes, sentiam que era preciso aderir à corrente vencedora, que expressa a vontade popular.

Eu acho que a pressão é o grande elemento de transformação e, evidentemente, existem dentro do Parlamento alguns deputados sensíveis a isso, uma minoria que procura conduzir o processo. Acho que poderemos avançar muito mais, é claro que não faremos toda a reforma política, mas, pelo menos, iríamos desse impasse de esperar que um dia os deputados e senadores se disponham a votar nela, quando nós podemos, através de uma série de medidas pontuais, ir realizando essa reforma.

Quero falar, finalmente, do processo de participação que decorre disso e discordar levemente do senador Cristovam Buarque no que diz respeito à modernização técnica e à participação. Na verdade, eu tenho uma sensação de que tanto a Câmara dos Deputados quanto o Senado poderiam funcionar da mesma maneira gastando 30% do que gastam hoje, e acho que os meios técnicos à nossa disposição não são usados como deveriam. Em primeiro lugar, temos um canal de televisão no Senado e outro na Câmara de Deputados. Ora, podíamos transformar em uma única emissora do Congresso, juntar as equipes e o material e produzir reportagens e textos sobre as nossas atividades. Nós todos sabemos que é um tempo muito grande. Então, o que faríamos nos intervalos seria produzir e apresentar programas que não são concorrentes da televisão aberta, a comercial, o que não é a nossa atividade. Então nós poderíamos avançar nisso.

O que foi mencionado aqui como uma modernização técnica, que é o jornal, na verdade é uma expressão diluviana. Temos um jornal na Câmara de Deputados e outro no Senado, cada um com tiragem de mil exemplares, quando na verdade isso podia estar na internet. O senador ou deputado que quisesse ter a materialidade daquilo tiraria uma impressão e pronto! Nós economizaríamos muito mais. Então ainda não existe essa visão.

Eu sou contrário ao programa eleitoral gratuito de televisão. Considero uma violência contra o cidadão colocar esse programa em todos os canais abertos ao mesmo tempo, quando na verdade a pessoa deveria ou poderia, estando em um hospital em uma circunstância determinada, ter o direito de escolher outro canal no qual não tivesse alguém salvando a pátria com aquelas músicas conhecidas dos programas políticos. Sou contra isso e acho até que poderíamos evoluir para o fim do programa eleitoral gratuito com uma transição. O que eu proponho é que em vez desse programa, tivéssemos apenas os *spots* de 30 segundos. Seria como passar do blog para o twitter, deixaríamos de dizer coisas longas, como no blog, e falaríamos em 140 batidas. Seria muito mais eficaz e gastaríamos menos sem que o eleitor ficasse bombardeado pela nossa presença.

A televisão já não vejo. Eu estava conversando com o Márcio Fortes, que projetar uma reforma tendo em vista a televisão é projetar sobre algo muito instável, um instrumento que vai ser absorvido muito rapidamente por um outro que sintetiza todos, que é a internet. Pessoalmente usei muito mais a internet na campanha do que a televisão. Nós tínhamos um canal no Youtube e conseguimos em quatro ou cinco dias de pique mais audiência do que a TV Globo na internet. Havia uma demanda muito grande.

Então as coisas estão se passando por aí, a ponto do candidato colombiano Mockus hoje estar na liderança sem usar a televisão, apenas usando as redes sociais e a internet. As coisas estão mudando muito e esse é o caminho que poderíamos fazer para avançar. Acredito, por exemplo, que ainda não temos no Brasil a possibilidade de todos estarem na internet, mas as nossas audiências já estão aí. É um avanço extraordinário as pessoas já poderem acompanhar o que se passa no Parlamento pela internet.

Daqui a pouco não vamos precisar mais da redundância, já jogamos tudo dentro da internet. Os nossos gastos podem ser reestruturados a partir disso. O governo gasta R$ 800 milhões por ano em viagens. Às vezes não posso nem mencionar isso, mas critico alguns governantes porque viajam muito, não porque sou provinciano e gostaria de detê-los no nosso território. Eu os critico porque hoje temos o *skype*, a videoconferência, inúmeras formas de fazer o trabalho bem e sem os custos da viagem.

Na Câmara dos Deputados nunca fizemos, e eu sempre tive uma proposta nesse caminho, uma avaliação crítica dos nossos gastos em viagem. Não quero avaliar se a diária é essa ou não, queria apenas dar ao Parlamento brasileiro a mesma visão que tem, por exemplo, o Parlamento canadense, o francês, pois aqui no Brasil os deputados e senadores antigamente viajavam para ver o papa. O objetivo principal da viagem era estar com o papa, fazer a fotografia com o papa e voltar.

Hoje não, mas ainda assim não temos como no Canadá e na França uma comissão que estabeleça um nexo nas viagens. É preciso que a pessoa viaje para um determinado encontro, se ela tem alguma coisa a aprender ou a contribuir, não é possível que viaje para um encontro internacional apenas com o pretexto de se fazer compras, precisamos controlar isso. Hoje, as viagens não são decididas a partir de um critério, não se envia as pessoas adequadas para isso, e o que é pior, no meu entender, nem todas são passíveis de um relatório. Qualquer empresa, quando manda um funcionário para uma viagem determinada, quer um relatório. Nós tínhamos que ter isso também, de forma bem estruturada. O problema é que não é cobrado.

Nós também vivemos o declínio da imprensa junto com a política. A imprensa, a partir de alguns anos, tanto aqui como no exterior, passou a se interessar muito mais por um tópico chamado *people* — as circunstâncias das relações interpessoais —, do que propriamente pelos grandes acontecimentos. E hoje os jornalistas passaram das sessões de comissão, nas quais são discutidas o conteúdo dos temas, para o cafezinho, onde, realmente, as coisas acontecem; por isso a questão *people* é muito mais interessante. Sou testemunha desse processo.

Relatei e consegui aprovar o Protocolo de Kioto, e não saiu em nenhum jornal. O presidente da República na época, Fernando Henrique, me disse: "Não foi relatado ainda o Protocolo", e eu respondi: "Não, presidente, foi, é que não saiu na imprensa!" Então temos essa situação da imprensa de migrar dos grandes temas para o *people*, tanto que o que repercute mesmo é quando se gastou erradamente, mas não há essa reflexão sobre a instituição e como ela usa o dinheiro público, quais são os caminhos que ela tem para reduzir sem perder a eficácia.

Legitimidade da representação política

*Márcio Fortes**

* Ex-deputado Federal (PMDB-RJ).

A REPRESENTATIVIDADE, QUE se pode estender para legitimidade dos mandatos, é o cerne da questão política e essa é A questão nacional.

Não é esta a percepção do cidadão comum. Os meios de comunicação entendem assim quando dão à política as páginas mais nobres da imprensa escrita, mas a atenção geral é dirigida a outros assuntos que afetam o dia a dia. As informações de vida comum ganham relevo e dão a impressão que a política é apenas um mal necessário, ou mesmo desnecessário.

Devemos dedicar à política o maior e o melhor de nossos esforços e nunca descurar em benefício de interesses de outra natureza, sejam corporativos, pessoais, administrativos, econômicos ou mesmo ligados ao desenvolvimento, porque o aperfeiçoamento político é paulatino e lento, mas consegue transformar sociedades com eficácia e durabilidade.

Há hoje no Brasil 27 partidos políticos. Na Europa, nos Estados Unidos, nos países democráticos do Oriente, e tantos outros, o quadro é outro. Mesmo na América Latina não há semelhança, até porque o Brasil tem características diversas em sua organização política. Dezenove partidos são representados na Câmara dos Deputados — o *locus* de nossa atuação política.

Dos 19, quatro podem-se dizer grandes partidos. O maior de todos é o PMDB, em seguida o PT. Tamanho de partido não é simples de definir, pois há vários indicadores aplicáveis, como número de prefeitos, governadores, vereadores, militantes filiados, e assim por diante. O PSDB não se coloca mal — 5 governadores, 14 senadores, 57 deputados federais e 140 estaduais; 3 prefeitos de capital, 796 outros prefeitos, 7 mil vereadores, 1 milhão e 120 mil filiados. É grande o DEM, de forte tradição.

Os quatro partidos são secundados por alguns de média dimensão, alguns mais fortes em determinadas regiões, menos em outras, como PTB, PDT, PSB, PP, PR. Os pequenos partidos políticos não são desprezíveis, pois bem representam os que seguem seu pensamento e adotam seu ideário como próprio.

No presente painel, dedicado a partidos políticos e não à reforma política, um assunto é ligado ao outro, pois as questões estão sempre associadas. As instituições alimentam os partidos, que fornecem quadros, pensamento e ação às instituições políticas.

A questão "macro" da política é a legitimidade da representação parlamentar. Constituímos uma Federação, temos nossos estados, o Senado representa a federação de forma clara, mas Rio, São Paulo e Minas juntam mais de 45% do eleitorado e 32% dos deputados federais. O erro não é dos partidos, e sim da organização política brasileira que estipula um número mínimo e outro máximo de deputados para cada unidade federada. Tal assimetria é parte do problema, alimentando uma disfunção dos partidos.

Outra questão é a eleitoral, feita por um sistema transparente, ao mesmo tempo desconhecido. Os cidadãos brasileiros são levados a acreditar que seu voto para os parlamentos são dirigidos a pessoas; o voto dado a indivíduos, pela lei vigente, o mais das vezes elege alguém, de mesmo partido ou coligação, não o mesmo objeto do voto.

Daí a proposta de *voto em lista* — vote em tal partido que talvez você eleja o fulano...

A proposta de nossa preferência é o *voto distrital;* assim, o tal fulano seria o único candidato de seu partido em seu distrito. Com 19 partidos é difícil, mas poderiam ser 5 ou 6 partidos e a legitimidade do mandato seria obtida por eleições em dois turnos em cada distrito para cada cargo em disputa.

Não entendemos que seja o melhor o chamado *voto distrital misto*. O exemplo alemão é adotado desde o fim da Segunda Guerra Mundial; antes, o voto era em lista — no sistema parlamentarista, bem entendido — mas os norte-americanos, que influenciaram as modificações logo após a guerra, desejavam um sistema distrital como na América; como não se mostrou possível, veio o distrital "misto".

O Brasil não precisa do misto. A decisão na direção do voto distrital clássico permitirá à que a população saiba exatamente o que pensa cada um dos candidatos em seu distrito e, a partir daí, ter uma interatividade permanente com seu representante.

A questão regimental, para o funcionamento correto e eficaz do Parlamento, valoriza muito certos critérios não exatamente eleitorais; mesmo porque a Federação, na Câmara dos Deputados, apresenta pesos e forças variados em função de vários cenários. Um partido, que seja grande, cujo eleitorado concentre-se em uma região, tende a procurar que a legislação do país como um todo se adapte ao melhor para a região. São questões regimentais a serem aperfeiçoadas.

E há as questões de natureza pessoal, como o Projeto Ficha Limpa; todo o conjunto inovador contrapõe a constatação, triste para nós políticos, de que somos muito mal considerados pelo coletivo populacional. Sem merecimento, já que os que merecem a crítica e mesmo o desprezo por tal não se incomodam, pois, ao contrário, são temidos, muitas vezes amados e admirados, pois usam subterfúgios e instrumentos de poder para benefício individual de eleitores.

A representação parlamentar, mesmo sem qualquer grande "reforma", já poderia ter sido inovada de muitas maneiras. Algumas foram levadas à opinião pública e não progrediram por razões menos marcantes, ligadas à governabilidade e a vacilações dos próprios partidos.

A chamada "cláusula de barreira", importante inovação, pretendia que partidos muito pequenos não tivessem acesso ao principal meio de comunicação política eleitoral, a "programação gratuita" de rádio e TV; "gratuito" entre aspas, pois custa dinheiro aos partidos, devido à produção, dispensados de custear a veiculação. Tal iniciativa na prática poderia eliminar a representação parlamentar de tais partidos. Por outro lado, haveria a concentração de bons políticos, com vários tipos de pensamento e padrões de liderança, em partidos de maior dimensão, o que atrairia mais votos para os melhores e portanto uma representação de maior consistência.

Na mesma direção, como um instrumento mais eficaz, a não autorização de coligações para eleições proporcionais, aquelas que elegem deputados federais e estaduais e vereadores. O atual funcionamento conceitua que um conjunto de partidos coligados significa um único partido. Tal função, de bastante discussão e muito questionamento, leva partidos pequenos a emprestar seu diploma legal a partidos de maior dimensão para aumentar seu tempo de exposição em rádio e TV, acrescentando candidatos de menor expressão eleitoral para inflar o conjunto de votos e eleger os de maior densidade eleitoral.

A disfunção atual faz com que um partido grande ou médio tenha interesse em coligar-se com alguns partidos que poucos conhecem, contribuindo cada um com certo número de candidatos que somarão seus votos e seu tempo de comunicação para eleger os dois ou três mais votados do partido maior em cada estado.

Mais grave, a coligação só existe para o processo eleitoral. Os eleitos e empossados passam a ser membros de bancadas de seus partidos originais; muitos parlamentares com muitos votos, mas insuficientes para fazer o conjunto de deputados necessário para sua própria eleição, igualam-se na ação parlamentar aos que pouco representam.

Instrumentos simples e práticos como estes, e outras iniciativas ligadas à utilização de rádio e TV, com certeza contribuiriam para a maior legitimidade da representação. Não que elegessem apenas membros de partidos de maior dimensão; é que tais partidos teriam, aí sim, a contribuição de bons políticos, bons líderes, capazes de integrar os parlamentos sem as amarras de participar apenas nominalmente de coligações artificiais.

As questões são especializadas. A matéria é bastante desconhecida, quase misteriosa, mas está no cerne da instituição política mais importante — o partido — que no mundo maduro conduz o pensamento à ideologia dos cidadãos, levando a lugares comuns de modificação estrutural no que seja necessário ao acompanhamento conjuntural e à formulação de destinos do país, das questões públicas.

Uma coisa puxa a outra. Não poderemos continuar com instrumentos subalternos para eleger e fazer funcionar parlamentos em todo o Brasil. A regra é a mesma para qualquer dimensão e qualquer nível de governo, entendendo que o Parlamento está no centro da questão política. Não há como apurar melhor o pensamento e a vontade de uma sociedade que melhorando os partidos políticos. Não há clube, associação de moradores, entidade religiosa, sindicato, sociedades muito úteis e importantes, mas a quem não cabe agregar o pensamento consolidado de um país como o Brasil. Tais entidades podem e devem ser utilizadas para aguçar a sensibilidade dos políticos e agentes públicos, pelo seu talento e sua capacidade de obter a legitimidade para representar a sociedade como um todo.

A modernização das instituições políticas*

*Paulo Delgado***

---

* Sem revisão do autor.
** Deputado Federal (PT-MG).

É TAMBÉM PARA mim uma honra participar dessa longeva instituição que é o Fórum Nacional em um país de instituições tão transitórias. Cumprimentar todos os meus colegas de partido, o presidente do meu partido, meus colegas do Congresso, senhoras e senhores.

Cabe a mim falar sobre a modernização das instituições políticas no país depois das diversas exposições feitas aqui. Primeiro, penso, ao abordar esse tema, de vê-lo pela maneira como pensava o Norberto Bobbio, o grande pensador político italiano falecido recentemente, que dizia que tudo é política mas a política não é tudo. Se a política não se abrir para a riqueza e os movimentos reais da vida das comunidades e da sociedade, não terá condição de entender as questões que estão ocorrendo no mundo hoje, especialmente quando já existem indicadores da Organização Mundial de Saúde mostrando que os transtornos afetivos já são a maior causa de incapacitação das pessoas para o mundo do trabalho e para a produtividade. Ou seja, está produzindo um outro tipo de apropriação do sofrimento pela medicação, pela autoajuda.

Há uma outra agenda que se apropriou do coração e do sentimento das pessoas, distanciando-as mais ainda, no mundo e no Brasil, como bem diz o Gabeira, do recurso à política, que não serve como um bom recurso para resolver a gravidade, a complexidade dos problemas humanos. Então, para modernizar as instituições políticas em nosso país, ela não pode ser considerada excessivamente importante. A má política é excessivamente importante, mas a boa é relativamente importante. As instituições estáveis são mais importantes do que a tentativa de imaginar que vamos resolver as coisas só pela política. Por exemplo, o Poder Judiciário, em muitos casos, tem se omitido muito no processo de modernização do Brasil. O Poder Executivo, desde o município até o governo federal, também tem uma responsabilidade grande no processo de modernização das instituições.

Eu acho que o grande desafio que temos nesse momento tão favorável ao nosso país é que o Brasil pode frustrar e trair a confiança do mundo se não der modernidade ao progresso brasileiro. Você tem progresso, é verdade, as condições de vida melhoraram, o governo federal vem conseguindo criar indicadores de mobilidade social inéditos no Brasil. Comparativamente à maioria dos países da Europa essa mobilidade não existe, porque são fatores que produzem crises graves dentro de países desenvolvidos. O fato de a sociedade permanecer estável, estática e imóvel, em que as classes sociais não circulam isso, no Brasil é um fenômeno recente, resultado mais de acumulação política do que de ênfase política desse ou daquele governo, é a acumulação política que vem desde a redemocratização.

A capacidade de inventar instituições novas e recriar instituições tradicionais e antigas é o maior desafio hoje do Brasil. Primeiro, porque há um paradoxo na democracia brasileira, pois os fundamentos que sempre estão na base das discussões sob reforma política são positivos, e não negativos. O sistema eleitoral brasileiro foi um dos mais modernos do mundo durante muito tempo, o pioneiro em relação, por exemplo, ao voto das mulheres durante mais de 20 anos. Enquanto alguns países da Europa ainda não tinham o voto feminino, ele já existia no Brasil desde os anos 1930. O sistema de apuração eleitoral do Brasil é o mais moderno do mundo. Se ele se associasse, por exemplo, à agilidade do sistema bancário, não precisaríamos ter eleição em um dia determinado, poderíamos em qualquer momento ter o tal *recall* proposto pelo senador Cristovam. Ou seja, o sistema comercial brasileiro, o Procon, está mais avançado que o sistema político, porque se posso devolver um produto estragado, por que não devolver um deputado com defeito?!

Acho, inclusive, que, por exemplo, a modernização da China virá muito mais pela liberdade comercial (que ela não vai conseguir evitar se quiser continuar a competir do jeito que vem competindo no mundo) do que pela liberdade de imprensa, pois a China vai conseguir manter censura à internet, vai conseguir manter mecanismos de contenção da liberdade individual. Mas se ela quiser ter progresso econômico, marca mundial, produtos respeitados, vai ter de se democratizar, o consumidor chinês deverá ter a cidadania que o consumidor brasileiro tem.

A cidadania do consumidor é maior que a cidadania política, embora a cidadania política seja extremamente avançada no Brasil também. Há países em que o voto é censitário, e há aqueles em que a cidadania fiscal determina a eleitoral. No Brasil, não! Não se pergunta ao cidadão brasileiro se ele está quite com o imposto de renda, só se ele cumpriu as suas obrigações militares e se votou na eleição anterior. Isso é muito mais universal do que em muitos países democráticos. Então eu vejo pelo lado positivo, embora haja sempre necessidade de atualizar.

Qual é o grande paradoxo da democracia hoje? É o paradigma da estabilidade econômica que dissociou o progresso econômico da solidariedade social. E essa disjunção está ocorrendo hoje, quer dizer, a preparação para a riqueza material brasileira do país, do PIB, das instituições industriais, comerciais e do cidadão, que é visível para o processo de melhoria das condições de vida, visível a todas as pessoas, está dissociada da preparação para a sofisticação espiritual, tecnológica, educacional. É só observar os cinco cursos mais procurados pelos brasileiros, segundo dados recentes do Inep e do MEC, que se transformaram em *commodities* educacionais, e os cinco cursos mais procurados no Canadá, Estados Unidos, Europa, China e Japão. Não há um único dos cinco cursos brasileiros nos países desenvolvidos e não há nenhum dos cinco cursos dos países desenvolvidos entre os cinco primeiros brasileiros.

Essa contradição entre o que o jovem brasileiro está procurando para imaginar o seu futuro não está vinculada ao crescimento real do nosso país. Um dado concreto hoje, e os senhores e senhoras que são empresários sabem muito bem disso, é esse problema da qualificação da mão de obra brasileira. A riqueza e a potencialidade brasileira não têm apenas dificuldade de se ajustar à obsoleta estrutura jurídica do Brasil, mas também à obsoleta estrutura técnica e tecnológica do nosso país. Esse é um grande desafio que reflete o paradoxo da democracia, que está produzindo uma legitimidade operacional ao sistema político desde que se associe em segundo plano, ou seja, de maneira subalterna ao desenvolvimento econômico. Tanto que não tomamos nenhuma decisão de caráter econômico relevante no Congresso Nacional, não há praticamente iniciativas legislativas relevantes no Congresso Nacional, as iniciativas relevantes são praticamente todas do Poder Executivo. Não há uma política parlamentar ou de um colega que produza uma política pública, há sempre a política pública gerada pelo Executivo. Isso é uma característica do presidencialismo mais do que do parlamentarismo, porém é uma característica excessiva.

É impossível pedir prestígio a um sistema que não cuida das coisas que dão prestígio, é impossível pedir bom comportamento a um parlamentar que não tem o que fazer, cabeça vazia é oficina do código penal. Esse é um dos problemas, a falta de agenda relevante para o Congresso, que vem se agravando à medida que se estabiliza a economia e o progresso aumenta. É a irrelevância do Poder Legislativo, e esse fenômeno está se tornando mundial, não é um problema brasileiro, porque se deslocou da política o processo de decisão, que hoje está no setor comercial, econômico, financeiro internacional, está muito mais em algumas agências multilaterais do sistema das Nações Unidas do que na nossa organização interna.

Agravando isso, então, cresce a desinstitucionalização como consequência desse paradoxo. O eleitor começa a procurar o político para conseguir alguma gratificação imediata. Isso produziu os chamados deputados de guetos. Isso faz com que o sistema partidário tenha de buscar nos guetos eleitorais, onde têm deputados que representam interesses específicos, os grandes líderes das legendas. São as igrejas que têm seus deputados, os meios de comunicação que têm seus deputados, o sistema sindical tem seus deputados. Eu mesmo cheguei ao Congresso Nacional e estou lá até hoje, porque a proposta do senador Cristovam ainda não foi aprovada, eu estou lá desde a Constituinte. Eu cheguei no Congresso Nacional com o presidente Lula.

Nós viemos de onde? O Paulo Paim, que hoje é nosso senador no Rio Grande do Sul, como o Luiz Dulci, era do movimento dos professores e hoje é Ministro de Estado. Nós chegamos do movimento sindical. Benedita, do movimento dos negros e favelados e mulheres do Rio, era mulher, negra e favelada. Lembro-me da campanha da Bené, ou seja, nós nascemos dos movimentos setoriais.

O movimento sindical tinha um discurso nacional naquela época, tinha um discurso de modernização da estrutura produtiva, da legislação eleitoral, do paradigma da legislação trabalhista. Isso tudo foi se concentrando em guetos eleitorais, alguns municipais, que hoje compõem a maioria do Congresso Nacional. Alguns deputados não têm cabeça nacional, mas local. Eles passam pelo Congresso esperando voltar para a prefeitura das capitais ou das grandes cidades dos estados ou serem governadores. Não suportam o Congresso Nacional, vivem um tédio parlamentar profundo porque são grandes líderes locais, e aí a ideia de ter um deputado nacional, um deputado avulso, um político independente, essa é uma boa ideia que nasceu praticamente de todas as formulações aqui.

Uma parte do Congresso Nacional devia ser formada de políticos nacionais, e para enfrentar a desinstitucionalização, partidos que não tenham vocação ou não queiram apresentar candidatos ao Congresso Nacional por duas eleições deviam se extinguir, porque não tem sentido um partido que não queira governar o país se ele está no Congresso Nacional. E aí criar a possibilidade de se ter na cláusula de barreira a entrada no Congresso Nacional, e ampla liberdade municipal para entrar no sistema estadual. Tendo voto nos municípios disputa o governo do estado, tendo voto em pelo menos sete ou nove estados disputa o governo nacional. Não tem sentido, e o Brasil tem uma experiência traumática com isso, um líder local se tornar presidente da República. Ele não se sustenta politicamente, porque é um processo artificial de produção de liderança e a ideia de você criar oligarquias locais no sistema nacional, e aí enfrentar também as ações erráticas do Poder Judiciário.

Quanto ao Projeto Ficha Limpa, o Congresso podia ter sido poupado dessa discussão negativa, mas necessária, porque a Constituição brasileira permite que o Poder Judiciário aplique todos os dispositivos que o movimento popular está querendo no Ficha Limpa. O Poder Judiciário não aplica porque não quer, porque quem não obtiver certidão não se torna deputado. Essa pessoa não deveria, mas se certifica no cartório, consegue todos seus documentos e vira candidato, podendo ser eleito deputado. A Justiça é desatenta a essa questão e nos cobra mais uma lei para que burocratize mais o sistema. E a última grande decisão errática do Poder Judiciário de caçar vitorioso e empossar derrotado? O que é isso? É uma coisa escandalosa! Se você acha que o titular de um governo deve ser cassado por improbidade, faça uma eleição, mas não chame o derrotado para assumir o governo do estado, porque isso diminui a credibilidade no sistema político como um todo.

Dentro do espírito geral de modernização, se nós conseguíssemos enfrentar esses problemas pontuais, agregando a visão geral da dificuldade mundial complexa, poderíamos fazer os políticos brasileiros lutarem mais para exercer o seu mandato do que para preservá-lo, pois hoje a maior característica da política é que a maioria preserva o mandato e não o exerce, porque perde ao exercê-lo.

O Programa Nacional de Direitos Humanos, PNDH-3*

*Paulo de Tarso Vannuchi***

* Sem revisão do autor.
** Ministro da Secretaria Especial dos Direitos Humanos da Presidência da República.

É COM MUITA alegria e entusiasmo que vejo essa XXII edição do Fórum Nacional incorporar de maneira tão frontal o debate que acabamos de ver resumido aqui, na presença e no vídeo com as lideranças das comunidades do Rio de Janeiro, que em suas falas já disseram boa parte daquilo que me cabia dizer, sobretudo depois da liderança do Borel. Lembro da necessidade de ouvir os pobres na definição de qualquer política pública, em uma história milenar de evolução do que se entende hoje por Direitos Humanos, com seus primórdios no Código de Hamurabi, de 1700 a.C., e toda a tradição judaico-cristã, a Idade Média e a Revolução Francesa firmando os ideais de liberdade, igualdade e fraternidade. Um grande resumo, bem lembrado no Artigo 1º da Declaração Universal dos Direitos Humanos, de 10 de dezembro de 1948, que é o campo normativo para toda a evolução da ONU e de sistemas regionais como o da OEA, e também da história brasileira, que a partir de 5 de outubro de 1988 tem um novo marco zero nessa construção, com alguns primeiros instrumentos da ONU sendo assimilados no país como a Convenção Contra o Racismo.

Na evolução do tema dos Direitos Humanos no âmbito das Nações Unidas houve um momento marcante, em junho de 1993. Era o governo Itamar Franco; Fernando Henrique Cardoso era chanceler, e foi a maior conferência da ONU já realizada sobre Direitos Humanos (Viena). Tivemos duas grandes novidades: o lançamento do conceito-chave de indivisibilidade, para tentar resolver de uma vez por todas a separação entre os ideais de liberdade e de igualdade da bandeira da Revolução Francesa, que ao longo de todo o século XIX e no século XX tiveram seus antagonismos. Os antagonismos da liberdade, muitas vezes associada a uma ideia de livre iniciativa, como na Inglaterra de Dickens, com nenhum cuidado com aquele trabalhador descrito nos romances, e também uma igualdade que no século XX formulou sistemas ditatoriais totalitários.

Tanto é que, em 1966, quando a ONU tenta transformar o genérico daquela declaração "todos os seres humanos nascem livres e iguais em dignidade e direito" em instrumentos vinculativos, com os 29 pontos seguintes combatendo a discriminação, o preconceito, banindo a tortura, o trabalho escravo, assegurando a liberdade de religião, de participação, de eleger e ser eleito governante, nascem na mesma assembleia o Pacto dos Direitos Civis e Políticos, ecoando nos resumos de Noberto Bobbio os direitos de liberdade, e o Pacto dos Direitos Econômicos, Sociais e Culturais ecoando os direitos de igualdade.

Parte da reação ao PNDH 3 podia ter surgido também em relação ao anterior de 2002, que se refere a grande diversidade de temas. Por que abordar, por exemplo, temas como o do desenvolvimento, um tema histórico nessas 22 edições do Fórum Nacional? Porque, diz Bobbio, os direitos humanos não nascem de uma vez só e de uma vez por todas. Há um processo histórico em que ao longo do tempo os conceitos vão se enriquecendo como aqui hoje, na XXII edição, proclamar a ideia de uma sociedade ativa, moderna, sentada no diálogo e na tolerância.

É isso que se faz aqui hoje, uma democracia em que o cidadão, a cidadã vêm fazer discussões sobre o futuro do nosso país e todos unidos na ideia de que para frente é que se anda. Podemos ter algumas divergências democráticas naturais entre se é melhor deixar o passado como está ou processá-lo.

Não sei se cabem as comparações entre nações e seres humanos, mas certamente a psicanálise explica que crescem mais os seres humanos que são capazes de conhecer a si mesmo profundamente, da sua infância, da sua juventude. Freud não inventa isso, quem inventa isso é Sócrates com o *nosce te ipsum,* conhece-te a ti mesmo. E as nações talvez fossem mais bem preparadas para o futuro se não recusassem o exame difícil, penoso, às vezes doloroso da violência que aconteceu para que nunca mais aconteça.

A segunda ideia da Conferência de Vicna foi recomendar às nações que não se fale em direitos de liberdade sem os de igualdade, e não se fale em igualdade sem assegurar plena liberdade, e a segunda recomendação foi de que as nações formulassem um Plano Nacional de Direitos Humanos. O Brasil teve uma participação ativa. O embaixador Gilberto Sabóia, colega do diplomata senador Arthur Virgílio, foi o relator do texto e o Brasil foi um dos primeiros países a formular o seu Programa Nacional em 1996, chamado hoje PNDH-1. A observação sobre aquele grande avanço e conquista é de que ele tinha sido excessivamente centrado nos temas da primeira geração de direitos humanos civis e políticos. Cabia agregar os econômicos, sociais e culturais, direitos de liberdade e de igualdade. Duas mãos de um mesmo ser humano livre, e só haverá paz sobre os alicerces sólidos da justiça, da solidariedade, do respeito ao outro, conviver com o outro como aqui e celebrar a diversidade de opiniões: convicções que tenho hoje diferentes das que tive no passado, convicções de verdade que tenho hoje e que amanhã mudarei, isso cabe a cada um de nós, inclusive às nações com o benefício da sempre necessária e saudável ideia de alternância de partidos no poder.

Em janeiro de 2006, aqui na cidade do Rio de Janeiro, no velho Itamaraty, o presidente Lula celebrou o dia que a ONU criou para não esquecer o Holocausto, para não esquecer Auschwitz. A Alemanha sabe conviver e não esquece, ensina nos bancos escolares o que foi o nazismo e disso nasce um país grande, democrático, pujante, que o Brasil pode repetir, se inspirar e seguir.

O presidente Lula convocou um mutirão nacional para debater, revisar, atualizar o Programa Nacional de Direitos Humanos. Eu lerei daqui a pouco algumas opiniões de terceiros, de jornalistas, de fontes reconhecidas, mostrando que há uma certa evolução. Eu digo e disse lá no Senado, que se Lula e Fernando Henrique são antípodas em tudo o mais, em Direitos Humanos não. Nós sempre afirmamos que prosseguiríamos o acúmulo importante dos anos anteriores e é nessa rota que, por exemplo, o último titular de Direitos Humanos no período Fernando Henrique, Paulo Sérgio Pinheiro, foi um consultor especial importantíssimo em toda a elaboração do PNDH-3.

A conferência nacional que aprovou o primeiro esqueleto do PNDH-3 ocorreu em Brasília, entre 15 e 18 de dezembro de 2008, culminando com aproximadamente 150 encontros locais e regionais, envolvendo 14 mil participantes. Eu tenho sempre a emoção de lembrar a foto de uma presa no Piauí, com a mão para fora da cela segurando o caderninho das teses, como contribuição para a formulação do plano, e o fato do Maranhão ser um estado em que 1/3 dos municípios realizaram a etapa municipal.

Na abertura daquela conferência, no dia 15 de dezembro, na presença do presidente da República, Luiz Inácio Lula da Silva, do vice-presidente, José Alencar, e de 11 ministros, eu disse: "Presidente, a convicção desses dois mil delegados é de que o máximo possível do que for aprovado aqui será incorporado ao novo PNDH-3, como Fernando Henrique Cardoso fez nas duas edições anteriores."

Seguiram-se quatro ou cinco meses de negociações com a sociedade civil, aqui muito bem representada e que em nenhuma hipótese vem bater palma, ou fazer papel de chapa branca. Mas vem exigir direitos, demandar questões novas, pressionar, fiscalizar. Isso vale para governos municipais, estaduais, federal e de qualquer recorte partidário. Mais quatro ou cinco meses de negociação no âmbito do governo, o lançamento em dezembro passado, e dos últimos dias de dezembro até recentemente a grande controvérsia, a grande polêmica, profundos desacordos que foram manifestados.

Eu preciso ler algumas manifestações sobre o PNDH-3, porque se as pessoas aqui presentes, eventualmente, não tiveram a oportunidade de ler e só leram o noticiário eu lamento dizer que não foram informadas sobre a existência de apoios importantíssimos. Apoiaram o Conselho Federal da OAB, o Conselho Nacional do Ministério Público do Brasil, a Federação de Jornalistas, a Federação de Médicos, o Conselho Federal de Psicologia e a Contag, como importantíssimo contraponto às críticas da CNA. Nenhum quilo de soja é produzido no Brasil sem o contraponto do trabalhador que maneja as colheitadeiras, a Contag apoiou expressivamente e houve uma infinidade de movimentos de moradores, de projetos ligados a esses que entenderam que o PNDH buscava ser voz dos que não têm voz.

Eu lembro as clássicas formulações que vêm de Aristóteles, que passaram pelo discurso de Lincoln, no Cemitério de Gesttyburg, do governo "do povo, pelo povo e para o povo". A democracia vai se reformulando, reconceituando, por exemplo, no simples fato de a edição do Fórum Nacional de 2010 ter uma participação como essa que, provavelmente, não ocorreu na primeira, na segunda ou na terceira edições, porque corresponde à evolução democrática do Brasil.

Não havia nenhuma proposta de orçamento participativo e hoje há. Marilena Chauí lembra que a democracia é uma reinvenção permanente da política, não pode ficar contida estritamente aos últimos textos escritos por Montesquieu. É preciso agregar à modernidade aquilo que vem depois de Montesquieu, e nesse sentido essa participação direta revela que só no governo do presidente Lula estamos realizando, a partir da semana que vem, a 7ª Conferência Nacional, em que 10 mil, 100 mil, meio milhão de participantes diretos, como aqui hoje temos, vêm opinar, expressar, ouvir e debater para fortalecer as instituições republicanas, trazer demandas ao Legislativo e ao Judiciário.

É a continuação histórica do direito de petição da Idade Média que começa a nascer junto com a Carta Magna que cria a primeira ideia de representação. A democracia representativa é o centro da vida republicana, mas ela é enriquecida pela contribuição democrática que é apresentada.

E eu lembro, senador Arthur Virgílio, que é um equívoco entender que isso usurpa esfera de competência do Legislativo ou do Judiciário, na medida em que cumpre um papel muito importante junto a segmentos excluídos, empobrecidos, marginalizados, para que não descreiam das instituições republicanas, e acreditem no seu Parlamento, elejam seus representantes de qualquer partido, apresentem propostas legislativas, levem ao Poder Judiciário as suas sugestões, para que o Brasil não faça como muitos outros países fazem nessa descrença de enfrentar problemas como a contestação, o caminho no qual a violência gera violência, em um ciclo que leva hoje o presidente Lula, entre outras razões, a percorrer o Oriente Médio, o Irã, como mensageiro da paz.

Eu termino lendo pequenos trechos de depoimentos sobre o PNDH-3, para aqueles que ainda não tiveram a oportunidade de ler. O ministro Sepúlveda Pertence comentou, sobre as críticas ao 3º Plano Nacional de Direitos Humanos: "Está um cipoal que entrelaça galhos e raízes desconexas. Partem da ignorância de quem não leu o Plano e o desconhecimento da verdade estabelecida há quase dois séculos de que a liberdade e a igualdade formais do liberalismo clássico valem muito pouco se não se efetivam os pressupostos substanciais mínimos da dignidade da pessoa humana e, portanto, da fruição por todos dos Direitos Humanos. A essa ignorância, quando não se servem propositadamente dela, se tem somado para aviventar a guarda contra o Plano desde a manifestação legítima de divergências a algumas de suas propostas e metas, assim a da Igreja a respeito do aborto, os temores de segmentos das Forças Armadas na questão da Lei de Anistia e a voz poderosa dos interesses e privilégios a preservar contra qualquer ameaça, ainda que remota, de trazê-los à agenda da discussão nacional. O Plano é fiel à Constituição não apenas ao que dela já se implementou, mas, principalmente, ao arrojado projeto de um Brasil futuro que nela se delineou e que falta muito para realizar."

Outro depoimento importantíssimo que quero repercutir é do jornalista Fernando Rodrigues: "Quando observados de maneira detida, os três programas nacionais de Direitos Humanos, até hoje publicados, guardam semelhanças entre si. Quando se trata de trabalhadores rurais sem terra, reforma agrária e invasões, Lula baixou um texto muito parecido com os editados por FHC. Em 2002, o tucano queria 'adotar medidas para coibir práticas de violência contra movimentos sociais que lutam pelo acesso à terra'. Além disso, defendia uma lei regulando de maneira mais rígida a reintegração de posse de terras invadidas, condicionando devolução da propriedade à comprovação de que ali havia função social."

Miriam Leitão, abordando o tema do direito à memória e à verdade, disse que em nenhum momento o PNDH propôs revisão da Lei de Anistia; e não entramos no tema punição, o que nos custou inclusive críticas dos movimentos sociais que participaram do processo da conferência. Diz Miriam Leitão: "Quanto ao que se passou no aparelho de Estado durante a ditadura é claro que o assunto precisa ser encarado, não pode haver um tema tabu. Todos os regimes de força enfrentaram investigações após o seu término. O Brasil está afundado em sofismas. A apuração do que se passou, do que aconteceu com os desaparecidos, dos crimes de tortura e morte cometidos dentro de quartéis ou por militares é um dever para com a história, para com as futuras gerações. Não pode ser entendido como revanchismo o que é uma simples busca de informações."

Cláudio Lembo, ex-governador de São Paulo, ex-PFL, ex-presidente estadual da Arena: "Ora, quem lê sem preconceitos o documento presidencial constatará que ele enfoca temas que necessariamente deverão ser abordados pela sociedade e depois analisados pelo Congresso Nacional. Em uma sociedade com conflitos sociais latentes, onde poucos dominam pelas mais diversas formas a grande maioria, preservando-a em situação alarmante, apontar temas para o debate é essencial."

E a alta comissária das Nações Unidas, a sul-africana Nave Pillai, escrevendo na *Folha de S. Paulo*: "Ao voltar recentemente do Brasil, observei com interesse e satisfação que o 3º Plano Nacional de Direitos Humanos do governo do Brasil pretende criar uma comissão da verdade como passo importante para atingir a verdade sobre as violações ocorridas no passado e facilitar a reconciliação. Esse é um fato bem-vindo e que demonstra o compromisso do Brasil em promover os Direitos Humanos em nível nacional, bem como no resto do mundo."

Muito obrigado, ministro Reis Velloso, pela oportunidade de hoje promovermos um debate sem distorções, sem nenhuma ideologização, em que manteremos sim diferentes opiniões sobre questões como aborto, símbolos religiosos. As alterações que o presidente Lula determinou são, por um lado, esforço autocrítico, reconhecimento de imperfeições e de erros. Mantém-se o Plano em tudo que ele tem de essencial, e busca-se com essa demonstração reafirmar, mais uma vez, que não nos envolve nenhum impulso de restrição, por mínima que seja, ao mais pleno exercício da liberdade de imprensa. O presidente Lula reitera dezenas de vezes, dizendo de si mesmo: "Eu sou fruto da liberdade de imprensa." E com essas mudanças, nos preparamos para os passos seguintes, que só o poder Legislativo decidirá o que deve ser lei e o que não, sendo um decreto com força cogente estritamente para os ministérios do âmbito federal.

A anistia é irreversível*

*Paulo Brossard****

* Sem revisão do autor.
** Jurista. Ex-ministro da Justiça e do Supremo Tribunal Federal.

FUI CONVIDADO PARA falar a respeito da anistia, que ultimamente tem sido objeto de muitas apreciações, elogios, críticas. Embora o assunto seja vasto, o tempo é curto, de modo que eu vou fazer um esforço de síntese, tocar em dois ou três pontos, não mais do que isso, sobre o assunto, que é realmente complexo e é historicamente muito rico, inclusive na história do nosso país.

Com essa ressalva, quero dizer também que já depois da anistia fui à tribuna do Senado para examinar exatamente esse tema. O discurso que proferi e foi publicado se chama "Anistia e torturas". Vou pedir que me façam a gentileza de passar ao nosso presidente o exemplar, que é de 1981, já faz praticamente 31 anos que esse discurso foi proferido, cujas ideias mantenho rigorosamente as mesmas, a despeito de continuar pensando e estudando sobre a matéria.

Uma primeira observação que tenho a fazer é que a anistia é realmente um assunto sedutor, porque, embora seja um poder praticamente inerente a todo país civilizado, que esteja política e juridicamente organizado, ele não deixa de ser uma exceção pelas suas próprias características. Basta dizer que um dos dogmas da civilização ocidental é o respeito às decisões judiciais e precipuamente o respeito à coisa julgada. Qualquer pessoa que tenha um pouco de formação jurídica sabe que a coisa julgada é aquela da qual não há mais recurso e, por conseguinte, é definitiva.

Em se tratando de anistia, o respeito à coisa julgada, que é universal, sofre uma exceção frontal e não dissimulada mas afirmativa, ou seja, se sobrevém uma anistia, há pessoas contra as quais não foi iniciado um processo penal em virtude de condutas anteriormente cometidas e anteriores ou não à anistia, mas normalmente anteriores à anistia. E essa ação, que poderia ter sido iniciada, mas que por essa ou aquela razão não foi, não poderá mais ser iniciada. Se a ação foi iniciada mas ainda não foi concluída, é paralisada no seu curso, não pode prosseguir.

Ou seja, é uma interferência pela lei, pelo Poder Legislativo ora com, ora sem a sanção do presidente da República. E nem o Congresso decide como juiz nem o presidente da República é obrigado também a decidir como tal, e não obstante, a Lei de Anistia tem a virtude universalmente prevista, acatada e indiscutida de, no primeiro caso, impedir o início da ação. No segundo caso, de paralisar um processo que estava em curso, portanto, uma intervenção no âmago do Poder Judiciário, com toda sua independência e as suas prerrogativas. Tratando-se de anistia isso pode ocorrer ou não. Mais ainda: parece que, insatisfeitos com essa plenitude de prerrogativas, se alguém tiver sido processado, condenado e essa condenação tiver passado em julgado, ou seja, por definitiva, ela deixará de existir, será apagada por força da anistia. Então vamos convir que é um senhor poder, é uma prerrogativa imensa e consagrada em todos os países, dos mais antigos, de tradição democrática mais rica.

Estou dizendo essas coisas que são conhecidas, porque, como já são velhas, parece que às vezes são um pouco esquecidas. Então é conveniente lembrar as coisas velhas e sabidas não por serem antigas, mas por serem verdadeiras. Assim a experiência, não apenas nacional, mas a universal, se consagrou em todas as partes, no hemisfério norte, no hemisfério sul. Essa é a primeira observação.

A anistia tem esse poder, o qual em nenhuma outra situação é assegurado, seja a quem for! Nem o presidente e nem o Congresso podem desfazer uma decisão transitada em julgado, seja qual processo for, mesmo o mais vulgar, o mais ou menos significante. E nem o presidente, titular do Poder Executivo, nem o Congresso pela unanimidade de ambas as casas, ou seja, pela unanimidade do poder coletivo representativo da nação e dos estados, e nem o próprio Judiciário, podem desfazer uma decisão transitada em julgado fora dos casos expressos da ação rescisória. Se antes já era difícil, hoje é ainda mais porque o prazo decadencial, que não se interrompe e não se renova, foi reduzido de cinco para dois anos e os casos foram meticulosamente renunciados como cláusulas exaustivas. No entanto, a Lei de Anistia pode fazer isso, para mostrar que o assunto não é de somenos importância e, como tem a sua razão de ser, tem o seu conteúdo histórico e humano.

A segunda observação é de que a anistia não é justiça! Eu não quero dizer que seja injustiça! A justiça deve ser feita pelo Poder Judiciário, não no sentido de não reparar uma injustiça. A anistia não é misericórdia, a anistia também não é perdão nem favor, embora seja um pouco de cada uma dessas qualidades ou virtudes, mas é algo que se resume dizendo que não visa à justiça, mas à paz, à concórdia, ao esquecimento (quando necessário), ainda que sujeito a todas as falibilidades humanas.

Encontrei aqui um registro sobre uma das mais antigas anistias que se fez no Brasil, a primeira foi logo depois da Independência. D. Pedro II foi chamado a exercer o poder aos 15 anos incompletos, em julho de 1840. Naquele tempo era prerrogativa do imperador, não era por lei, mas por um ato do Poder Moderador do qual era titular o monarca. Pois bem, menos de um mês após ter assumido o poder, o que faz o imperador, que era um adolescente? Baixou um decreto concedendo a anistia. E como é que ele justifica esse decreto? Ele diz assim: "Para que nunca mais se fale, para perpétuo silêncio." É o artigo 1º, como se nunca tivesse existido. Aliás, isso é mais próprio de uma justificativa, de uma fundamentação do que um decreto ou de um texto legal. Por alguma razão e para assinalar exatamente o desejo que tinha o jovem imperador de que o passado deveria jazer sobre o epitáfio dos seus erros, das suas loucuras, das suas insânias, das suas paixões, enfim, dos pecados humanos.

Vamos dar uma fórmula mais singela. De quem é essa expressão: "como se nunca tivesse existido"? Isso é anistia! Agora, evidentemente fica ao critério do Poder Legislativo, hoje também do Poder Executivo. Em certos períodos não foi assim, confiava-se nas pessoas mais sensatas e experientes. Tem outra passagem extremamente curiosa de uma das grandes figuras, Bernardo Pereira de Vasconcelos, grande mineiro, homem público, quando justificando no Conselho de Estado uma anistia que se estudava para o Rio Grande do Sul, em plena Guerra dos Farrapos, Revolução Farroupilha, que durou dez anos, indaga se é mais vantajoso cumprir a lei para que seja feita justiça ou deixar de cumpri-la para que a anistia apague da memória aquilo que existiu. Veja, com crueza, mas também com eloquência extraordinária ele diz o que é a anistia.

Pois bem, quando ouço ainda agora as palavras sobre anistia, sempre lembro que nós tivemos, na nossa história política e constitucional, uma série de fases que não são modelares — usando uma forma eufemística — abusos graúdos, abusos maiúsculos etc. Nós tivemos ultimamente um período em que o regime de arbítrio puro foi o mais longo de todos, o mais demorado, levou 20 anos! Vinte anos é quase o tempo de uma geração. Durante esse tempo tudo foi permitido.

De modo que, querendo ou não, por melhores que fossem as intenções, por mais generosas, por mais justas, por mais humanas, por mais santas que fossem, e não foram, mas por mais que fossem, o fato é que um governo é formado por seres humanos que acertam e erram, e que o arbítrio facilita o arbítrio, o abuso chama o abuso. Depois de 20 anos de tudo que aconteceu em diversos setores, era muito difícil passar de uma fase para outra sem que uma anistia fosse decretada, fosse plena ou não, e ela começou timidamente e depois se ampliou até a plenitude. Mas naquele tempo quem falaria em anistia? A oposição, não haveria de ser o governo, é claro. Não era por mérito, mas por dever! Pois bem, quando começaram as primeiras manifestações no Parlamento, em um certo momento houve uma transformação e aquilo que era visto quase como provocação oposicionista passou a ser assimilada. E aí mudaram também as personagens e o próprio governo tomou a iniciativa.

Muita gente disse que foi a anistia possível. Possível ou não a mim pouco está importando isso, mas realmente acho que foi feito o que devia naquelas circunstâncias, depois de 20 anos! Não foi feito tudo que deveria ser feito? Talvez não, mas o fato é que chegou um momento em que foi possível fazer aquilo que há seis meses era quase impensável, mas as coisas também amadurecem, e houve, em certo momento, uma conscientização geral.

Tem-se dito aqui que a anistia não atinge delitos comuns. Não é bem assim! Foi publicado há algum tempo um repertório enciclopédico do Direito brasileiro coordenado por Carvalho Santos, em que o autor do texto sobre a anistia disse que no Brasil, depois de algum tempo, pode ser objeto de anistia além dos delitos políticos, os delitos eleitorais, fiscais e trabalhistas, funcionais de funcionários públicos, e inclusive os delitos comuns. De modo que hoje é pacífico, embora os delitos políticos chamem mais atenção até pelo seu número.

Agora o terceiro e último ponto. Também se tem dito que os delitos de tortura são imprescritíveis. Eu lembro que a imprescritibilidade de determinados delitos, inclusive os de violência e tortura, foi tratada na Constituição de 1988, e as leis anteriores não cuidaram disso. A anistia é de 1979, de modo que é juridicamente impossível pretender aplicar um princípio consagrado em 1988 em relação aos fatos anteriores.

Um outro dogma é que a anistia é irreversível, inapelável. Por quê? Será que é por uma veleidade? Não! É porque a anistia, uma vez decretada, apaga aquilo que havia e não há mais. Então, apagando, não pode ser revisado, nem questionado, foi apagado aquilo que existiu e não existe mais. De modo que não se pode falar em recurso, muito menos em revisão, em reparação, porque ela é irreversível. É por esse motivo! Nem que você queira, não pode! Se se fizesse isso estar-se-ia fazendo o quê? Editando uma lei de caráter criminal como é a anistia, como é a lei que define o crime, que apaga o crime e que diz que não aconteceu! Ainda diz isso, tem essa faculdade que eu acho que só a Santíssima Trindade poderia tê-la! Isso seria a maior das lesões à ordem constitucional e ao bom-senso, porque há certas coisas que chegam a um ponto que têm de parar.

A questão do Programa Nacional de Direitos Humanos*

*Arthur Virgílio***

---
* Sem revisão do autor.
** Senador (PSDB-AM).

ANTES DE MAIS nada eu quero saudar essa assistência tão seleta e muito comovidamente pelo trabalho que vi em relação às Comunidades de Favela, e agradecer a oportunidade que se renova pela generosidade do ministro Reis Velloso, de aqui estar presente. Pedir desculpas ao meu querido amigo Muniz, que não o reconheci, e me dirigir à deputada Iris Resende, prezada amiga, a esse ícone da resistência democrática no Brasil que se chama Paulo Brossard de Souza Pinto, ao ministro Vannuchi, figura por quem eu tenho a melhor consideração pessoal e essa figura admirável que é o presidente José Alencar. Admiro, torço e tenho por ele uma enorme expectativa nessa sua capacidade de viver e de transmitir a todos nós que dá para viver.

Inclusive, faço alguns registros sobre a fala do presidente, que cumprindo seu papel com brilhantismo, como sempre, registra conquistas de décadas de empresas como a Petrobras, a Embrapa, empresas que não nascem assim do dia para a noite, ao contrário, fazem parte de um acúmulo científico e de pesquisa, como o BNDES, que é todo um processo.

Sobre o Irã, eu gostaria de, igualmente, louvar o gesto do presidente Lula na busca da paz. Que coisa boa! Tem alguns senões e alguns reparos. Não consigo ver garantias efetivas de que esse acordo impeça que o Irã deixe de desenvolver o seu projeto belicista. E, em segundo lugar, eu entendo que se há boa vontade do presidente do Irã, Armadinejad, porque um acordo desse, para valer mesmo, tem de ter a presença de organismos multilaterais como, por exemplo, a Agência Internacional de Energia Atômica (AIEA), e quem sabe uma inspeção, porque não podemos transgredir em relação ao nosso compromisso com a não proliferação de armas nucleares, o Brasil é signatário desse tratado. E a terceira questão, espero que não usem a boa-fé do nosso presidente, que é muito clara, para desviar a atenção de um regime que está marginalizado no contexto internacional. Vamos ver qual é a repercussão, mas eu quero parabenizar o presidente pela tentativa. Tentar é sempre melhor que não fazer, embora com as ressalvas que faço aqui como homem de oposição: quando a gente perde a eleição e tem caráter, a gente vai fiscalizar; quando a gente ganha a eleição e tem caráter, a gente vai governar com honradez, com seriedade.

Eu entro, então, na questão do PNDH. Já debati bastante com o ministro Vannuchi. Mas eu gostaria de dizer que eu vi um certo exercício autocrítico do governo em relação a isso, foi sensível à sociedade. Revogou, por exemplo, a questão da ostentação dos símbolos religiosos. Eu não consigo ver que o símbolo religioso faça mal a quem quer que seja. Eu tenho minha religião, sou católico, teve uma época que eu não era nada e resolvi ser, senti um ímpeto espiritual para ser e respeito qualquer religião. Revogaram ainda a elaboração de critérios de acompanhamento editorial a fim de se criar um ranking nacional de veículos de comunicação comprometidos com os princípios dos Direitos Humanos, assim como os que cometem violações. Eu tenho a impressão que a democracia passa melhor sem isso, essa é a minha sincera opinião.

Algumas ações revistas. Aborto, eu não escondo, para mim é uma questão de saúde pública e nesse aspecto tenho muita esperança de ter o voto do meu arcebispo em Manaus, mas não sigo a Igreja nesse campo, se for para votar eu voto a favor, já disse na frente do ministro Vannuchi e estou dizendo outra vez, não é nenhum segredo. Eu só achava que não devia estar no PNDH, porque tem projeto discutindo isso no Congresso.

Conflitos no campo. Aí eu me coloco, me colocava e me colocarei radicalmente contra a ideia original e até o meio-termo a que se chegou agora, pois o direito de propriedade é garantido pela Constituição, não dá para alguém invadir a sua propriedade e você ter de parlamentar com o MST, por exemplo! Eu não consigo entender que isso seja bom para o agronegócio, para as exportações, para o emprego. Não consigo imaginar que seja bom para nada. Como ficou? Propõe-se que a mediação seja institucionalizada nos conflitos coletivos agrários e urbanos, mas não estabelece a justiça restaurativa como condição anterior à concessão de medidas liminares. Eu simplesmente entendo que se deve obedecer ao primado da justiça e ponto.

Meios de comunicação. No texto original se previa penalidades como a não renovação de concessões para o serviço de radiodifusão, advertência, multa, suspensão da programação e até cassação "de acordo com a gravidade das violações praticadas". Eu entendo que quem deve punir a imprensa é o leitor. Tem jornais que não leio mais, tem sites que não acesso. É um direito meu, é a minha forma de punir aquele *site*, aquela televisão, aquele jornal. Não acho que deva haver intervenção governamental nisso.

Na questão da memória, então, se propõe a Legislação Federal proibindo que logradouros e prédios públicos recebam nome de pessoas que praticaram crimes de lesa-humanidade e alterando nomes que já tivessem sido atribuídos. Como ficou? Estabelece fomentação de debates e divulgação de informações para que logradouros públicos e prédios não recebam nome de pessoas identificadas reconhecidamente como torturadoras. O prefeito escolhe, a população aceita ou não. Algumas dessas pessoas não posso deixar de admirar, o senador Paulo Brossard vai se lembrar, ele protagonizou alguns dos momentos mais bonitos de toda a história do Congresso, debatendo com o senador Jarbas Passarinho. Debate bonito, um vencia, outro vencia, Brossard estava ao lado da democracia, Passarinho não estava; Brossard levava vantagem, mas o talento era uma coisa de se olhar no *fotochart*. Eu sou muito amigo do senador Jarbas Passarinho, que assinou a cassação do meu pai. Eu não seria contra se ter uma praça Jarbas Passarinho, porque eu acho que ele é um grande brasileiro à moda dele e com a visão dele. Muito bem, então sai de cena a proposição de alteração dos nomes. Texto original: "Sugeri acompanhar e monitorar a tramitação judicial dos processos de responsabilização civil ou criminal, no Regime de 1964 a 1985." Como fica: "Altera o período analisado de 1964 a 1985 para o período fixado no Artigo 8º do Ato das disposições constitucionais transitórias da Carta de 1988." Então são pontos criticados por mim, pelo meu partido e que foram mantidos.

O desbloqueio de plebiscitos e referendos. O PNHD-3 recomenda ao Legislativo o desbloqueio parlamentar de referendos e plebiscitos. O meu contraponto: entendo que isso abre uma brecha para talvez o mau uso de um instrumento de consulta popular, que em países como a Venezuela ajudaram a instalar um regime que, na melhor das hipóteses, com muita boa vontade, nós podemos chamar de democracia parcial. Entendo que ali já é muito mais do que uma democracia parcial, é um regime ditatorial com sufocação completa dos meios de comunicação, dos que querem se opor ao caudilho Hugo Chaves.

Tripartição dos poderes. A PNDH-3 indica aprovação de matéria ao Legislativo, a formação de comissões não parlamentares no Congresso, faz uma série de recomendações ao Poder Judiciário. Todo Executivo no fundo gosta de se hipertrofiar, é o poder que tem dinheiro, que tem orçamento, é o que faz. O que acontece, enfim, nos estados, sobretudo nos oligárquicos, é terrível. Eu sou de um estado oligárquico, sei o que digo, mas é dever dos outros poderes se defenderem para garantir aquilo que é essencial ao equilíbrio democrático, a interdependência dos poderes.

Muito bem, a questão dos homossexuais. Novamente, eu desobedeço a minha Igreja e apoio o projeto de lei sobre a união civil de homossexuais com muita clareza em qualquer fórum, em qualquer situação. Não entendo porque estaria no PNDH, porque tem projeto correndo no Senado, inclusive, e quem mais se opõe à discussão dessa matéria é um senador muito prezado amigo meu, senador Magno Malta. O projeto é de uma senadora do partido do ministro Vannuchi, da base do governo, ou seja, aí não está em jogo se é do governo ou se é da oposição, mas sim a convicção, com a questão religiosa no meio, mas eu não via necessidade de estar no PNDH.

Uma coisa que me preocupa: educação. O PNDH-3 indica a produção de material didático sobre Direitos Humanos para utilização no ensino da rede pública e determina avaliação constante de professores da rede oficial, de acordo com os conceitos colocados pelo Programa. Meu medo, digo com toda tranquilidade, é que essas medidas no fundo visem a uniformizar um pensamento de modo a que os professores se sintam tangidos a não discrepar da orientação governamental. E o professor que não discorda é tudo menos um professor! A universidade é, justamente, o local da discrepância, o local da babel intelectual.

Grandes fortunas. Já estive em 500 debates e eu tenho impressão de que assim como fui líder e ministro do governo Fernando Henrique, as pessoas pensam que tenho alguma relação familiar e não é verdade, ou seja, sou amigo dele, admirador, servi ao seu governo, mas considero que, para a época, a cabeça dele e a minha eram assim. Eu não entendo que seja um projeto justo esse de taxar as grandes fortunas. Nós precisamos, no Brasil, de mais capitalismo e não de menos. O país ainda não está completo, e um exemplo disso é a vitória do presidente José Alencar, que veio do nada e construiu seu império com honradez, um império que gera empregos, paga impostos, se porta com todo respeito às regras do jogo. Este país cresceria muito mais se houvesse mais capitalismo. Alguns equivocados dizem "tem capitalismo demais", e eu digo que não é verdade, é só comparar com os outros. Nós temos capitalismo de menos, ainda temos excesso de intervencionismo. Apenas digo com clareza que entendo que o Estado deva ser capaz de fornecer serviço de educação, saúde, saneamento básico, e fazer o que está se fazendo pelas favelas aqui no Rio de Janeiro.

Então, entendo que esse foi um equívoco do senador Fernando Henrique, porque eu vejo que não deu certo em alguns países, as multinacionais têm mecanismos para fugir disso. A tendência seria os milionários fazerem as suas fundações até para evitar a ociosidade dos seus filhos, enfim, estimular o trabalho, assim como fez Steve Jobs, o homem da Microsoft. Entendo que essa é uma tendência, mas eu queria também tirar a dúvida de que houvesse ainda resquícios, nesse governo, em pleno sistema capitalista de produção, contra a ideia de alguém fazer fortuna, e quem está falando é alguém que se recusou a fazer fortuna. Se eu quisesse fazer fortuna, teria lutado como José Alencar para construir o império que construiu com decência. Optei, na vida pública ou você é ladrão ou você não faz fortuna, pelo segundo, de maneira muito óbvia. Agora, eu não tenho nada contra quem faça fortuna e não entendo que se deva desestimular, porque é daí que se gera emprego, que se paga imposto. Em outras palavras, o Brasil me parece que fez uma irreversível opção pelo sistema capitalista de produção. Gostaria de saber se alguém vai me contradizer e dizer "não, não é isso. Nós estamos pensando que daqui a dois anos haverá uma revolução socialista, que o Lula é o Kerenski, que depois vem o Lenin".

Eu disse ao ministro Vannuchi que todos aqueles da nossa idade têm marcas do regime, uns porque estiveram a favor dele. Eu desprezo a figura do torturador, não gostaria de reabrir essas feridas não. Minha casa foi invadida em 1964, foi a polícia de Carlos Lacerda. Isso não impediu que meu pai, então senador, fizesse parte da Frente Ampla para derrotar a ditadura. E a Frente Ampla ficou tão forte, que junto com os movimentos populares terminou no

Ato Institucional n. 5 e na cassação do meu pai e do Lacerda, mais ou menos no mesmo dia, se não me engano. Meu pai tinha uma animosidade muito grande com ele, pelo fato de nossa casa ter sido invadida.

Eu vou dar um exemplo claro, um general de brigada tinha 54 anos naquela época, hoje tem 94, O direito de saber onde estão os restos mortais do seu parente assassinado deve ser garantido. Eu perdi amigos e conheço muitas pessoas que precisam ter essa satisfação espiritual, mas nada parecido com o que possa vir embutido de sentido punitivo, até porque o general de brigada que tem 94 anos hoje só podia ser punido pelo delito de, jogando uma pelada, quebrar uma vidraça de uma vizinha, ele não tinha culpa nenhuma do que estava se passando no Brasil. O processo de transição democrática no Brasil foi diferente do argentino. Lá houve a queda do regime e aqui foi feito um acordo, essa é a grande verdade, quer a gente goste ou não. Eu tentei ir às Diretas, não deu, foi pela indireta mesmo. Meu partido votou a favor de Tancredo Neves no Colégio Eleitoral por entender que era a única forma de se impedir que Maluf chegasse ao poder e se instaurasse a democracia.

Eu quero, então, nesse momento, saudar tanto pessoas decentes que estavam do outro lado, como é o caso do ministro Reis Velloso, assim como saudar a bravura daqueles que fizeram oposição o tempo inteiro como eu fiz, de modo diferente do que fiz, como o ministro Vanucchi, e dizer que temos aqui na mesa uma figura simbólica, que soube como ninguém construir passo a passo aquilo que pode até parecer pouco, mas que foi muito! Nós lutamos muito, foi muito bate perna aqui, muita pancadaria na rua e muito discurso de Paulo Brossard no Senado para se chegar àquela anistia de 1979. Ou seja, o meio militar está pacificado, cumpre suas missões constitucionais. Por mim o Brasil tem de fazer o que disse o presidente Alencar: olhar para o futuro e não se preocupar muito em reabrir feridas do passado. São essas as minhas palavras.

SEGUNDA PARTE

A CONSOLIDAÇÃO DAS BASES DO CRESCIMENTO

Limites ao crescimento econômico

Affonso Celso Pastore*, Maria Cristina Pinotti**
e Terence de Almeida Pagano***

* Professor da USP e da EPGE (FGV), ex-presidente do Banco Central.
** Economista.
*** Economista da A. C. Associados.

O ARGUMENTO

NESTE TRABALHO MOSTRAMOS que apesar de todas as melhorias na política macroeconômica, ocorridas desde a reforma monetária de 1994, o Brasil continua enfrentando limites estreitos para o crescimento econômico. Mostramos que taxas de crescimento de 5,5% a 6% por períodos longos exigem taxas de investimento superiores a 25% do PIB, e que tais taxas de investimento são insustentáveis. Com a presente política econômica, o crescimento brasileiro fica limitado a taxas de crescimento mais baixas, inferiores a 5% ao ano, e talvez mais próximas de 4,5% ao ano.

A aceleração do crescimento econômico requer a elevação da taxa de investimentos, mas infelizmente as poupanças totais domésticas são baixas, e respondem aos mesmos estímulos que ampliam os investimentos, reduzindo-se quando os investimentos se elevam. Nos dois últimos anos este quadro se agravou, porque os estímulos que ampliam o consumo são de natureza fiscal, reduzindo também as próprias poupanças do setor público. As elevações na taxa de investimento não são seguidas de elevações nas poupanças totais domésticas, requerendo mais poupanças externas, e isto se faz através de déficit nas contas-correntes. Mas déficits persistentes nas contas-correntes elevam o passivo externo disparando forças que depreciam o câmbio real e impedem a continuidade daqueles déficits limitando, depois de algum tempo, a absorção da poupança externa e impedindo a continuidade das taxas de investimento mais elevadas. É nisto que repousa o limite ao crescimento.

A acumulação de passivos externos impede a continuidade de déficits elevados nas contas-correntes porque, independente de se materializar na forma de dívida ou de investimentos, este passivo acarreta custos. Estes custos são: a) os juros, se o passivo externo for acumulado na forma de dívida; e b) o lucro remetido, se for acumulado na forma de investimentos. Um passivo na forma de investimentos é melhor. Primeiro, porque pode trazer mais tecnologia embutida. Segundo, porque tem movimentos contracíclicos, com as remessas de lucro diminuindo nas recessões, e porque sendo denominado em reais tem seu valor em dólares reduzido quando ocorre a depreciação cambial. Mas ainda assim tem custos, que são maiores do que os custos de uma dívida externa. Dessa forma, não escapamos de ter que aumentar as exportações líquidas quando o total do passivo se eleva independentemente de sua composição. Ou seja, passivos externos maiores impõem um câmbio real mais depreciado, impedindo que os déficits nas contas-correntes aumentem o suficiente para gerar a complementação das insuficientes poupanças totais domésticas através da absorção da poupança externa.

A forma de superar este gargalo são políticas que elevem a poupança doméstica. Elas depreciarão o câmbio real, estimulando os investimentos em produtos exportáveis, e permitirão maiores investimentos com menores déficits nas contas-correntes. Mas isto requer políticas fiscais diferentes das atualmente em implementação no Brasil.

AS FONTES DE CRESCIMENTO ECONÔMICO

Desde 1999 assistimos uma elevação das taxas de crescimento econômico no Brasil. Entre 2005 e o final de 2008, o PIB vinha crescendo a taxas trimestrais anualizadas superiores a 5% ao ano (Gráfico 1), mas a lenta recuperação cíclica da crise de confiança de 2002/2003 explicava boa parte desse crescimento. Por exemplo, as taxas de desemprego no ano de 2004 situavam-se acima de 10% da força de trabalho, e declinaram continuamente até 2008, quando atingiram em torno de 7,5%. Em períodos de recuperação cíclica o PIB cresce acima de seu potencial, e por isso aquelas taxas não podem ser tomadas como uma estimativa da taxa sustentável de crescimento da economia brasileira.

GRÁFICO 1
PIB —TAXAS DE CRESCIMENTO

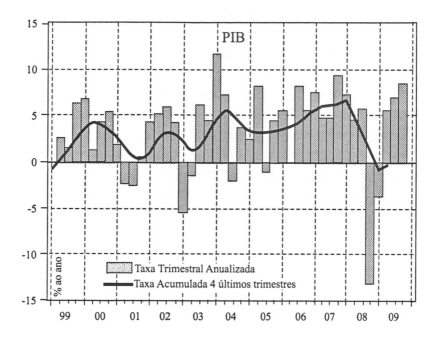

Mudanças no regime macroeconômico tornaram a economia brasileira mais resistente a choques externos. No Brasil, a recessão de 2008/2009 durou apenas dois trimestres contrapondo-se aos quatro ou mais trimestres de contração nos Estados Unidos e em países da Europa. Em 2010, o PIB brasileiro deverá crescer perto de 7%, mas esta taxa é também, em grande parte, fruto de uma recuperação cíclica. Uma vez superada esta recuperação cíclica, qual será a taxa de crescimento que deriva apenas da contribuição das fontes de crescimento?

Para responder a esta indagação temos de olhar para as fontes de crescimento. Admitimos, nas estimativas apresentadas a seguir, que seja mantido o nível máximo de utilização da capacidade instalada, ficando a taxa de desemprego no seu nível histórico mínimo. Com isso eliminam-se as variações geradas por movimentos cíclicos, e a elevação do PIB fica determinada apenas pelas três fontes de crescimento: a) o aumento da população economicamente ativa (PEA); b) a elevação do estoque de capital; e c) o crescimento da produtividade total dos fatores (PTF).

O crescimento da população economicamente ativa varia com o crescimento da população em idade ativa (PIA), e com a taxa de participação (PEA/PIA). A taxa de crescimento da população em idade ativa depende do crescimento demográfico passado. O Brasil colhe atualmente um *bônus demográfico*. A taxa média declinante de crescimento populacional entre 2005 e 2009 foi de 1,12% ao ano, estimando-se que chegou a 0,99% ao ano em 2009. Porém, a taxa de crescimento da PIA é maior, sendo determinada pelo crescimento demográfico passado, situando-se em torno de 1,5% ao ano. Como a participação da população economicamente ativa (PEA/PIA) mantém-se aproximadamente constante (em torno de 57% — ver o Apêndice 1), a taxa de crescimento da população economicamente ativa também se situa em 1,5% ao ano, e deverá manter-se em torno deste nível nos próximos anos. A tendência mais recente de crescimento da PEA é mostrada no Gráfico 2.

GRÁFICO 2
POPULAÇÃO ECONOMICAMENTE ATIVA E
SUA TENDÊNCIA DE CRESCIMENTO

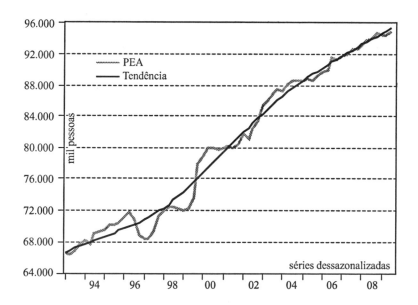

O crescimento do estoque de capital se acelera com a elevação da taxa de investimentos (a formação bruta de capital fixo dividida pelo PIB). No Gráfico 3 mostramos as taxas de investimento atingidas no período de 1995 a 2008, tanto a preços constantes do ano 2000 quanto a preços correntes. Nas décadas dos anos 1950 e 1960, o Brasil já teve taxas de investimento mais elevadas, que chegaram a 25% do PIB.[1] Mas são números do passado, e desde quando atingimos o controle da inflação, em 1994, a taxa máxima atingida pelo Brasil foi de 19% do PIB: em 1995 e em 2008.

GRÁFICO 3
TAXAS DE INVESTIMENTO — PREÇOS CONSTANTES
DO ANO 2000 E PREÇOS VARIÁVEIS

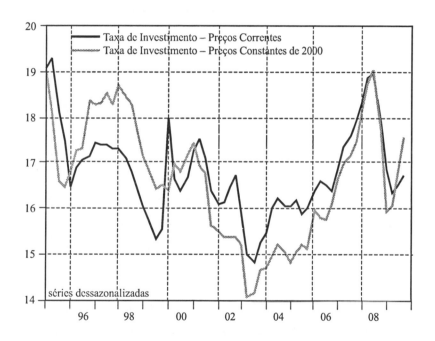

Já a produtividade total dos fatores (PTF) tem mostrado grandes oscilações. Ela flutuou em torno de um patamar estável entre 1995 e 2002, passando a crescer daí em diante à taxa média em torno de 1,2% ao ano. No passado já

---

[1] Em 1975, por exemplo, a taxa de investimentos foi superior a 25%, e em 1974 e 1976 situou-se acima de 24%.

ocorreram períodos de elevação muito acelerada da PTF,[2] mas esse não é o comportamento atual. A longo prazo a produtividade total dos fatores se eleva com os investimentos em educação e com o progresso tecnológico, mas estes efeitos ocorrem lentamente. A prazo mais curto ela varia com os ciclos econômicos: cai em fases de recessão e se amplia em fases de recuperação. Essa é a razão para a sua correlação positiva com a formação bruta de capital fixo, como se vê no Gráfico 4 (o coeficiente de correlação é 0,92). Admitindo a continuidade da recuperação da formação bruta de capital fixo, a taxa de crescimento da PTF deverá chegar próxima de 1,5% ao ano.

GRÁFICO 4

PRODUTIVIDADE TOTAL DOS FATORES

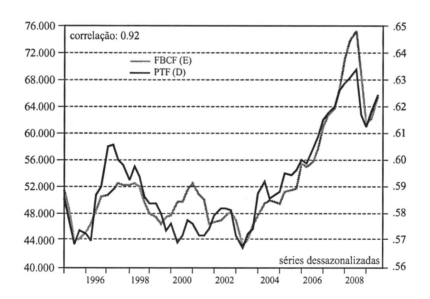

Conhecidas as contribuições da PEA e da PTF, podemos determinar qual é a taxa de investimentos (FBCF/PIB) necessária para atingir uma dada taxa de crescimento. Com base na expressão (3) do modelo exposto no Apêndice 1 construímos o Gráfico 5, que tem no eixo horizontal as taxas de crescimento

---

[2] Ver a esse respeito Ferreira, Pedro Cavalcanti, Samuel de Abreu Pessôa e Fernando A. Veloso, The Evolution of TFP in Latin América. *Estudos Econômicos,* EPGE, setembro de 2006. Ver, também, Gomes, Victor, Samuel de Abreu Pessôa e Fernando A. Veloso, Evolução da Produtividade Total dos Fatores na Economia Brasileira: uma Análise Comparativa. *Ensaios Econômicos,* EPGE, junho de 2003.

do PIB e no eixo vertical as taxas de investimento (FBCF/PIB), e no qual cada uma das duas linhas foi computada com base nos dois crescimentos da PTF mencionados acima, de 1,2% ao ano e 1,5% ao ano.

GRÁFICO 5
TAXAS DE INVESTIMENTO E TAXAS DE CRESCIMENTO DO PIB

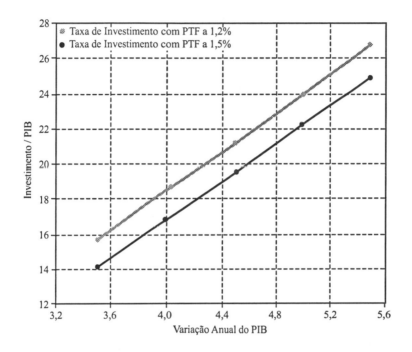

No quarto trimestre de 2009 a formação bruta de capital fixo atingiu 17,5% do PIB, e o Gráfico 5 nos mostra que se a PTF crescer a 1,2% ao ano, chegaremos a uma taxa de crescimento do PIB (a menos da recuperação cíclica) abaixo de 4% ao ano. Com esta mesma taxa de investimentos, caso a PTF crescesse a 1,5% ao ano, a taxa de crescimento do PIB se elevaria um pouco acima de 4% ao ano. Se o Brasil investir 19% do PIB ao longo dos próximos anos, mantendo-se o crescimento da PTF em 1,5% ao ano e utilizar plenamente os fatores mão de obra e capital, o PIB terá uma taxa de crescimento em torno de 4,5% ao ano.

O crescimento da população economicamente ativa tem uma contribuição ao crescimento que escapa ao controle da política econômica. A taxa de participação não se altera sensivelmente em períodos mais curtos, e a taxa de crescimento da população em idade ativa está predeterminada pelo componente demográfico. O governo pode e deve investir mais em educação, e também estimular a absorção de tecnologias mais avançadas, quer derivadas de pesquisas, quer facilitando o ingresso de investimentos estrangeiros com inovações tecnológicas embutidas. Porém, estes resultados também são lentos. Por isso em prazos mais curtos a variável mais importante para acelerar o crescimento do PIB é a taxa de investimento.

Mas por que teríamos de ficar restritos a taxas máximas de investimento de 19% do PIB, como mostrado pela história recente? Será que não poderíamos atingir taxas de investimento próximas de 25% do PIB, como já ocorreu no passado mais distante? Mostraremos que se o Brasil caminhar para taxas de 25% do PIB esbarrará na restrição do balanço de pagamentos, aproximando-se de déficits não sustentáveis nas contas-correntes. A razão repousa nas baixas poupanças domésticas, fazendo com que taxas de investimento mais elevadas requeiram a contribuição das poupanças externas, absorvidas através de déficits nas contas-correntes.

INVESTIMENTOS, POUPANÇAS E CONTAS-CORRENTES

Contabilmente um superávit nas contas-correntes é o excesso de exportações sobre as importações de bens e serviços, mas economicamente ela é o excesso das poupanças totais domésticas sobre os investimentos.[3] Contrariamente à China, cuja taxa de poupanças supera a expressiva taxa de

---

[3] Para simplificar, admitimos nula a renda líquida enviada ao exterior. A oferta total de bens e serviços é obtida somando o produto, Y, às importações, M, e a demanda agregada de bens e serviços é obtida somando o consumo das famílias, C, aos investimentos, I, ao consumo do governo, G, e às exportações, X (a demanda externa). O equilíbrio impõe a igualdade $Y+M=C+I+G+X$, ou $(X-M)=Y-(C+I+G)$, onde as exportações líquidas, $(X-M)$, são iguais ao saldo nas contas-correntes (a renda enviada ao exterior é nula), e $(C+I+G)$ é a absorção. Somando e subtraindo a arrecadação tributária, T, obtemos $[(Y-T)-C]+(T-G)-I=(X-M)$, onde $(Y-T)$ é a renda disponível. A diferença entre a renda disponível e o consumo é a poupança das famílias, e a diferença entre a arrecadação tributária e o consumo do governo é a poupança do setor público. Ou seja, a poupança das famílias é $S_f=[(Y-T)-C]$, e a poupança pública é $(T-G)=S_p$, e fazendo $S=S_f+S_p$ obtemos $S-I=X-M$, ou seja, as exportações líquidas (o superávit nas contas-correntes) é o excesso das poupanças sobre os investimentos.

investimentos de 45% do PIB, no Brasil as poupanças são baixas, e quando as taxas de investimento se elevam surgem os déficits.

Na análise que se segue trabalharemos com os dados das contas nacionais trimestrais, no período que se inicia em 1995, logo após a reforma monetária que levou ao controle da inflação, e termina em 2009. No Gráfico 6 superpomos a formação bruta de capital fixo a preços constantes do ano 2000 e as exportações líquidas, ambas medidas em relação ao PIB. No Gráfico 7 representamos a mesma coisa com base em um diagrama de dispersão entre as séries, com as exportações líquidas no eixo horizontal e a taxa de investimentos no eixo vertical. Há uma correlação inversa elevada entre estas duas séries (o coeficiente de correlação é -0.89). Nos períodos de investimentos mais elevados ocorre o aumento das poupanças externas que são absorvidas na forma de déficits mais elevados nas contas-correntes, isto é, na forma de elevações nas importações líquidas.[4]

GRÁFICO 6
INVESTIMENTOS E EXPORTAÇÕES LÍQUIDAS

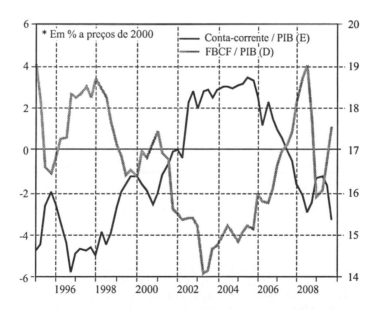

---

[4] Nos Gráficos 6 e 7 trabalhamos com os investimentos medidos a preços constantes do ano 2000. A correlação continua negativa quando substituímos a taxa de investimentos medida a preços constantes pela sua medida a preços correntes. O coeficiente de correlação cai para -0,58, mas continua sendo significativamente diferente de zero.

GRÁFICO 7

INVESTIMENTOS E EXPORTAÇÕES LÍQUIDAS

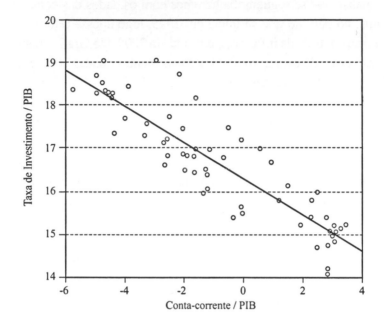

As poupanças totais domésticas flutuaram nesse período em torno de 15,8% do PIB, com um mínimo de 12,6% e um máximo de 18,6% do PIB. Os efeitos das variações nas taxas de investimento sobre as importações líquidas seriam minimizados caso as poupanças domésticas se elevassem quando ocorresse um aumento na taxa de investimentos. Na grande maioria dos países as poupanças guardam uma correlação positiva com os investimentos, mas neste período de análise, dentre 1995 e 2009, o que existe no Brasil é uma correlação negativa,[5] como se vê no Gráfico 8 (o coeficiente de correlação é -0,68 e difere significativamente de zero). O Brasil tem comportamento diferente da maioria dos países.[6]

---

[5] Utilizamos os dados das contas nacionais para obter o cálculo da taxa de poupança da economia. Partindo da identidade $Y = C + I + G + X - M$, adicionando e subtraindo os tributos e transferências do governo, temos $(Y - C - T) + (T - G) + (M - X) = I$ que equivale a $S_{dom} + S_{ext} = I$, ou seja, o investimento é igual a soma das poupanças domésticas e da poupança externa. Para calcular a poupança doméstica, é preciso retirar a variação de estoques do cálculo do PIB, pois do lado direito da equação estamos considerando apenas a formação bruta de capital fixo.

[6] Ver Blanchard, Olivier J. e Giavazzi, Francesco. Current Account Deficits in the Euro Area. *The End of the Feldstein Horioka Puzzle?*, 17 de setembro, 2002. MIT Department of Economics.Working Paper n. 3-05.

TAXAS DE POUPANÇA DOMÉSTICA E DE INVESTIMENTOS

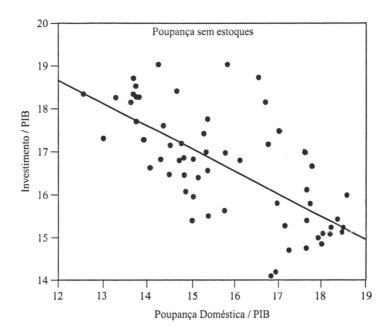

O QUE A HISTÓRIA RECENTE NOS MOSTRA?

A busca das razões para essa correlação negativa tem de ser obtida olhando para os dados da história recente. No Gráfico 9 mostramos, ao mesmo tempo, as taxas de poupanças domésticas e de investimentos, além das exportações líquidas, todos expressos em proporção ao PIB. A área hachurada no gráfico delimita os superávits nas contas-correntes.

EXPORTAÇÕES LÍQUIDAS, POUPANÇAS E
INVESTIMENTOS EM PROPORÇÃO AO PIB

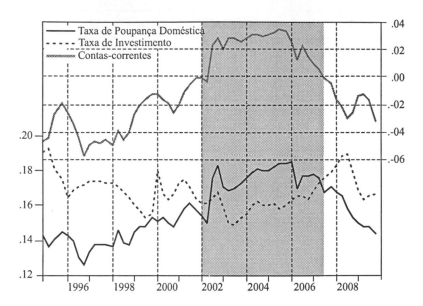

Concentremo-nos primeiramente no período entre 1994 e 2001, caracte-rizado por déficits nas contas-correntes. O ano de 1994 marca uma mudança de regime econômico. O Brasil eliminou a inflação crônica com um programa baseado na âncora cambial. A literatura registra evidências empíricas de que este tipo de programa de estabilização acarreta uma explosão de consumo, que persiste por um extenso período após o controle da inflação,[7] e este fenô-meno ocorreu também na economia brasileira. A elevação do consumo leva à queda das poupanças domésticas, mas a política fiscal também deu a sua con-

---

[7] Ver, por exemplo, Calvo, Guillermo A. e Vegh, Carlos A. Inflation Stabilization and Balance of Payments Crises in Developing Countries, em J. Taylor e M. Woodford (eds.). *Handbook of Macroeconomics, North-Holland*. Eles mostram que "Exchange rate based inflation stabilization programs in developing countries often lead to an initial consumption boom followed by an eventual recession". Ver também De Gregorio, Jose & Guidotti, Pablo E. & Vegh, Carlos A., 1998. Inflation Stabilization and the Consumption of Durable Goods, *Economic Journal*, Royal Economic Society, vol. 108 (446), p. 105-31. Seus resultados mostram por que "Exchange rate-based stabilizations in chronic-inflation countries have often been characterized by an initial consumption boom (which is most evident in the behavior of durable goods) followed by a later contraction".

tribuição. Nos anos subsequentes à reforma monetária a política fiscal persistiu expansionista. Lembremo-nos que a mudança no regime fiscal que adotou metas para os superávits primários somente foi implantada a partir de 1999, quando o Brasil adotou a flutuação cambial e o regime de metas de inflação. Às baixas poupanças privadas somaram-se as baixas poupanças públicas, o que significa que a soma dos consumos das famílias e do governo manteve-se elevada naquele período.

Em adição, os investimentos foram estimulados pela conquista do controle da inflação, e o consequente crescimento do consumo, e por reformas, dentre as quais as privatizações. Os ingressos de capitais, particularmente investimentos estrangeiros diretos, ajudaram a valorizar o real, permitindo o aumento das importações líquidas, sem o que não seria possível elevar os déficits nas contas-correntes e realizar a correspondente absorção de poupanças externas, ao mesmo tempo em que financiavam uma boa parte do déficit nas contas-correntes. Embora o regime cambial tenha se modificado em 1999, as taxas de investimento persistiram elevadas até o final de 2001 e início de 2002, quando ocorreu a sua superação pelas taxas de poupança mais elevadas.

O segundo período é o que vai de 2002 até o final de 2007. A partir de 2002 os preços internacionais das *commodities* cresceram aceleradamente, estimulando as exportações. Em princípio o crescimento das exportações deveria estimular os investimentos no Brasil. Mas este foi, também, um período no qual ocorreram "choques" adversos, como o contágio do *default* da Argentina em 2001, e a crise de confiança na transição do governo FHC para o governo Lula, em 2002. Nestes dois casos, caiu sensivelmente a demanda por ativos brasileiros, elevando os prêmios de risco dos títulos de dívida soberana e provocando paradas de ingressos de capitais que depreciaram o real.[8] Como a dívida pública era dolarizada, seu crescimento se acelerou. O governo foi obrigado a exercer um maior grau de austeridade fiscal, que combinado com taxas de juros mais elevadas para evitar o

---

[8] A correlação positiva entre prêmios de risco — EMBI ou CDS — e o câmbio nominal atesta esse comportamento.

descontrole da inflação,[9] reduziram tanto o consumo das famílias quanto os investimentos. Em consequência as taxas de investimento despencaram e as taxas de poupança elevaram-se, levando a superávits elevados nas contas-correntes.

A partir de 2007, os investimentos superam as poupanças totais domésticas, estimulados pelos efeitos defasados das políticas monetária e fiscal expansionistas. O Banco Central reagiu tardiamente a esse aquecimento e somente interrompeu o ciclo de elevação da taxa de juros devido à "surpresa" da crise externa cujo contágio provocou a forte contração da produção industrial. No campo da política fiscal temos a aceleração no crescimento dos gastos, que se acentuou muito a partir de 2008. Com a instalação da crise global as autoridades reagiram colocando em ação medidas contracíclicas, elevando os gastos públicos correntes (os aumentos na folha de pagamentos do funcionalismo, dos pagamentos dos benefícios da previdência, e das transferências de renda), estimulando o consumo.

A partir do contágio da crise externa o Banco Central reduziu a taxa de juros e os recolhimentos compulsórios sobre depósitos, visando estimular o crédito e resolver problemas de liquidez localizados em bancos pequenos e médios. Os investimentos despencaram, mas as poupanças totais domésticas caíram ainda mais, quer porque o governo reduziu suas poupanças, quer porque caíram os lucros retidos pelas empresas, quer porque o estímulo ao consumo das famílias reduziu as suas poupanças. O resultado foi o aumento das importações líquidas, com o aumento do déficit nas contas-correntes, que ocorreu simultaneamente com a valorização do câmbio real.

Ao longo destes três períodos analisados ocorreram correlações negativas: a) entre as taxas de investimento e as contas-correntes (Gráfico 10); b) entre o consumo das famílias e as contas-correntes (Gráfico 11). Ao mesmo tempo mantém-se uma correlação positiva entre o consumo e os investimentos em capital fixo quando ambos são expressos em proporção ao PIB (o coeficiente de correlação é 0,62).

---

[9] Lembremos que no auge desta crise de confiança a taxa cambial chegou a R$ 3,80, e as taxas de inflação medidas pelo IPCA chegaram a 16% ao ano.

GRÁFICO 10

FBCF E CONTAS-CORRENTES EM PROPORÇÃO AO PIB

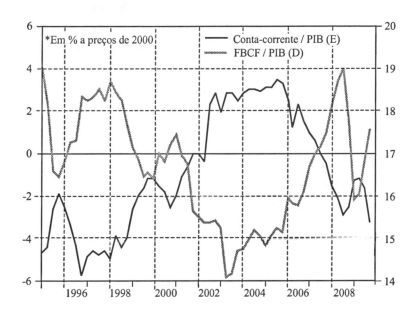

GRÁFICO 11

CONSUMO E CONTAS-CORRENTES EM PROPORÇÃO AO PIB

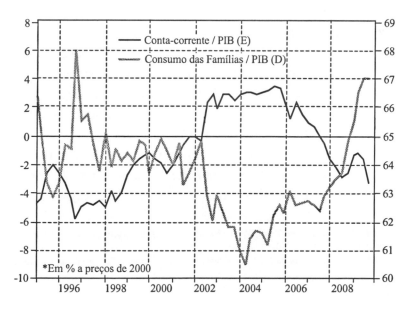

Esta breve incursão por episódios da história mostra que os mesmos estímulos que elevam a taxa de investimentos provocam também a redução das poupanças domésticas, em parte devido ao aumento do consumo das famílias. A conclusão é que se não ocorrer uma alteração na natureza dos estímulos à poupança, a correlação negativa entre taxas de investimento e exportações líquidas em proporção ao PIB persistirá indefinidamente, levando a déficits nas contas-correntes que se elevam com o aumento da taxa de investimentos.

LIMITES AO CRESCIMENTO

Se o governo decidir por não incentivar o aumento das poupanças, mantendo elevados seus gastos correntes e estimulando o consumo, a aceleração do crescimento dependerá da absorção de maiores poupanças externas, o que significa o aumento das importações líquidas. Há aqui duas limitações. A primeira vem do comportamento do câmbio real, que com o crescimento inevitável do passivo externo tende a se depreciar, impedindo déficits maiores nas contas-correntes, o que significa menor absorção de poupanças externas. Este é um mecanismo que, ao limitar a absorção da poupança externa, imporá um limite aos investimentos, ainda que existam fluxos abundantes de capitais para financiar aqueles déficits. A segunda vem da existência de financiamento para esses déficits.

Comecemos pelo câmbio real, supondo que existam ingressos de capitais suficientes para financiar os déficits. O aumento das importações líquidas requer a valorização do câmbio real. Porém, déficits persistentes nas contas-correntes elevam o passivo externo líquido do país, o que depois de algum tempo provocará a desvalorização do câmbio real, impedindo aqueles déficits.

Há modelos do câmbio real de equilíbrio que mostram que ele depende da magnitude do passivo externo. Versões desses modelos foram usadas em análises empíricas para vários países por Lane e Milesi-Ferretti[10] e por Aguirre e Calderón.[11] É o mesmo modelo exposto por Obstfeld e Rogoff.[12] Além do

[10] Lane, P. e Milesi-Ferretti, G. *The Transfer Problem Revisited: Net Foreign Assets and Real Exchange Rate*, IMF Working Paper, julho, 2000.
[11] Aguirre e Calderón. *Real Exchange Rate Misalignments and Economic Performance*, Central Bank of Chile Working Papers, #315, abril, 2005.
[12] Obstfeld, M. e K. Rogoff "Open Economy Macroeconomics", cap. 11.

passivo externo o câmbio real depende das relações de troca.[13] Na análise que se segue usaremos estimativas empíricas desse modelo para o caso brasileiro, mas antes de apresentar os resultados é bom olhar para as tendências apontadas pelos dados.

No Gráfico 12 superpomos o câmbio real[14] às relações de troca. Há uma visível correlação inversa (-0,753 no período de 1994 a 2009, e -0,830 no período de 2002 a 2009): ganhos de relações de troca levam à valorização do câmbio real. No diagrama de dispersão, no Gráfico 13, colocamos uma medida do passivo externo com base em dados mensais nesse mesmo período, e no eixo vertical o câmbio real. Há, também, uma visível correlação inversa.[15]

GRÁFICO 12
CÂMBIO REAL E RELAÇÕES DE TROCA

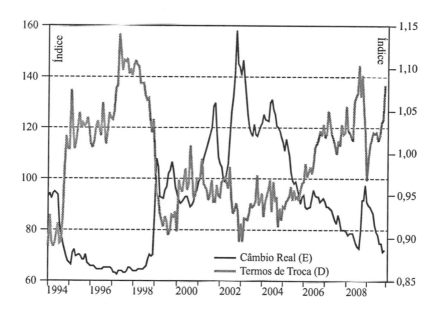

---

[13] Em princípio depende, também, do consumo do governo e da diferença nas produtividades dos bens *tradables* e *non-tradables* (o efeito Balassa-Samuelson). Nossas investigações empíricas não mostraram a relevância dessas duas variáveis no caso brasileiro.

[14] O câmbio real usado é medido com relação à cesta de moedas de nossos principais parceiros de comércio.

[15] Todas as evidências são de que é o passivo que causa as variações do câmbio real, e não o contrário. É o resultado do teste de causalidade no sentido de Granger.

PASSIVO EXTERNO LÍQUIDO E CÂMBIO REAL

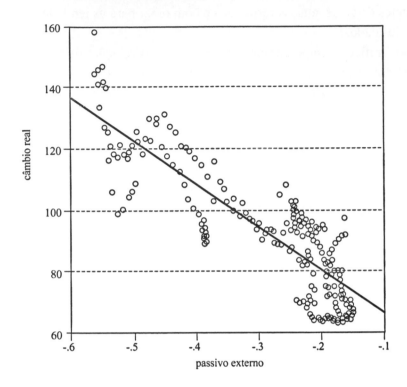

Usamos neste diagrama de dispersão uma estimativa do passivo externo feita por nós, obtida acumulando os saldos nas contas-correntes. A metodologia é a mesma usada por Lane e Milesi-Ferretti.[16] No Gráfico 14 ela é comparada com as estimativas do Banco Central. O Banco Central não estima o passivo externo com base em dados mensais e somente começou a estimar o passivo externo a partir de 2001. A série denominada no gráfico de "passivo externo oficial" é obtida encadeando a estimativa de Milesi-Ferreti com a do Banco Central. O Banco Central marca a mercado os preços das ações que compõem o passivo, e a terceira estimativa mostrada retira da série do Banco Central o valor de mercado das ações. Verifica-se que as estimativas são próximas. O importante a ser notado neste ponto é a forte variação desse passivo. Ele já foi

---

[16] Ver Lane e Milesi-Ferretti. *The External Wealth of Nations Mark II: Revised and Extended Estimates of Foreign Assets and Liabilities*, 1970-2004, IMF Working Paper WP/6/99.

de mais de 50% do PIB em torno de 1983 e novamente em torno de 2002, e assumiu valores bem mais baixos, em torno de 20% do PIB, como atualmente.

GRÁFICO 14

MEDIDAS DO PASSIVO EXTERNO LÍQUIDO

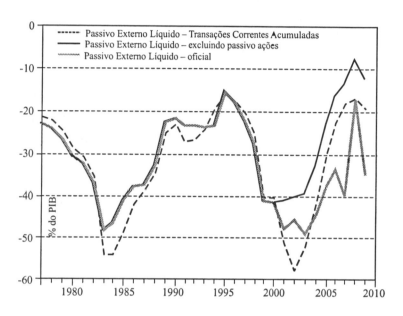

A intuição indica que o câmbio real se valoriza com os ganhos de relações de troca porque ocorrem ganhos maiores no valor em dólares das exportações. E por que ele se deprecia com o aumento do passivo externo? Independentemente da elevação do passivo externo ser realizada na forma de dívida ou de investimentos, o país incorre em custos: sobre a dívida são pagos juros, e o custo dos investimentos (quer investimentos diretos, quer em ações) são os lucros e os dividendos enviados ao exterior. É claro que passivos externos mais elevados requerem maiores exportações líquidas para permitir o pagamento desses custos, depreciando o câmbio real.

A estimativa do modelo é apresentada no Apêndice 2. Ela nos dá duas informações importantes. A primeira é a trajetória do que chamamos do *câmbio real de equilíbrio*. Para esta trajetória ocorrem contribuições significativas tanto das relações de troca quanto do passivo externo, isto é, a probabilidade de que os coeficientes estimados tenham contribuições devidas ao acaso é nula. A segunda informação é sobre como este câmbio real se ajusta em resposta a uma variação no passivo externo ou em resposta a uma variação nas relações de troca.

Comecemos pela trajetória do câmbio real de equilíbrio, que é comparado ao câmbio real atual no Gráfico 15. Há um claro paralelismo entre as duas trajetórias, o que nos leva a uma conclusão: a contínua valorização cambial, entre 2002 e 2009, por exemplo, não foi um movimento de progressivo desalinhamento cambial, mas sim uma trajetória de valorização do próprio câmbio real de equilíbrio. Por que o câmbio real valorizou-se entre 2002 e 2009? A primeira razão foram os fortes ganhos de relações de troca. A segunda foi o fato de que a queda da absorção (elevação das poupanças e queda dos investimentos) a partir do "choque" de 2002 provocou uma queda abrupta do passivo externo, que despencou de mais de 50% do PIB para próximo de 20% do PIB, nos dois últimos anos.

GRÁFICO 15
CÂMBIO REAL ATUAL E CÂMBIO REAL DE EQUILÍBRIO

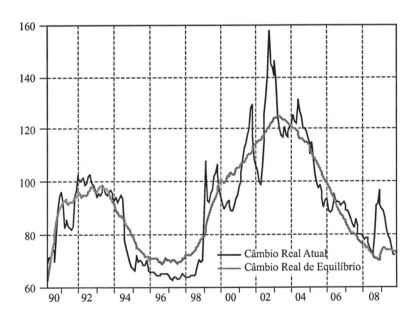

Note-se que há momentos em que o câmbio real atual desvia da trajetória de equilíbrio, e alguns desses desvios são importantes. O primeiro ocorre no período entre 1994 e o final de 1998, quando há uma clara sobrevalorização cambial. O ataque especulativo que obrigou o Brasil a abandonar a "âncora cambial" deve-se, em grande parte, a essa sobrevalorização. Há, em seguida, vários períodos de depreciações excessivas, como nas paradas de capitais derivadas do *default* da Argentina, em 2001, da crise na transição de FHC para Lula, em 2002, e da crise internacional, em 2008. Mas sempre que estes desvios ocorreram, o câmbio real foi novamente "atraído" para a sua trajetória de equilíbrio, determinada pelas relações de troca e pelo passivo externo.

A estimativa mostra, também, que embora os movimentos de longo prazo do passivo externo predominem na determinação da trajetória de longo prazo do câmbio real, a sua resposta a movimentos das relações de troca é mais rápida. Normalizamos as duas curvas de resposta no Gráfico 16 obtidas a partir do modelo estimado nas Tabelas A1 e A2, no apêndice, para permitir a comparação das velocidades. De fato, no caso das relações de troca, em torno de 80% da resposta total já ocorreu decorridos apenas poucos meses, enquanto que no caso do passivo externo são necessários mais de 30 meses, ou seja, em torno de três anos, para que 80% da resposta ocorra.

GRÁFICO 16
VELOCIDADE DAS RESPOSTAS AOS CHOQUES NAS
RELAÇÕES DE TROCA E PASSIVO EXTERNO

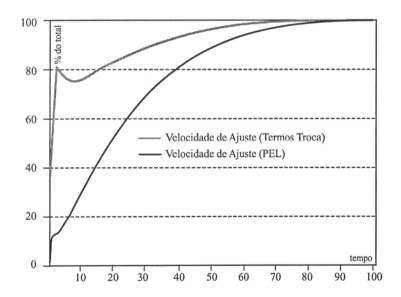

Essa resposta mais lenta do passivo externo faz grande sentido. Suponhamos que o país gere uma absorção maior do que o PIB por uma sequência de anos, produzindo uma sequência de déficits nas contas-correntes que gerem um crescimento contínuo desse passivo. A tendência induzida pelo crescimento do passivo é para a depreciação do câmbio real de equilíbrio, e se a resposta do câmbio ao passivo externo fosse instantânea, o câmbio real se depreciaria instantaneamente, e pelo menos uma parte do aumento do déficit nas contas-correntes não ocorreria, impedindo que crescessem tanto as importações, quanto os investimentos. Esta contradição desaparece com uma resposta lenta ao impulso do passivo externo, como a mostrada no Gráfico 15. Neste caso, o déficit nas contas-correntes começa a elevar o passivo externo, mas a resposta do câmbio a este "choque permanente" é lenta, o que retarda a depreciação cambial, e permite que os déficits nas contas-correntes se materializem por mais algum tempo, abrindo o espaço para o crescimento ainda que temporário das importações e dos investimentos.

Que conclusões podemos extrair destas evidências? A primeira é que o crescimento do passivo externo limita o déficit nas contas-correntes. Se o governo conseguisse produzir taxas de investimento de 25% do PIB, dispararia forças para elevar as importações líquidas e valorizar o câmbio real. O país absorveria temporariamente poupanças externas que complementariam as poupanças totais domésticas baixas, e com isso aumentaria temporariamente a sua taxa de crescimento econômico. Mas começaria a acumular passivo externo. Como a resposta do câmbio real a esta acumulação de passivo é lenta, inicialmente o câmbio real poderia continuar apreciado. Porém, decorrido algum tempo esta acumulação, já maior, do passivo externo, começaria a forçar a depreciação cambial, impedindo a absorção da poupança externa, e limitando o crescimento econômico. Aquela taxa de 25% de investimentos não poderia ser mantida por muito tempo.

Em uma situação como esta o país somente tem uma rota que o conduz ao aumento das taxas de investimento e do crescimento econômico. É a rota de políticas fiscais que permitam o aumento das poupanças domésticas.

FLUXO DE CAPITAIS E RISCO DE DESALINHAMENTO CAMBIAL?

A análise desenvolvida acima pressupõe que o país tenha acesso a fluxos de capitais que lhe permitam financiar quaisquer déficits nas contas-correntes. Isto nem sempre ocorre, e se estes fluxos se reduzirem, a limitação ao crescimento será imposta bem antes que o crescimento do passivo externo exerça seus efeitos. A queda nos ingressos de capitais depreciará o câmbio real, reduzindo o déficit nas contas-correntes.

Mas o que ocorrerá se acontecer o contrário, com o país recebendo mais capitais do que é necessário para financiar um dado déficit? Neste caso pode ocorrer uma forte valorização do câmbio nominal, que na presença de algum grau de rigidez de preços (que de fato existe) induz uma valorização do câmbio real, que se aprecia com relação ao câmbio real de equilíbrio, da mesma forma como ocorreu em 1994, para citar um exemplo. O caso será ainda mais grave se o país já estiver enfrentando déficits elevados nas contas-correntes, que levem a um crescimento veloz do passivo externo, colocando em marcha forças depreciando o câmbio real de equilíbrio. Se neste caso fortes ingressos de capitais forçarem o câmbio nominal levando a uma valorização do câmbio real atual, que continuamente passa a divergir do câmbio real de equilíbrio, estaremos ingressando em uma trajetória de progressiva e grande sobrevalorização cambial. Temporariamente o país festejará um período de euforia, mas esta euforia será seguida de um ajuste, que será tanto mais custoso quanto maior for a sobrevalorização cambial atingida.

Em qualquer um destes casos justificam-se intervenções no mercado de câmbio. Há também quem defenda controles sobre ingressos de capitais, mas como se sabe a sua eficácia é limitada. Nesse mundo com grandes oscilações nos ingressos de capitais, não há lugar para um regime puro de flutuação, e o papel das autoridades nas intervenções no mercado de câmbio é muito grande.

O Brasil tem seguido este modelo. No Gráfico 17 superpomos a taxa cambial às estimativas de compras (vendas) por parte do Banco Central no mercado de câmbio. Estas são intervenções *esterilizadas*.[17] Desde que o país

---

[17] Como no regime de metas de inflação o BC mantém a taxa de juros fixa entre duas reuniões do Copom, tem que necessariamente esterilizar essas intervenções.

aderiu à flutuação cambial, tivemos apenas um período com intervenções baixas situado aproximadamente entre 1999 e 2005. Mas tanto de 2006 em diante quanto na fase do regime de câmbio fixo, entre 1994 e 1998, tivemos intervenções maciças. Note-se, pela magnitude das compras e vendas mensais (as barras verticais no gráfico), que a intensidade das intervenções depois de 2005 se assemelha à que existia antes do Brasil ingressar no regime de flutuação cambial.

GRÁFICO 17
TAXA CAMBIAL E INTERVENÇÕES DO BANCO CENTRAL

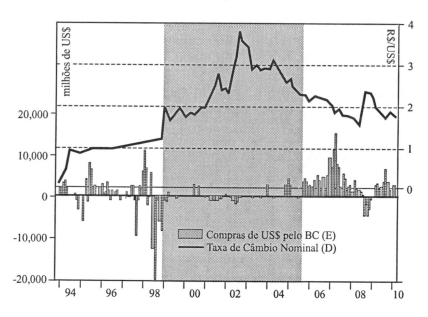

Um pouco mais de detalhe é obtido observando os dados do Gráfico 18, no qual nos concentramos no período de intervenções mais maciças, e no qual superpomos os ingressos totais de moeda estrangeira, somando os ingressos comerciais e os financeiros, e as compras estimadas do BC no mercado de câmbio. Há uma elevada correlação positiva, com as compras se elevando em resposta aos aumentos dos ingressos, e vice-versa.

114

GRÁFICO 18
INGRESSOS DE MOEDA ESTRANGEIRA E
INTERVENÇÕES DO BC NO MERCADO DE CÂMBIO

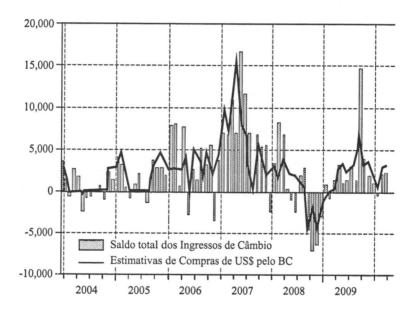

Com este elevado grau de intervenção não há dúvidas de que temos uma flutuação cambial muito "suja". Não há, também, dúvidas de que, dada a intensidade dos ingressos, estas foram as ações que impediram que ocorresse uma sobrevalorização cambial aguda. Não foram intervenções que impedissem a contínua apreciação do real de equilíbrio que, como vimos anteriormente, derivou da queda do passivo externo e de ganhos de relações de troca, que parcialmente defendeu a competitividade das exportações. Diante da intensidade dos ingressos de capitais, contudo, na ausência daquelas intervenções o câmbio real atual teria se valorizado muito mais, apreciando-se com relação ao câmbio real de equilíbrio, e conduzindo à sobrevalorização cambial, que não seria sustentável.

Há quem objete este procedimento, levantando a suspeita de que como estas são intervenções esterilizadas, não teriam eficácia para alterar o curso da taxa cambial. A teoria nos mostra que há somente um caso no qual as intervenções esterilizadas são ineficazes: aquele no qual ativos domésticos e internacionais apenas diferem na sua moeda de denominação, sendo absolutamente iguais em todas as demais características. Ou seja, os mercados não distinguiriam entre bônus brasileiros e norte-americanos. Não nos parece que esta seja uma ocorrência plausível nos mercados, e na medida em que estes dois ativos diferem entre si mais do que simplesmente pela moeda de denominação, ao mudar a composição do portfólio entre ativos brasileiros e norte-americanos as intervenções esterilizadas têm eficácia e mudam a taxa cambial.

Mas ainda que alguém se recuse a aceitar esta argumentação, apresentamos outra, menos rigorosa baseada no princípio do *reductio ad absurdum*. Em 2005, o Brasil tinha em torno de US$ 30 bilhões de reservas, e atualmente tem perto de US$ 250 bilhões (Gráfico 19). Se as intervenções esterilizadas fossem ineficazes, todas aquelas compras do BC no mercado de câmbio não teriam tido nenhum efeito sobre a taxa cambial. Ou seja, quem acredita na ausência de eficácia das intervenções esterilizadas, teria que estar pronto a sustentar que a taxa cambial seria exatamente a mesma, caso estes mais US$ 200 bilhões não tivessem sido comprados pelo BC no mercado à vista de câmbio, o que é um absurdo.

GRÁFICO 19
RESERVAS INTERNACIONAIS LÍQUIDAS

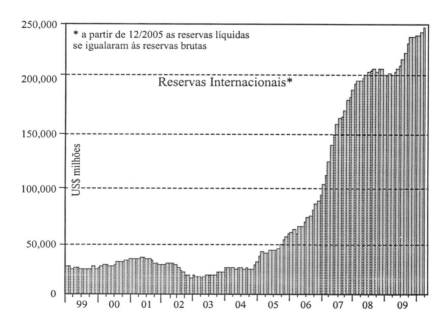

INTERVENÇÕES MAIS OUSADAS

Suponhamos que as autoridades optassem por graus mais elevados de intervenções. A primeira consequência seria a completa mudança do regime cambial: estaríamos chegando mais próximo de um regime de câmbio fixo. O nosso próprio experimento com esse regime, entre 1994 e 1998, ou mesmo em períodos anteriores, nos quais o país mantinha metas para o câmbio real indexando o câmbio à inflação, não traz boas recordações. Pior ainda foi a experiência da Argentina com um câmbio fixo "inscrito na Constituição do país", e extremamente frustrante tem sido a experiência de vários países dentro da área do euro. Mas mesmo assim suponhamos que o governo usasse ainda mais intensamente as suas intervenções, buscando obter metas para o câmbio real. Esta seria uma ação que geraria uma desestabilização macroeconômica, particularmente se isto fosse feito forçando as taxas de juros para baixo. Por quê? Porque os juros baixos gerariam mais inflação, e para manter o câmbio real em torno da meta seria necessário indexar o câmbio à inflação passada. Estaríamos, desta forma, retornando ao período anterior à reforma monetária de 1994, com o Brasil perdendo a âncora que mantém a inflação sob controle.

Mas mesmo que este extremo fosse evitado, para que o câmbio real mantido mais depreciado tivesse eficácia em reduzir os déficits nas contas-correntes, aproximando-nos do modelo de países como a China, teria que ocorrer uma queda na absorção, isto é, da demanda total doméstica. Qual é a consequência? Como a componente de investimentos na absorção teria que ser mantida elevada para estimular o crescimento, o consumo teria que cair. O resultado seria uma elevação nas poupanças. Ou seja, a depreciação do câmbio não substituiria a elevação das poupanças. Pelo contrário, a condição para que aquele câmbio mais depreciado fosse atingido é a elevação das poupanças.

Não temos nenhuma objeção a esta elevação das poupanças domésticas. Pelo contrário, este é um caminho para acelerar o crescimento. Mas este objetivo tem de ser atingido pela política fiscal, e não pela simples e pura depreciação discricionária da taxa cambial.

APÊNDICE 1

No cálculo da trajetória do PIB potencial usamos uma função de produção dada por

(1) $y_t = m_t K_t^{\alpha} N_t^{(1-\alpha)}$

onde K_t é o estoque de capital, N_t é a população economicamente ativa, e m_t é a produtividade total dos fatores. Todos os fatores de produção estão sempre plenamente empregados, isto é, a utilização de capacidade instalada está em seus níveis máximos, e a taxa de desemprego é igual à taxa natural.

Nas estimativas tomamos o valor de α=0.4. Substituindo em (1) a população economicamente ativa e o estoque de capital, estimado a partir da equação de inventário perpétuo $K_t = FBKF_t + (1 - \delta) K_{t-1}$, onde δ = ... 3,75% é a taxa de depreciação do estoque de capital, estima-se por resíduo a produtividade total dos fatores.

Dividindo (1) membro a membro por ela mesma defasada de um período, usando as definições $\left(y_t / y_{t-1} \right) = (1+g_t)$, $\left(m_t / m_{t-1} \right) = (1+\pi_t)$, $\left(N_t / N_{t-1} \right) = (1+x_t)$, e finalmente usando a equação de inventário perpétuo, obtemos

(2) $\dfrac{I_t}{y_t} = \dfrac{K_{t-1}}{y_t} \left\{ \left[\dfrac{(1+g_t)}{(1+\pi_t)(1+x_t)^{1-\alpha}} \right]^{1/\alpha} - (1-\delta) \right\}$

que é a equação usada para construir o Gráfico 3, do texto.

No texto mencionamos o comportamento da taxa de participação da população economicamente ativa. Ela é mostrada no Gráfico A1. Mencionamos, também, que a correlação inversa entre poupanças e investimentos persiste se trabalharmos com os dados a preços correntes. Isto é mostrado no Gráfico A2.

GRÁFICO A1

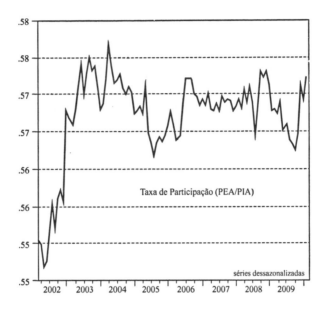

Taxa de Participação (PEA/PIA)

séries dessazonalizadas

GRÁFICO A2

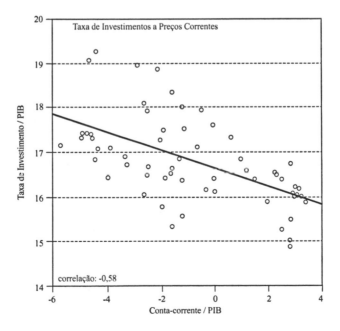

Taxa de Investimentos a Preços Correntes

correlação: -0,58

119

A estimativa do modelo VEC (Vetor autorregressivo) está dividida em duas tabelas. Na Tabela A1 mostramos a estimativa do vetor autorregressivo. Na Tabela A2 mostramos a parte dinâmica do modelo, a partir da qual são extraídas as estimativas das curvas de resposta a impulsos. Nestas tabelas a variável TT está designando as relações de troca.

TABELA A1

Vector Error Correction Estimates
Date: 01/20/10 Time: 16:54
Sample (adjusted): 1990M04 2009M11
Included observations: 236 after adjustments
Standard errors in ( ) & t-statistics in [ ]

Cointegrating Eq:	CointEq1
LOG(CESTA(-1))	1.000000
LOG(TT(-1))	0.606473
	(0.19110)
	[3.17351]
LOG((-1)*POSLIQPIB(-1))	-0.421949
	(0.05068)
	[-8.32578]
C	-5.044234
	(0.07396)
	[-68.1995]

TABELA A2

Error Correction:	D(LOG(CESTA))	D(LOG(TT))	D(LOG((-1) *POSLIQPIB))
CointEq1	-0.117603	-0.009384	-0.003836
	(0.02351)	(0.01464)	(0.00490)
	[-5.00192]	[-0.64085]	[-0.78211]
D(LOG(CESTA(-1)))	0.389692	-0.061872	0.003198
	(0.06140)	(0.03824)	(0.01281)
	[6.34628]	[-1.61795]	[0.24969]
D(LOG(CESTA(-2)))	-0.117952	-0.038212	0.041964
	(0.06303)	(0.03925)	(0.01315)
	[-1.87147]	[-0.97354]	[3.19207]
D(LOG(TT(-1)))	-0.074450	-0.218995	-0.016793
	(0.10673)	(0.06647)	(0.02226)
	[-0.69756]	[-3.29475]	[-0.75432]
D(LOG(TT(-2)))	-0.071622	-0.060483	8.96E-05
	(0.10695)	(0.06660)	(0.02231)
	[-0.66970]	[-0.90812]	[0.00402]
D(LOG((-1)* POSLIQPIB(-1)))	0.589480	-0.416382	0.675802
	(0.30184)	(0.18798)	(0.06296)
	[1.95294]	[-2.21506]	[10.7340]
D(LOG((-1)* POSLIQPIB(-2)))	-0.553953	0.327170	0.215359
	(0.30002)	(0.18684)	(0.06258)
	[-1.84639]	[1.75104]	[3.44140]
R-squared	0.247128	0.074734	0.819317
Adj. R-squared	0.227402	0.050492	0.814583
Sum sq. resids	0.327103	0.126864	0.014231
S.E. equation	0.037794	0.023537	0.007883
F-statistic	12.52809	3.082746	173.0692
Log likelihood	441.7252	553.4905	811.6359
Akaike AIC	-3.684112	-4.631275	-6.818949
Schwarz SC	-3.581371	-4.528534	-6.716208
Mean dependent	0.000672	0.001455	-0.000756
S.D. dependent	0.042998	0.024155	0.018308

Redirecionar os gastos para investir e crescer mais

Raul Velloso*, Marcos Mendes** e Marcelo Caetano***

---

* Ex-Secretário de Assuntos Econômicos do Ministério do Planejamento. Atualmente é consultor econômico.
** Consultor legislativo do Senado Federal.
*** Técnico do Ipea.

A PRINCIPAL SAÍDA para retomar taxas mais elevadas de crescimento do PIB e das oportunidades de emprego é aumentar o peso dos investimentos nos gastos correntes do setor público (que, na União, não passou de 3,6% no ano passado), via aumento direto de investimentos relevantes e, especialmente, da redução dos gastos correntes, criando condições para a redução sustentada das taxas de juros, e, por consequência, para a recuperação sustentada dos investimentos privados.

VISÃO GLOBAL

INTRODUÇÃO

Um pouco antes da fase de bonança internacional de 2003/2008, o Brasil crescia à taxa média de 2,7% ao ano. Mais adiante, a gestão Lula assistiu à elevação da taxa de crescimento potencial para algo ao redor de 4,5% ao ano, conforme vários cálculos disponíveis,[1] devido, basicamente, à manutenção das políticas macroeconômicas de curto prazo do governo anterior, e pelo novo governo ter se beneficiado tanto do efeito retardado das mudanças estruturais da fase precedente, como do choque externo fortemente favorável que ocorreu entre 2003 e 2008.

---

[1] Admite-se nesse cálculo, entre outras hipóteses relevantes, que a taxa de investimento (razão investimento/PIB, medida a preços de 2000) retornaria ao maior nível observado entre 1995 e 2008, algo ao redor de 16%.

Como se depreende do exame dos Gráficos 1 e 2 a seguir, a atual taxa de crescimento potencial da economia brasileira é pífia em comparação com as que se obtinham anos atrás (quando se crescia a taxas médias superiores a 7% ao ano), e "está mal no filme" internacional. Em essência, essa taxa poderia ser maior, se o Banco Central (BC) não precisasse subir a taxa Selic, de tempos em tempos, em vista de sucessivos congestionamentos de gastos públicos correntes com gastos privados que teve (e ainda tem) de enfrentar.

GRÁFICO 1
TAXA DE CRESCIMENTO DO PIB E RAZÃO DE
INVESTIMENTO DO PIB (%, PR. CONSTANTES)

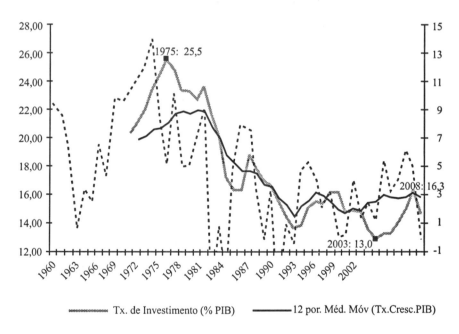

FONTE: IBGE e Ipeadata.

Assim, uma das principais tarefas para as administrações futuras do país é exatamente buscar o aumento da taxa de crescimento sustentável do PIB, a fim de garantir um incremento não apenas significativo, mas também sustentável, da criação de empregos. Mas não adianta só aumentar a taxa de crescimento do PIB num determinado ano (como se faz no atual), sabendo que no seguinte ela terá de ser reduzida, por falta de bases de sustentação. Mais do que fazer a economia crescer, é crucial erigir suas bases de sustentação.

Para isso, é imperioso priorizar o aumento dos investimentos em expansão da capacidade produtiva do país, ou, em síntese, agir no sentido de aumentar o peso dos investimentos nos gastos correntes do setor público (que, na União, não passou de 3,6% no ano passado), via aumento direto de investimentos relevantes e, especialmente, da redução dos gastos correntes, criando condições para a redução sustentada das taxas de juros, e, por consequência, para a recuperação sustentada dos investimentos privados.

No Gráfico 1 se notam: (a) a forte correlação entre a taxa de investimento e a taxa de crescimento do PIB, para confirmar que não há como crescer mais sem aumentar correspondentemente os investimentos; (b) a queda, pela metade, da taxa de investimento, entre os anos 1970 e o início dos anos 2000 (de 26% para 13%), com a consequente derrubada, também para algo ao redor da metade, da taxa de crescimento da economia brasileira (de 7,5% ao ano entre os anos 1960 e 1980, para 3,6% ao ano na fase 2003-2009); e (c) a incipiente recuperação das taxas de investimento e de crescimento econômico após 2003, interrompendo-se essa recuperação em 2009, em consequência da crise do mercado financeiro internacional. Diante da última subida da taxa de juros Selic, que acaba de ocorrer, e das perspectivas de sua ampliação, segundo as previsões vigentes, para 11,5% até o final do ano, é patente que a recuperação — e posterior ampliação — dos investimentos requer uma mudança importante na orientação global do país. Não há como crescer mais, se as taxas de juros permanecerem tão elevadas.

Cabe examinar, em seguida, como esse desempenho se compara com o do resto do mundo, e que segmento da economia puxou a queda dos investimentos no Brasil.

Pelo Gráfico 2, se vê que, diante da forte queda de suas taxas de investimento e de crescimento do PIB, o Brasil passou a ficar bem atrás na corrida mundial do crescimento econômico, especialmente em relação à China. Até meados dos anos 1980, o país crescia a taxas comparáveis às dos chineses e bem acima da média mundial. Por ali começou o processo de perda de posição frente ao mundo, de forma tal que as taxas médias brasileiras passaram a se situar sistematicamente abaixo da média mundial e ao redor de patamar abaixo de 1/3 das taxas médias chinesas. Fica óbvio, portanto, que o país precisa recuperar sua posição relativa em comparação com o que tem ocorrido na economia mundial.

GRÁFICO 2
TAXA DE CRESCIMENTO DO PIB, 1961-2009
(MÉDIAS MÓVEIS 12 PERÍODOS)

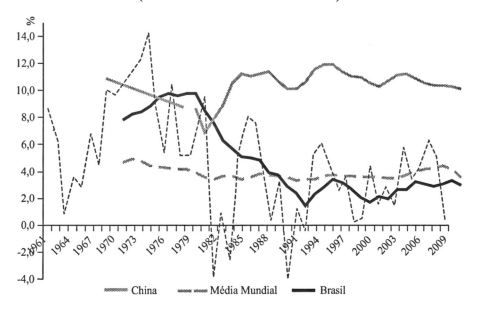

FONTE: FMI e Ipeadata.

Finalmente, registre-se que o processo de queda das taxas de investimento do Brasil foi liderado pelas administrações públicas, conforme se vê no Gráfico 3, e, nestas, pelo desempenho da União (Gráfico 4). É gritante, nesse sentido, a queda da taxa de investimento do Ministério dos Transportes, que é o segmento de maior peso nos investimentos federais (Gráfico 5).

Vê-se, pelo Gráfico 5, que, em 2003, a razão/investimento em transportes/ PIB tinha chegado ao mínimo de toda a série desde os anos 1970, alcançando a marca irrisória de 0,09% do PIB, com base nas estimativas do Plano Nacional de Logística de Transportes (PNLT), ou 0,06% do PIB, com base na execução de caixa do Tesouro Nacional, valor esse, assim, apenas ligeiramente inferior ao registrado, no regime de competência, pelo PNLT. A partir daí os valores assinalados no regime de competência crescem na direção de 0,5% do PIB (2008), enquanto os desembolsos de caixa efetivamente realizados fechavam, em 2008 (que é último ano com dados disponíveis no PNLT), em apenas 40% desse total, denotando que, além de falta de recursos, temos também problemas na área de gestão orçamentária.

GRÁFICO 3
TAXAS DE INVESTIMENTO DA ADMINISTRAÇÃO
PÚBLICA E DE INVESTIMENTO TOTAL

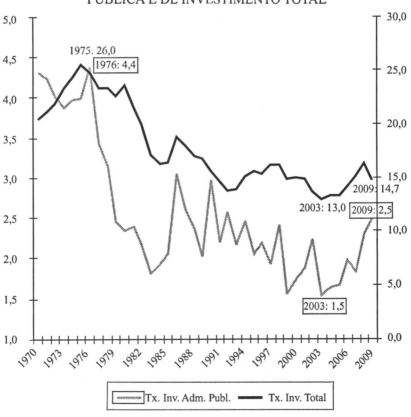

FONTE: IBGE, Ipeadata e Sérgio Gobetti.

129

TAXAS DE INVESTIMENTO DA ADMINISTRAÇÃO PÚBLICA, DOS ESTADOS E MUNICÍPIOS E DA UNIÃO (% DO PIB)

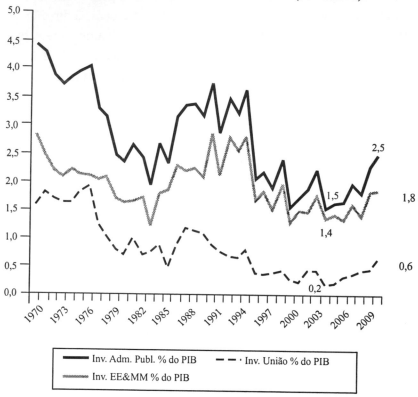

FONTE: IBGE, Ipeadata e Sérgio Gobetti.

Isso leva a duas constatações básicas em relação aos investimentos da União. A primeira é que depois de terem alcançado a marca de 1,8% do PIB em meados dos anos 1970, os investimentos federais em transportes têm oscilado, desde o início dos anos 1990, ao redor da irrisória marca de 0,2% do PIB, cerca de 1/9 (ou 11%) dos valores registrados há quatro décadas, em que pese a maior disponibilidade de recursos na fase de bonança internacional mais recente.

Em segundo lugar, note-se que a escassez de investimentos federais na infraestrutura de transportes não decorre apenas da menor disponibilidade de recursos para essa atividade. Como se vê na comparação das duas curvas do Gráfico 5, há, nos últimos anos, uma crescente diferença entre gastos programados e gastos efetivamente executados, denotando uma sensível piora da qualidade da gestão pública.

GRÁFICO 5
RESERVAS INTERNACIONAIS LÍQUIDAS

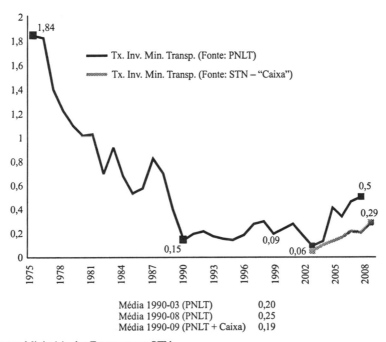

FONTE: Ministério dos Transportes e STN.

Com base em levantamentos da Confederação Nacional de Transportes (CNT), a consequência da citada queda dos investimentos federais em transportes (Gráfico 6) é gritante: entre 2003 e 2007, mais de 80% das rodovias sob gestão estatal foram classificadas por essa pesquisa como "péssimas", "ruins" ou "regulares". Uma leve melhora nessa avaliação só ocorreu na pesquisa do ano passado. Tal deterioração eleva custos na área de transportes e compromete, por esse lado, as possibilidades de crescimento da economia.

GRÁFICO 6

ESTADO DAS RODOVIAS BRASILEIRAS (GESTÃO ESTATAL)

EM % DO TOTAL

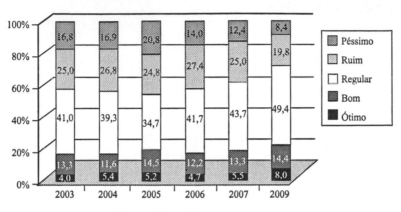

Péssimo + Ruim + Regular:

2003	2004	2005	2006	2007	2009
82,8	83,0	80,3	83,1	81,2	77,6

FONTE: CNT.

Assim, é óbvio que os investimentos federais precisam ser recuperados, especialmente na área de transportes. De forma mais ampla, é preciso reverter o comportamento da proporção dos gastos federais com investimentos no total das despesas correntes da União, que tem caído fortemente desde os anos 1970, conforme se vê no Gráfico 7, acompanhando (ou determinando) a queda na taxa de crescimento da economia no mesmo período. Isso possibilitaria, em um segundo momento, como se verá abaixo em maior detalhe, a redução sistemática das taxas de juros, estimulando uma retomada mais firme dos investimentos privados.[2]

DETERMINANTES DA REDUÇÃO DO INVESTIMENTO

São vários os motivos pelos quais a taxa de investimento global e, por consequência, a taxa de crescimento do PIB brasileiro despencaram, na com-

---

[2] Registre-se que a razão investimento-gasto corrente tem caído tanto por causa da queda dos investimentos ou pela forte subida dos gastos correntes, ou, então, quando os investimentos, mesmo crescendo, sobem a taxas mais baixas relativamente às dos gastos correntes.

paração entre os anos 1970 e os anos mais recentes. A reversão sustentável desse quadro é o grande problema econômico a ser resolvido no país.

GRÁFICO 7

RAZÃO INV/G. CORR. UNIÃO E TAXA DE CRESCIMENTO DO PIB

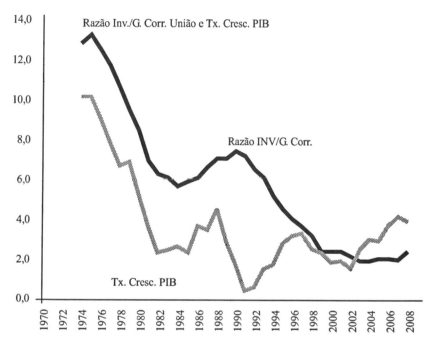

OBS.: Supõem-se razões gastos correntes/PIB iguais a de 1995 em 1970-1994.

FONTE: IBGE, Ipeadata, STN e Sérgio Gobetti.

Sem entrar nos detalhes das fases anteriores, o "fundo do poço" desse processo se deu, como se comprova nos gráficos acima, no ano de 2003, quando, a despeito dos grandes progressos obtidos na sequência da implementação do bem-sucedido Plano Real (1994), a situação econômica se agravara significativamente. Temia-se, à época, que a nova administração (primeiro governo Lula) promovesse a reversão das reformas levadas a cabo nas duas gestões precedentes (FHC) e repudiasse a dívida pública.

É fato que o problema inflacionário, graças ao Plano Real, parecia domado; o regime cambial, pela primeira vez, funcionava bem do ponto de vista macroeconômico (isto é, a taxa de câmbio real subia quando era necessário subir, sem explosão inflacionária); e os resultados fiscais eram superavitários e expressivos.

Pontos frágeis da estrutura macroeconômica eram, contudo, uma altíssima taxa de juros real média (e, consequentemente, um altíssimo custo real implícito da dívida pública); uma posição externa do país ainda muito vulnerável (principalmente porque o nível de reservas, ao redor de US$ 40 bilhões, era insuficiente para conter as pressões de fuga de capitais, e porque o peso da dívida externa pública no total da nossa dívida externa estava entre os maiores de nossa história recente); e o fato de que, mesmo sendo altos, os superávits fiscais da era Fernando Henrique Cardoso haviam atingido um certo limite superior. Nessas condições, numa época em que grandes crises ocorriam frequentemente (especialmente as externas), os resultados fiscais se mostravam insuficientes para impedir que a razão dívida pública/PIB subisse sistematicamente, ficando a impressão de que o setor público brasileiro estava basicamente insolvente.

Assim, qualquer choque desfavorável se transformava num choque altista da taxa de câmbio real, mercê da rápida e significativa fuga de capitais que acabava acontecendo, seguindo-se fortes pressões inflacionárias, e, logo depois, uma "paulada" na taxa de juros básica (taxa Selic), pelo Banco Central (BC), visando combater as mesmas pressões. A partir daí, os investimentos privados e a atividade econômica desabavam, enquanto explodia a razão dívida/PIB (tanto porque o numerador crescia pela subida das taxas de câmbio e de juros, quanto porque o denominador diminuía ou crescia lentamente).

Para combater os temores de calote da dívida, o governo era instado a anunciar novas metas de resultados fiscais, procurando empurrar o limite superior dos superávits fiscais um pouco mais para cima. Isso implicava, diante das conhecidas dificuldades para aumentar esses saldos pelo lado dos gastos correntes, em novas tentativas de aumentar a carga tributária e de reduzir ainda mais os investimentos públicos.

Logo no seu início, o governo Lula optou por não anunciar o esperado calote da dívida, e passou a trilhar o surrado caminho do aumento da carga tributária e da contenção dos investimentos, o que permitia ganhar algum fôlego na gestão macroeconômica de curto prazo. Paralelamente, começou a jogar ainda mais lenha na fogueira dos gastos correntes, mantendo-se um certo temor nos mercados financiadores da dívida pública sobre a real capacidade de o governo brasileiro controlá-la.

Os superávits haviam chegado a um certo limite, porque há muito tempo os gastos correntes vêm crescendo sistematicamente em todo o setor público, especialmente na União, e esses gastos são extremamente rígidos para baixo. Isso se dá na esteira da implementação do modelo de expansão de gastos oriundo de dispositivos da Constituição de 1988, que foi, aos poucos, se transformando muito mais num modelo de crescimento de transferências correntes a pessoas do que qualquer outra coisa, especialmente durante os anos Lula, com óbvios efeitos expansionistas sobre o consumo das famílias afetadas. Sem demonstrar muita preocupação com a qualidade dos programas, o atual governo foi simplesmente expandindo o seu alcance por vários meios.

Em síntese, por volta de 2003 foi ficando claro que, na ausência de algum "presente" vindo de fora do país, se o governo não optasse em algum momento por uma contenção efetiva dos gastos correntes excessivos e ineficientes, em lugar da velha receita de aumentar a carga de impostos e conter os investimentos, uma hora voltaria a ocorrer um forte ataque especulativo contra as reservas do país, levando a uma situação tão ou mais difícil quanto a que ocorrera no início de 1999, descambando uma vez mais no pedido de apoio financeiro a entidades multilaterais, como o FMI, além de outras consequências nefastas e imprevisíveis.

Na verdade, contudo, entre 2003 e 2008, o país acabou recebendo um inesperado "presente" vindo do exterior, que deu ao governo a opção de não enfrentar o grande problema fiscal brasileiro naquele momento. A economia mundial aumentou consideravelmente suas taxas de crescimento econômico, levando a uma forte subida dos preços de nossas principais *commodities* de exportação e dos superávits comerciais. Enquanto isso, os mercados financeiros e de capitais, além dos investidores diretos, promoviam uma inédita inundação de dólares na economia brasileira. Em consequência, as taxas de câmbio e de juros desabaram; os investimentos privados e o PIB passaram a crescer mais; as receitas públicas aumentaram acima até do próprio crescimento da economia, levando a um inesperado aumento dos superávits fiscais; as reservas internacionais atingiram níveis recordes; a dívida externa pública se transformou em crédito público; e a razão dívida pública/PIB simplesmente desabou. Em consequência, não apenas os investimentos privados puderam sair do citado "fundo do poço", como se abriu espaço para algum crescimento dos investimentos públicos.

Só que, mesmo num ambiente favorável ao controle da inflação, dado pela queda contínua da taxa de câmbio, nota-se, na trajetória das taxas de juros desde então, a alternância de fases de queda com fases de ascensão dessas taxas, estas últimas se verificando sempre que ocorria um congestionamento dos investimentos privados com gastos públicos correntes, que, no Brasil, crescem sempre. Conforme se vê no Gráfico 8, isso de fato se deu: (1) entre agosto de 2004 e agosto de 2005, quando a Selic passou de 15,77% (julho de 2004) para 19,75% (agosto de 2005); (2) entre abril de 2008 e dezembro de 2008, quando a Selic passou de 11,18% (março de 2008) para 13,66% (dezembro de 2008); e, mais recentemente, (3) em abril de 2010, quando a Selic aumentou de 8,75% para 9,5%, devendo, conforme previsões de analistas do mercado financeiro, encerrar o ano em 11,5%.

GRÁFICO 8
SELIC E TAXA DE CÂMBIO
JANEIRO DE 2000 A MAIO DE 2010

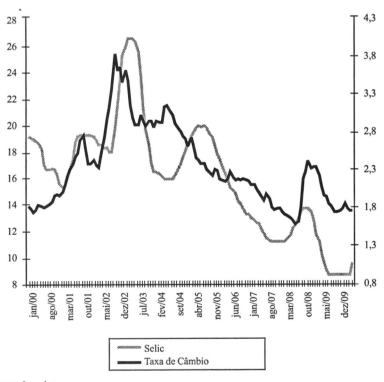

FONTE: Ipeadata.

136

Na ausência dos choques cambiais das fases de crises agudas, o congestionamento de gastos passou, assim, a ser a principal causa de pressões inflacionárias, e o principal motivo pelo qual as taxas de juros não caem abaixo de certo ponto, impedindo a recuperação desejável do crescimento econômico brasileiro.

A própria crise internacional do final de 2008, que produziu forte e rápida queda na atividade industrial, teve a vantagem de abrir espaço para uma queda mais rápida na taxa de juros pelo BC, além de outras medidas de expansão monetária, mas teve o subproduto indesejável de estimular o governo a acelerar ainda mais o crescimento dos gastos correntes, com a desculpa de que precisaria estimular a economia para sair da crise. O correto seria privilegiar o aumento dos investimentos públicos, aumento esse que poderia ser facilmente retirado mais adiante, caso medidas de contenção da demanda agregada se mostrassem imperiosas.

Com efeito, a partir de novembro de 2008 fizeram-se sentir os efeitos da última crise internacional sobre o Brasil, crise essa de natureza completamente diversa em relação às anteriores. Em vez de enfrentar pressões inflacionárias decorrentes de um novo choque cambial, mas diante da queda da demanda externa e da contração do crédito tanto externo quanto interno que se seguiu, e a exemplo do que sucedeu em outros países, houve drástica desabada da produção industrial, tendo o valor absoluto das taxas negativas, nas comparações mês contra mesmo mês do ano precedente, se situado nos maiores níveis observados desde os anos 1990.[3] Dessa forma, mesmo tendo a taxa de câmbio subido de forma significativa logo no início da crise, eventuais pressões inflacionárias se dissiparam rapidamente dentro do quadro recessivo que se formou. Em consequência, e também sob o impacto das desonerações fiscais aprovadas pelo governo para o setor automobilístico e outros, houve forte queda também da arrecadação de impostos.

A partir do final de 2008, então, e para os últimos 12 meses das séries, a taxa de crescimento da receita líquida real da União (com base no deflator implícito do PIB), que, desde dezembro de 2003, crescia sistematicamente tanto

---

[3] Confronte-se, a propósito, a queda de 15,8% do índice de produção industrial do IBGE, em dezembro de 2008, contra idêntico mesmo do ano precedente, com a segunda maior queda na série contemplando o período de 1992 a 2009, de 11,9%, em agosto de 1992.

acima do índice de produção industrial quanto do PIB, passa, então, a cair, sendo a queda não tão forte como a que ocorria do lado da produção industrial, mas bem mais forte do que a queda da taxa de crescimento do PIB real.

Na reação à crise, além de o BC ativar a política monetária, seja pela redução da taxa Selic (que caiu de 13,75% para 12,75% na reunião de 21/1/2009, e continuou caindo até atingir 8,75% na reunião de 22/7/2009), seja pela liberação de depósitos compulsórios, entre outras medidas de alívio monetário, o governo resolveu determinar aos bancos oficiais que expandissem suas operações de crédito, para tentar compensar o encolhimento que vinha ocorrendo no âmbito das instituições financeiras privadas. Além disso, decidiu também atuar no lado fiscal, aumentando especialmente os gastos correntes, que passaram a crescer a taxas mais elevadas nos últimos 12 meses da série, em contraste com o que ocorria do lado da receita. Ou seja, a crise abriu espaço para comportamento contrário ao sugerido anteriormente: enquanto os gastos subiam os juros caíam.

Em consequência, o superávit primário da União, medido em 12 meses, caiu de forma expressiva desde novembro de 2008, quando atingira o nível máximo de 2,9% do PIB, para 0,6% do PIB em novembro do ano passado, uma queda inédita para os últimos anos. E a razão dívida/PIB global acabou subindo de 37,7% para 43% do PIB, nesse mesmo interregno. Como não seria de se estranhar, pioraram as medidas de solvência pública, embora em um contexto de muita tolerância com esse estado de coisas pelos mercados.

Outra informação importante é que, graças aos estímulos fiscais e monetários, e ao fato de o setor industrial, que emprega apenas 25% do contingente empregado pelo setor de serviços, ter sido o mais afetado pela crise, a economia como um todo reagiu rápida e em intensidade surpreendente. O emprego na área de serviços até se expandiu, diante do desempenho favorável desse setor, e, assim, não houve a queda da massa salarial que se temia. Nesses termos, a recessão acabou durando apenas dois trimestres, conforme divulgado pelo IBGE. Pelo *Boletim Focus* de 15/1/2010, os mercados esperavam um crescimento de 5,3% em 2011, ante previsão próxima de zero para 2009, que, na prática, acabou se materializando.

Em resumo, depois de longo período em que o atual governo parecia ter como objetivo uma drástica redução da inserção do setor público no financiamento da economia brasileira (a julgar pela intenção, aparente nos procedimentos anteriores, de continuar reduzindo progressivamente a razão dívida/PIB, ainda que sem nenhuma meta explícita à frente), embora não parecesse decidido a mudar o modelo de crescimento dos gastos correntes (o que limitava as possibilidades de crescimento do país), duas decisões parecem ter sido tomadas diante da crise internacional.

A primeira foi a de fazer com que os gastos públicos correntes crescessem até mais do que estava anteriormente programado, para tentar reativar a economia da forma mais rápida possível, deixando de lado qualquer preocupação com pressão inflacionária futura. Nesse sentido, fez-se uma reafirmação do modelo de expansão dos gastos correntes. Já a segunda foi a de abandonar momentaneamente qualquer preocupação com insolvência pública, argumentando, em várias ocasiões, que, mesmo a relação dívida/PIB voltando a se mostrar crescente por algum tempo, terminaria havendo reversão da nova trajetória ascendente dessa razão mais à frente, quando a arrecadação voltasse aos níveis anteriores à crise e sua progressão, a partir daí, voltasse à normalidade.[4] Afinal de contas, o mundo todo não estava fazendo o mesmo com suas respectivas razões dívidas/PIB (ou seja, deixando-as subirem à vontade)?

Na verdade, o procedimento mais adequado teria sido, primeiro, conferir primazia total à política monetária na ação anticíclica, principalmente no caso brasileiro, em que as taxas básicas de juros estavam entre as mais altas do mundo. Nada obstante, tomada a decisão de ativar a política fiscal do lado do gasto, dever-se-iam aumentar gastos apenas de forma temporária, pois, mais adiante, tanto a demanda externa, quanto o consumo e os investimentos privados internos, voltariam a se expandir naturalmente. Ou seja, quanto mais crescessem os gastos públicos correntes rígidos na resposta à crise, maior seria a probabilidade de o BC rapidamente voltar a aumentar a Selic,

---

[4] Pela Pesquisa Focus de 15/1/2010, os mercados pareciam concordar com as previsões governamentais, ao projetar que a razão dívida líquida/PIB se situaria praticamente nos níveis das época no final de 2010 e cairia para 40,85% em 2011, revelando um certo controle sobre o comportamento dessa variável. O que não está claro é se essa evolução, caso se materialize até o final, será vista como aceitável mais adiante pelos mercados, quando as taxas de juros voltarem a subir nos mercados internacionais.

para combater pressões inflacionárias que certamente apareceriam à frente, ao se verificar mais um congestionamento de gastos públicos e privados frente à limitada capacidade de produção interna. O próprio BC deixou claro que parou de reduzir a taxa Selic, por esperar pressões inflacionárias decorrentes de gastos públicos excessivos logo à frente.

O governo poderia ter aproveitado a ocasião politicamente propícia, conferida pelo ambiente de crise, para fazer ajustes no modelo de expansão dos gastos correntes, levando em conta que sua manutenção, mesmo sem a crise, e devido às pressões inflacionárias decorrentes de excesso de demanda, estava levando à obtenção de taxas de crescimento do PIB relativamente baixas, conforme se viu anteriormente. Nesses termos, quando todos saírem da crise, dificilmente as taxas de crescimento da economia brasileira ultrapassarão a média mundial,[5] e muito menos a média observada nos países emergentes. Nesse contexto, admitindo que os investimentos públicos respondessem muito lentamente em vista de vários entraves hoje existentes, qualquer aumento de gasto corrente teria de ser feito sob a forma de abono, de forma que esse dispêndio extraordinário pudesse ser retirado mais adiante à medida que se acumulassem novas pressões inflacionárias. Nesse caso, os mercados não apenas louvariam a rapidez da resposta à crise no caso brasileiro, como enxergariam na ação governamental um maior comprometimento com o objetivo de crescimento econômico mais rápido.

As isenções tributárias deverão ser eventual e totalmente removidas, enquanto as duas principais iniciativas para acomodar os aumentos de gastos e a queda das receitas terão sido a simples redução da meta de superávit primário e o aumento dos gastos de investimento que podem ser abatidos do total dos gastos no cálculo do superávit primário (que, mais recentemente, passaram a incluir todas as despesas do PAC, inicialmente no montante de R$ 28,5 bilhões, valor próximo de 1% do PIB, abandonando-se o conceito de Projetos Prioritários de Investimento (PPI), que antes era usado para caracterizar os gastos com permissão de abatimento). Basicamente, a meta de superávit primário do

---

[5] Ressalte-se que a taxa de crescimento média do PIB brasileiro que, nos anos 1970, era mais do dobro da média mundial, passou a se situar em apenas metade daquela nos anos 1980, e, apesar de vir subindo gradativamente desde os anos 1990 relativamente à média global, não chegou a superá-la nem na fase de bonança de 2002 a 2008.

Governo Central foi reduzida de 2,15% para 1,4% do PIB (PLN 63/09), com o que, sem o artifício desse abatimento, o superávit do governo central cairia para algo ao redor de 0,5% do PIB, em contraste com o resultado de 2,4% do PIB observado em 2008. Agregando as demais esferas/níveis de governo, a meta passaria de 3,3% para 1,6% do PIB. Afirmaram, ainda, as autoridades que em 2011 a meta voltaria para os valores anteriormente fixados em 2009 (como, por exemplo, a de 3,3% do PIB para o superávit primário global).

Registre-se que após onze quedas consecutivas, a "Receita Administrada pela Receita Federal" teve, em outubro do ano passado, seu primeiro aumento real em relação a idêntico mês do ano precedente. É fato que esse resultado não teria ocorrido se não tivesse sido convertida em receita a parcela de cerca de R$ 5 bilhões de depósitos judiciais tributários antigos, predominantemente anteriores a dezembro de 1998, além de quase R$ 1 bilhão de receitas relativas ao Refis-IV. Já em novembro o novo aumento real da arrecadação se deveu a R$ 3 bilhões relativos ao Refis-IV e R$ 2,1 bilhões dos mesmos depósitos judiciais. Ainda em novembro foram incluídas "Receitas Não Administradas" no montante de R$ 4 bilhões, relativos a depósitos judiciais não tributários, previstos anteriormente para ocorrerem apenas em 2010. Além disso, houve ingresso de grande volume de dividendos. Sem esses ganhos de receita os resultados de 2009 teriam sido ainda menos favoráveis. Assim, nos últimos meses o governo tem buscado suplementar a receita adicional decorrente da recuperação econômica com outras receitas não convencionais, e também tem se valido com maior intensidade do artifício de abater despesas arbitrariamente definidas do cálculo do gasto relevante para o cômputo dos resultados fiscais primários.

Passada a fase mais complicada da última crise, nota-se nova retomada dos investimentos privados e, numa menor escala, dos investimentos públicos, só que, uma vez mais, essa retomada de investimentos está tendo vida curta, pois o BC acaba de iniciar mais uma fase de subida da taxa de juros Selic, para combater as pressões inflacionárias decorrentes da última fase de congestionamento de gastos.

Isso mostra que, mesmo sem o difícil cenário externo da fase pré-2003, que recomendava um maior controle dos gastos públicos correntes para combater o risco de insolvência pública, esse tipo de controle se torna igualmente imperioso em fases de bonança externa, pois sem ele o crescimento dos investimentos privados é logo abortado pelo congestionamento de gastos públicos com gastos privados que acaba prevalecendo. Em vez de adotar programas voltados para o controle da despesa pública corrente e para a melhoria de sua eficiência, o atual governo limitou-se a privilegiar qualquer aumento de seus principais componentes, enquanto passava a impressão de se preocupar com a retomada dos investimentos públicos ao lançar programas, como o PAC, supostamente voltados para a expansão dos investimentos, mas de execução bastante problemática.

Problemas de gestão de investimentos à parte, e com base na evolução econômica de 1999 a 2008, são dois, em resumo, os motivos pelos quais gastos públicos correntes excessivos podem impedir a ocorrência de taxas de juros mais baixas e, portanto, taxas de crescimento da economia mais elevadas. Sob ameaça de insolvência pública (como na fase pré-2003), e dados os limites para aumento da carga tributária (uma das maiores do mundo) e para maior redução dos investimentos públicos (que no Brasil têm estado no "fundo do poço"), então, sem redução dos gastos correntes, os superávits primários (excedentes de caixa antes de pagar juros) se mostram incapazes de evitar que a razão dívida/PIB suba sistematicamente. Daí a uma crise econômica de maiores proporções é apenas um passo. Se os gastos correntes caíssem e viabilizassem um aumento dos superávits capaz de estabelecer uma trajetória continuada de redução da razão dívida/PIB, reduzir-se-ia a taxa de risco Brasil e atrair-se-ia maior volume de recursos externos ao país, criando melhores condições para diminuir a taxa de câmbio e, em seguida, a taxa de juros.

Sob ambiente externo favorável, as taxas de câmbio e de juros tendem, de fato, a cair independentemente de reformas estruturais, mas só até o momento em que o congestionamento de gastos privados (especialmente de investimento) e dispêndios públicos leva o BC, sem redução dos gastos públicos correntes, a iniciar uma nova fase de subida da taxa Selic para evitar a volta da inflação, como aconteceu nas fases de agosto de 2004 a agosto de 2005 e de abril a dezembro de 2008, e voltou a suceder na última reunião do Copom, o comitê do BC que fixa periodicamente a taxa Selic.

TEMORES ADICIONAIS À FRENTE

Um problema que pode aparecer no radar do curto prazo é a volta das dúvidas sobre a solvência do setor público. Primeiro, porque a dívida pública bruta vem subindo muito nos últimos anos, antes pela compra em massa de reservas internacionais e depois pelo aumento das operações de empréstimo do Tesouro ao BNDES. Diante da maior subida recente dos gastos públicos e da queda de arrecadação decorrente da crise, caíram fortemente os superávits fiscais, o que levou a uma pressão altista adicional sobre a dívida bruta, e também à subida da dívida líquida (em cujo cálculo se deduzem os ativos financeiros do governo). Anuncia-se nova rodada de empréstimos em massa via BNDES, o que deverá pressionar ainda mais a dívida bruta ao longo deste ano. Sem falar que, sendo ano eleitoral, as pressões sobre gastos em geral são muito mais fortes.

O governo vem anunciando que vai estabilizar a razão dívida pública/PIB este ano, sem especificar bem em que conceito, e com base em que medidas. Até que ponto a dívida pública — seja ela bruta ou líquida de ativos financeiros — poderá continuar subindo acima do PIB sem provocar reações desfavoráveis dos seus mercados financiadores é uma questão em aberto. É fato que as dívidas públicas vêm subindo muito nos Estados Unidos e na Europa, pela necessidade de resgatar a quebradeira generalizada, mas é fato também que a tradição desses países de controlarem suas dívidas na hora em que isso se requer é bem mais forte do que por aqui.

EXCESSO DE GASTOS CORRENTES

Em retrospectiva, o Brasil vem tentando, desde 1988, implementar um modelo de sustentação e expansão dos gastos (basicamente de consumo) de certos segmentos, ao mesmo tempo em que passou a procurar manter a inflação dentro de um certo "intervalo de metas". Nessa última fase, vinha se dando uma forte batalha contra o problema da insolvência pública (ou da tendência ascendente da razão dívida pública/PIB). À exceção dos momentos de crise aguda originadas em países emergentes, e apenas por períodos bem curtos, a prioridade à implementação do modelo de expansão dos gastos predominava, até bem pouco, em relação a tudo o mais.

Faz parte também do discurso oficial a busca de taxas de crescimento do PIB (e, portanto, do emprego) cada vez maiores, embora, na prática, as variáveis investimento e crescimento do PIB venham sendo determinadas endogenamente. Em consequência disso tudo, ficou claro que, mesmo sob condições externas altamente favoráveis, como em 2002-2008, e diante dos gargalos setoriais existentes e da própria capacidade de produção que se erigiu com taxas de investimento baixas e declinantes desde os anos 1970, é impossível conciliar taxas de crescimento acima da média mundial com uma forte expansão dos gastos públicos correntes, como se vem tentando no Brasil. Em relativamente pouco tempo, os gastos agregados passam a superar a produção doméstica numa intensidade excessiva, levando a pressões inflacionárias indevidas e a déficits externos de peso, só restando ao Banco Central subir as taxas de juros.

Diante da crise do mercado imobiliário americano, que diferiu das anteriores pelo forte impacto recessivo que trouxe consigo para a grande maioria dos países do mundo, o governo basicamente dobrou a aposta na implementação do modelo de expansão dos gastos correntes rígidos, em vez de esperar os efeitos de uma maior flexibilização da política monetária ou de fazer apenas aumentos temporários de despesas. Além disso, está fazendo vista grossa à retomada do problema de insolvência pública, a não ser, mais recentemente, por intensificar suas ações de contabilidade criativa e de busca de receitas não convencionais. Nesse sentido, o país está optando por crescer mais a curtíssimo prazo, mas certamente menos a médio e longo.

A título de introduzir a discussão dos capítulos setoriais que se seguem, um sobre a despesa de pessoal e ou outro sobre previdência, itens de maior peso no cômputo dos gastos não financeiros da União, deve-se destacar, finalmente, que o "modelo" de crescimento dos gastos correntes, com base, principalmente, na Constituição de 1988, consistiu, basicamente, no suposto resgate de parcela relevante da "dívida social", implicando: maiores gastos previdenciários, maiores gastos assistenciais (especialmente para idosos), universalização do atendimento médico gratuito, e mais recursos para educação. Subsidiariamente, estabeleceram-se: (a) instituição de um regime jurídico único para os servidores públicos (que eliminou a possibilidade de estes serem regidos por um regime menos rígido, como a CLT); (b) autonomia administrativa e financeira para os poderes Judiciário, Legislativo, Ministério Público e Tribunal de Contas, que lhes conferiu grande liberdade para fixar despesas, notadamente de pessoal; (c) descentralização de poder (recursos) na área pública, especialmente em favor da esfera municipal.

Ainda que o processo de crescimento dos gastos públicos correntes tenha se intensificado após a promulgação da Carta de 1988, o Gráfico 9 a seguir mostra como sua expansão se deu desde 1995 na União, o que tem levado consequentemente a uma forte expansão da carga de impostos:

GRÁFICO 9
CRESCIMENTO DOS GASTOS CORRENTES E DA
RECEITA LÍQUIDA DA UNIÃO: 1995-2009

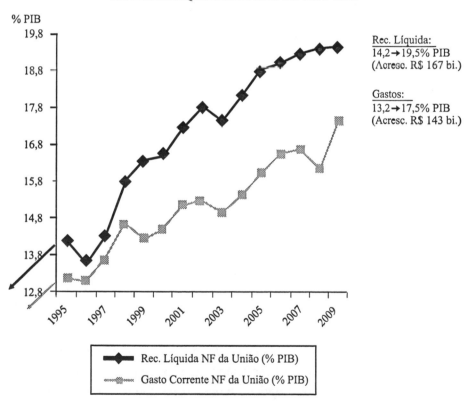

FONTE: STN.

145

Em seguida, comparando os gastos não financeiros da União nos períodos de 1987 (um ano antes da Constituição) e 2009, vê-se que a implementação do "modelo" de crescimento dos gastos públicos correntes tem elevado fortemente o peso de certos itens no total, como se vê na tabela a seguir:

TABELA 1

ESTRUTURA DA DESPESA NÃO FINANCIADA DA UNIÃO

(EM % DO TOTAL)

→ DE UM TOTAL BEM MAIOR EM 2009!

		1987	2009	Nº vezes +	
Benef. ass. e subs. (*)		3,1	25,8	8,3	
Inat. e pens.	1987: 47,0%	6,2	12,2	2,0	2009: 84,4%
Benef. prev. > 1 SM		13,0	23,9	1,8	
Pessoal ativo		16,7	15,1	0,9	
Saúde		8,0	7,3	0,9	
Outras desp. corr.		37,0	9,6	0,3	
Investimento		16,0	6,0	0,4	
Total		**100,0**	**100,0**		

(*) Benef. INSS de 1 SM, seguro-desemprego, BPC-Loas, RMV e Bolsa Família.

SM: Salário-mínimo.
BPC: Benefícios de prestação continuada.
LOAS: Lei Orgânica de Assistência Social.
RMV: Renda Mensal Vitalícia.

FONTE: Ministérios do Planejamento, Fazenda e Previdência.

Assim, em relação a um total de gastos não financeiros que ficou bem maior em 2009, o peso dos gastos com benefícios assistenciais e subsidiados (benefícios do INSS de 1 Salário-Mínimo (SM); Benefício de Prestação Continuada (BPC) sob a Lei Orgânica de Assistência Social (Loas), seguro-desemprego e abono salarial; Renda Mensal Vitalícia (RMV) e Bolsa Família, compreendendo todos os benefícios para cuja fruição os beneficiários não contribuíram — ou quase não contribuíram — com recursos próprios, aumentou, de antes da Constituição para cá, nada menos do que 8,3 vezes, passando de 3,1 para 25,8% do total.

O peso dos gastos com inativos e pensionistas da União, que vem em segundo lugar, aumentou duas vezes, passando de 6,2% para 12,2% do total. Segue-se o aumento do peso dos benefícios do INSS acima de 1 SM, que quase dobrou.

146

Em relação aos demais itens, no caso dos itens pessoal ativo e saúde houve ligeira queda nas respectivas participações no total. Já no dos itens outras despesas correntes e investimento, houve forte redução inclusive em termos absolutos.

A DESPESA DE PESSOAL E A EXPANSÃO DO GASTO PÚBLICO NO BRASIL

INTRODUÇÃO

Esta é a quarta edição consecutiva do Fórum Nacional em que se chama atenção para o problema fiscal embutido na despesa de pessoal do governo federal. Desde 2003 essa despesa tem crescido sistematicamente em ritmo superior ao PIB. Na edição do Fórum de 2009 indicou-se que a despesa naquele exercício seria recorde, e houve forte contestação de parte de autoridades presentes ao evento. O Gráfico 10 mostra o que de fato ocorreu: a despesa pulou de 4,81% para 5,32% do PIB! O valor de 2009 só é inferior ao de 1995, ocasião em que, com a súbita parada do processo inflacionário, os salários dos servidores, recém-reajustados, tiveram forte ganho real.

Para 2010 está prevista uma pequena queda da despesa em proporção do PIB. Mas esta não chega a ser uma boa notícia, porque decorre do forte crescimento do PIB (e não da contenção da folha) e porque parte do crescimento do PIB refere-se à aceleração da inflação prevista, e não a crescimento real da economia.

O gráfico a seguir também mostra a trajetória da despesa descontando-se a contribuição patronal paga pela União. Essa contribuição é, a princípio, um mero lançamento contábil: a União paga a contribuição para o seu próprio caixa. Daí porque se costuma analisar essa despesa "líquida", que apresenta a mesma trajetória ascendente da despesa com contribuição patronal.[6]

---

[6] O distanciamento entre as duas curvas, a partir de 2005, decorre do aumento das contribuições patronais, devido à elevação dessa contribuição. A Lei nº 10.887/2004, art. 8º, estipulou que a contribuição previdenciária da União seria equivalente ao dobro da contribuição do servidor ativo.

As análises oficiais também costumam excluir da despesa de pessoal itens não relacionados diretamente com a despesa regular do exercício, tais como pagamentos de passivo trabalhista por demanda judicial, pagamentos referentes a exercícios findos ou relacionados à mão de obra terceirizada; embora todos estes

GRÁFICO 10
DESPESA DE PESSOAL DA UNIÃO COM E SEM
CONTRIBUIÇÃO PATRONAL: 1995-2010 (% DO PIB)

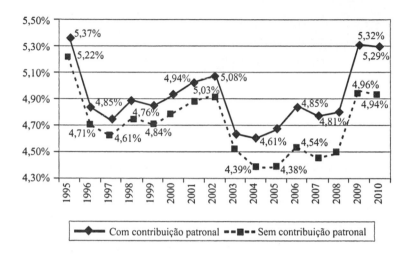

OBS.: — PIB de 2010 estimado a partir de previsões do Relatório Focus do Banco Central divulgado em 19/2/2010: variação do IPCA de 5,18% e variação real do PIB de 5,31%.
— Valores sem contribuição patronal, nos anos de 2009 e 2010, estimados a partir da proporção existente entre despesa com e sem contribuição patronal no ano de 2008.
— Valores sem contribuição patronal, nos anos de 1995 a 1999, estimados a partir da proporção média existente entre despesa com e sem contribuição patronal no período 2000-2003.
— Despesa de pessoal de 2010 estimada a partir da dotação orçamentária autorizada, em março de 2010, para o Grupo Natureza de Despesa 1 — Pessoal e Encargos.

FONTES: Secretaria do Tesouro Nacional, Ministério do Planejamento-Estatísticas Fiscais e Boletim Estatístico de Pessoal; Senado Federal, Sistema Siga Brasil. Elaboração própria.

Há, contudo, que se questionar por que motivo se deve, de fato, medir a despesa de pessoal em relação ao PIB. Afinal, as necessidades do país, em termos de serviços públicos, crescem no mesmo ritmo do PIB? Não haveria economias de escala que permitiriam que o número de servidores crescesse mais lentamente que o PIB? E, no que diz respeito à remuneração, será obrigatório repassar aos servidores públicos todos os ganhos reais decorrentes do

---

sejam legalmente classificados como despesa de "pessoal e encargos sociais" e estejam assim contabilizados no Siafi. Nosso enfoque é de incluir todos esses elementos por considerar que sua exclusão distorce a série estatística e subestima o efetivo gasto de pessoal. Não considerar a despesa de exercícios anteriores, por exemplo, exigiria que tal despesa fosse contabilizada nos anos a que se refere; o que não parece ser feito nas análises oficiais.

crescimento da economia? Acredita-se que não. A tendência natural é que a despesa de pessoal do governo federal caia como proporção do PIB ao longo dos anos, ao contrário do que nos mostra o Gráfico 10.

Nesse sentido, vale a pena analisar o crescimento real da despesa de pessoal (ou seja, o crescimento acima da inflação). Ele está espelhado no Gráfico 11. Em valores de 2010, a despesa passou de R$ 101 bilhões em 1995 para R$ 184 bilhões em 2010: um crescimento real de 182%. Note-se que somente no período 2003-2010 o crescimento real é de 62%, o que equivale a 7,1% ao ano.

O que também se depreende do Gráfico 11 é que a despesa é rígida para baixo: o único ano em que se observa queda significativa da despesa real é 2003, ocasião em que um surto inflacionário corroeu o valor real das remunerações.

GRÁFICO 11
DESPESA DE PESSOAL DA UNIÃO COM CONTRIBUIÇÃO
PATRONAL: 1995-2010 — R$ DE 2010

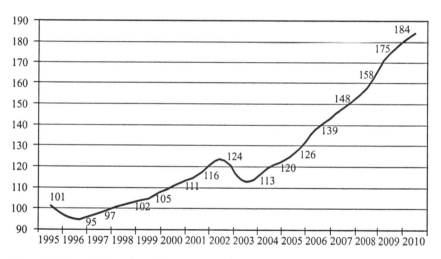

OBS.: Deflator — IPCA julho a julho.

FONTES: Secretaria do Tesouro Nacional, Ministério do Planejamento-Estatísticas Fiscais e Boletim Estatístico de Pessoal; Senado Federal, Sistema Siga Brasil. Elaboração própria.

Eis o ponto central da preocupação com a despesa de pessoal: a sua rigidez. Não é possível cortá-la de uma hora para outra, seja pela estabilidade da maior parte dos servidores no emprego, seja pelo custo político de se demitir os não estáveis. O ajuste por meio da depreciação do salário real enfrenta a resistência dos fortes sindicatos de servidores, além de ser um mecanismo de ajuste ineficiente (por ser um corte linear de salários, sem considerar a produtividade e a importância de diferentes carreiras).

A inércia da despesa de pessoal é reforçada pelos parâmetros do regime previdenciário do setor público, que permitem aposentadoria com salário integral e pensões de longa duração. Daí porque se deve ter um cuidado "cirúrgico" na definição de salários e contratações no setor público, visto que decisões tomadas hoje terão impacto nas contas públicas pelos próximos 40 ou 50 anos.

Outro ponto fundamental é que não se pode conter a expansão do gasto público no Brasil sem controlar a despesa com pessoal. Essa despesa representa uma fatia importante do gasto corrente total nos três níveis de governo. A Tabela 2 mostra que nada menos do que 25% da despesa corrente da União refere-se à folha de pagamentos. Nos estados e municípios a fatia é ainda maior, chegando a quase 60% nos estados.

TABELA 2
DESPESA DE PESSOAL E DEMAIS DESPESAS CORRENTES
NOS TRÊS NÍVEIS DE GOVERNO: 2007

	% da receita corrente total	
	Pessoal	**Outras Despesa Correntes**
União	25%	75%
Estados	58%	42%
Municípios	42%	58%

OBS.: não se incluem na despesa corrente as transferências obrigatórias da União para estados e municípios e dos estados para os municípios.

FONTE: Secretaria do Tesouro Nacional (http://www.tesouro.fazenda.gov.br/estatistica/est_estados.asp. Elaboração própria.

Todos os pontos apresentados nesta introdução representam mera repetição de argumentos (e atualização de dados) em relação aos estudos apresentados nas últimas três edições do Fórum Nacional. Ali podem ser encontradas críticas à política de pessoal dos últimos governos, considerações acerca da dinâmica de crescimento dos salários reais baseada na maior liberdade de gastos dos Poderes autônomos (Judiciário, Legislativo e Ministério Público), bem como considerações sobre a inexistência de conexão entre o aumento do custo da folha e uma efetiva melhoria ou ampliação dos serviços públicos federais.

Na presente edição do Fórum Nacional, cabe apresentar argumentos adicionais em reforço da mesma tese. Em verdade, defende-se, basicamente, a tese de que a linha de ação do governo federal nessa área vai no sentido de enfraquecer as instituições de controle do gasto, em especial, a Lei de Responsabilidade Fiscal.

O MARCO INSTITUCIONAL DE CONTROLE DA DESPESA DE PESSOAL

A legislação que restringe as despesas de pessoal dos três níveis de governo é constituída de três peças básicas: o art. 169 da Constituição, a Lei de Responsabilidade Fiscal (LRF) (Lei Complementar nº 101, de 2000) e os contratos de renegociação de dívidas dos estados e municípios com a União (Lei nº 9.496, de 1997 — dívida dos estados e Medida Provisória nº 2.185-35, de 2001 — dívida dos municípios).

A presente seção analisa as mudanças que o Poder Executivo Federal propôs recentemente a este marco legal, chegando-se à conclusão de que há um movimento no sentido de fragilizar os controles legais, o que viabiliza e estimula a expansão da despesa de pessoal. As iniciativas no sentido de apertar controles parecem ser inócuas e com baixa perspectiva de aprovação pelo Congresso.

O marco legal vigente

Inicia-se por um breve resumo do conteúdo de cada uma dessas peças legais. O art. 169 da CF estipula que uma lei complementar deve fixar o limite máximo para a despesa de pessoal nos três níveis de governo (esta lei veio a ser a LRF). A penalidade para o não cumprimento de tal limite é a suspensão "de todos os repasses de verbas federais ou estaduais".

A LRF[7] fixou limites máximos de despesa de pessoal para cada ente da federação (União, estados, DF e municípios). Criaram-se sublimites, em cada

---

[7] Arts. 18 a 23.

ente, para seus Poderes e órgãos (Executivo, Legislativo + Tribunal de Contas, Judiciário, Ministério Público). Para que um ente seja considerado cumpridor do limite, não basta que a despesa total de todos os Poderes e órgãos esteja dentro do limite. Cada um dos sublimites precisa ser respeitado.

As penalidades, em caso de descumprimento, são:

• suspensão das transferências voluntárias (federais ou estaduais);
• proibição de obter garantia (federal ou estadual) para empréstimos;
• proibição de contratação de empréstimos.

Note-se que a essas penalidades se agrega aquela do art. 169, e que é ainda mais ampla que a simples suspensão de transferências voluntárias: suspensão "de todos os repasses de verbas federais ou estaduais".

A Lei nº 9.496/97 e a MP nº 2.185-35/2001, ao autorizarem que a União assumisse e renegociasse parte substancial das dívidas de estados e municípios, estabeleceram alguns parâmetros de ajuste fiscal para esses entes. No que diz respeito à despesa de pessoal tem-se, em primeiro lugar, que o estado ou município deve cumprir metas para essa despesa (fixadas caso a caso), no âmbito de um "Programa de Reestruturação e Ajuste Fiscal". O descumprimento resulta em elevação do custo financeiro da dívida renegociada e na aceleração da sua amortização (aumento da parcela da receita comprometida com o pagamento mensal da dívida).

Além disso, um parâmetro central da renegociação está no fato de o estado ou município ter de cumprir uma trajetória descendente de sua relação dívida/receita. Essa é uma condição para ele voltar a fazer novos empréstimos. Como o pagamento da dívida renegociada (e a consequente redução do saldo devedor) requer a geração de saldo de caixa, é preciso fazer um esforço de contenção da despesa de pessoal (em geral, o maior item de despesa — vide Tabela 2) para que haja recursos disponíveis para amortização do débito renegociado.

No que diz respeito à efetividade prática desses dispositivos pode-se dizer, em resumo, que os tetos legais impostos (art. 169 da CF e LRF) são parcialmente efetivos. Isso porque há manobras contábeis para "esconder" despesas de pessoal, tais como: não contabilizar a despesa com inativos e pensionistas ou a despesa com serviços terceirizados, contrariando o que dispõe a LRF. Além disso, os órgãos responsáveis pela fiscalização do cumprimento do limite (Tribunais de Contas e Ministério Público) são diretamente afetados por eles, o que induz um incentivo ao relaxamento à fiscalização.[8] Não obstante isso, a LRF tem se constituído importante balizador de desempenho fiscal.

Ademais, a Secretaria do Tesouro Nacional, órgão encarregado de emitir parecer técnico acerca do cumprimento da Lei por estados e municípios que desejam tomar empréstimos, tem incentivos para aplicar com rigor as penalidades da LRF (entre elas a proibição de tomar novos empréstimos ou obter garantias), o que confere *enforcement* à lei.

Os contratos de renegociação da dívida de estados e municípios parecem ser muito mais eficazes na imposição de disciplina fiscal. Primeiro porque qualquer inadimplência dá ao Tesouro Nacional o direito de sacar, imediata e diretamente, o valor devido da conta do ente inadimplente. Segundo, porque o descumprimento das metas fiscais implica aumento da taxa de juros do contrato e, principalmente, o imediato aumento do desembolso mensal para pagamento da dívida.

As propostas de alteração com vistas a conter a despesa de pessoal: mecanismo ineficaz e veto político do Congresso

No início de 2007, quando do lançamento do Programa de Aceleração do Crescimento, o Poder Executivo Federal enviou ao Congresso o Projeto de Lei Complementar nº 1, de 2007 (PLP 1/2007), cujo objetivo era alterar a LRF com vistas a colocar um limite máximo ao crescimento da despesa de pessoal. A regra proposta era a de que, cada Poder e órgão, de cada ente, só poderia ter aumento real de 1,5% ao ano na sua folha de pagamento.

A ideia, a princípio, parecia boa. Limitando-se a despesa de pessoal restariam mais recursos para financiar os investimentos do PAC.

---

[8] Para uma avaliação mais detalhada da eficácia da LRF na imposição de disciplina fiscal aos entes federados veja Afonso, J.R.R. e Oliveira, Weder (2006). A Lei de Responsabilidade Fiscal, em Mendes, Marcos (org.). *Gasto Público Eficiente: 91 propostas para o desenvolvimento do Brasil.* Topbooks, São Paulo.

Na prática, contudo, se aprovado, provavelmente o dispositivo seria letra morta. Em primeiro lugar, porque não previa punições (apenas apontava os mecanismos de ajustamento em caso de extrapolação do limite: não criação de novos cargos, proibição de reformulação de planos de carreira etc.). Mas não havia punições imediatas, como a proibição de receber transferências ou de contratar operações de crédito.

Em segundo lugar, sempre há a válvula de escape da contabilidade criativa, nos moldes já praticados por alguns estados e municípios para driblar os limites da LRF, algumas vezes com a benção do respectivo tribunal de contas. Poder-se-ia aumentar a remuneração dos servidores por meio de pagamentos não classificados como despesa de pessoal (vale refeição, diárias etc.), ou aumentar o efetivo contratando via terceirização (e, em desrespeito à LRF, não a contabilizando como despesa de pessoal). Outra opção seria a exclusão do pagamento a aposentados e pensionistas da conta de despesa de pessoal.

Em terceiro lugar, a imposição de um teto não mexia nas causas políticas e econômicas da expansão da despesa de pessoal. Não cabe aqui uma análise detalhada a esse respeito (que é feita nas publicações das três últimas edições deste Fórum), mas basta dizer que provavelmente o teto seria ignorado quando uma carreira de grande peso político e sindical (como os Auditores da Receita Federal ou os Procuradores da República) pressionasse ou fizesse greve por reajustes superiores ao teto.

Um exemplo de qual seria o provável destino deste tipo de restrição está nas Leis de Diretrizes Orçamentárias para os exercícios de 2006 e 2007. Em 2005, o Poder Executivo anunciou que o total de gastos correntes no exercício de 2006 não passaria de 17% do PIB. Com ajustes do Congresso a meta foi para algo como 18,5% do PIB. Na execução prática a regra foi solenemente ignorada. Para o exercício de 2007 propôs-se, como teto, uma redução de 0,1 ponto percentual do PIB em relação a 2006. Novamente a meta foi ignorada e desrespeitada. Não havia mesmo como respeitá-la pois, por um lado, o governo fixava tais metas e, por outro, concedia reajustes iguais ou acima do crescimento do PIB para o salário-mínimo, para as aposentadorias e para a remuneração do funcionalismo.

Não bastasse o provável fracasso do limite de despesa de pessoal, caso fosse aprovado, a realidade foi ainda mais dura com o PLP 1/2007. A Câmara simplesmente travou a tramitação do Projeto, com a interposição de inúmeros recursos por parte de deputados, convocação de audiências públicas e não apresentação de relatórios por parte dos relatores.[9]

A proposta ressurgiu sob a forma de Projeto de Lei aprovado no Senado e encaminhado à Câmara (PLP 549/2009). Agora o limite passava para um crescimento real da folha de 2,5% ao ano (em vez de 1,5% do Projeto anterior) acima da inflação ou igual à variação do PIB, o que fosse menor.

Continuavam os mesmo defeitos básicos: inexistência de punições e alta probabilidade de a regra tornar-se letra morta. Acrescia-se um defeito adicional: em caso de recessão a folha de pessoal teria de encolher em termos reais; um limite ainda mais difícil de ser atingido.

Embora aprovado no Senado (onde foi apresentado em fins de 2007, pela bancada governista, na tentativa de demonstrar disposição em controlar gasto, no contexto de debate acerca da renovação da CPMF) a sorte de tal projeto, na Câmara, dificilmente será diferente daquela reservada a seu congênere: os anais da Casa já registram forte resistência à matéria e dificuldade em fazê-la tramitar.[10]

Não há, portanto, que se esperar que o controle da folha de pagamento decorra dessas medidas.

As propostas de alteração com vistas a afrouxar limites para a despesa de pessoal: enfraquecimento da LRF e aprovação rápida no Congresso

Simultaneamente a essa tímida e frustrada sinalização de controle do gasto de pessoal, o Poder Executivo Federal enviou ao Congresso o PLP 132/2007 que, se transformado em lei, resultará em severo enfraquecimento da LRF. A Câmara dos Deputados o aprovou rapidamente, em regime de urgência. Além disso, a liderança do governo apresentou emenda que tornou ainda mais grave a ameaça à LRF, igualmente aprovada. O Projeto se encontra no Senado

---

[9] Para detalhes da tramitação da matéria ver: http://www.camara.gov.br/internet/sileg/Prop_Detalhe. asp?id=339954

[10] Para detalhes da tramitação da matéria ver: http://www.camara.gov.br/internet/sileg/Prop_Detalhe. asp?id=465296

(numerado como PLC 92/2009) onde tem chances de aprovação, em função dos interesses estaduais envolvidos.

E mesmo que o Senado não aprove o PLC 92/2009, a credibilidade dos limites da LRF já estará afetada pela Medida Provisória nº 487, de 23 de abril de 2010, que flexibiliza limites e será comentada adiante.

A proposta do governo, no PLC 92/2009, é alterar a punição aos entes que desrespeitarem o limite de despesa de pessoal. Como descrito anteriormente, pela regra atual basta que um Poder ou órgão desrespeite o seu limite, para que o estado ou o município fique proibido de receber transferências voluntárias, obter garantias para empréstimos ou contratar empréstimos novos. O que o Executivo propôs foi que apenas o Poder ou órgão que esteja extrapolando o limite seja punido. Assim, se, por exemplo, o Judiciário de um determinado estado estiver acima do limite de despesa de pessoal, o Poder Executivo daquele estado não fica proibido de tomar empréstimo, receber garantia ou receber transferências voluntárias.

O argumento apresentado é que, dada a independência dos Poderes, o Executivo nada poderia fazer para enquadrar a despesa de pessoal de outro Poder. E não seria justo o Executivo ser punido por isso. Argumenta, também, a Exposição de Motivos assinada pelo Ministro da Fazenda, que o STF já estaria dando liminares aos estados e municípios que contestam a punição nos termos atuais.

Trata-se de ponto extremamente sensível da LRF. Toda a arquitetura da lei baseia-se na credibilidade da punição dos entes que desrespeitem suas regras. Se as punições são abrandadas ou eliminadas, inequivocamente enfraquece-se a lei (da mesma forma que os limites globais à despesa de pessoal, comentados no item anterior, não funcionarão por falta de punição).

Não é correto afirmar que, devido à independência dos Poderes, um Poder Executivo estadual ou municipal pouco pode fazer, em termos legais, para enquadrar as despesas totais com pessoal do Legislativo, do Ministério Público ou do Judiciário. Ele tem poder para vetar leis que reajustem excessivamente as remunerações dos servidores daquelas instituições. Também pode restringir, cortar e adequar as propostas orçamentárias por eles apresentadas.

Além disso, muito há a se fazer em termos políticos. A sociedade local precisa ser informada que um novo investimento está sendo bloqueado em função do excesso de despesa com pessoal deste ou daquele Poder. O debate político local deve constranger o Poder infrator a se adequar. A informação e a pressão política tornam-se instrumentos vitais na imposição de uma cultura de responsabilidade fiscal.

O mais grave, contudo, é que o Projeto não é uma simples "restrição das punições aos Poderes e órgãos infratores". É, isto sim, a revogação total das punições. E isso é fácil explicar. Como descrito anteriormente, a punição consiste em proibir a contratação de novas operações de crédito, as concessões de garantias e o recebimento de transferências voluntárias.

Ora, os Poderes e órgãos não fazem tais operações por si próprios. É o Poder Executivo que as realiza. O Ministério Público, o Legislativo e o Judiciário não recebem transferências voluntárias. Esse tipo de transferência é feito, sempre, do Poder Executivo Federal (ou estadual) para o Poder Executivo Estadual (ou municipal). O mesmo ocorre com a obtenção de garantias ou com a contratação de operações de crédito. Quando, por exemplo, um ente público quer fazer um investimento no âmbito do Judiciário ou do Legislativo, financiando tal investimento via empréstimo, a operação é contratada pelo Poder Executivo. As garantias também são prestadas por esse Poder. Logo, não faz o menor sentido dizer que o Legislativo ou o Judiciário ficarão impedidos de tomar empréstimos, obter garantias ou receber transferências voluntárias.

E daí surge um efeito perverso. Atualmente, são apenas alguns poucos estados e municípios cujos Poderes e Ministério Público desrespeitam o limite de despesa total com pessoal. Se aprovado o PLC 92/2008, estará dada a senha para todos os estados e municípios de que esse limite não vale. Aí reside, ao mesmo tempo, o enfraquecimento de um ponto central da LRF e a chance de aprovação da matéria no Senado, pois os interesses estaduais são decisivos naquela Casa. Qualquer abertura de margem fiscal para os estados tem alta probabilidade de aprovação.

É preciso contestar, ainda, o argumento de que o STF considera a norma atual um desrespeito à independência dos Poderes. As decisões do STF nesse sentido têm caráter apenas liminar e não são unânimes. Veja-se, por exemplo, decisão proferida pelo ministro Marco Aurélio Mello relativa à Ação Cautelar nº 2.232, de autoria do Estado de Goiás, que formula pedido de concessão de medida acauteladora para firmar operações de crédito a despeito de a Assembleia Legislativa estar com despesa de pessoal acima do limite:

> "No mais, não existe relevância no pedido formalizado. Hão de respeitar-se as regras estabelecidas. A Lei de Responsabilidade Fiscal, cujo avanço merece o aplauso de todos diante do interesse da sociedade, impõe limites de despesas com pessoal no setor público. Os gastos são considerados para cada qual dos Poderes que integram a unidade da federação. Assim se devem entender os tetos que, individualizados, visam ao controle cabível. Estando um dos Poderes a extravasar o limite previsto na norma imperativa, fica configurada a irregularidade quanto à própria pessoa jurídica de direito público que é o Estado e, com isso, inviabilizada a tomada de empréstimo tal como versado na citada legislação de regência."

O Poder Executivo Federal poderia reforçar os argumentos em defesa da LRF no bojo dos processos no STF, para que opiniões como a acima transcrita prevalecessem. Com a apresentação do PLC 92/2008 ao Congresso, porém, fica claro que a opção do governo federal foi desistir de defender os limites de despesa de pessoal e acolher o pleito de alguns entes subnacionais cujas contas estão desequilibradas.

Para tornar a situação ainda pior, houve uma emenda apresentada pela liderança do governo cujo objetivo imediato era viabilizar um empréstimo do Banco Mundial ao Estado do Rio Grande do Sul. Tal emenda prevê que empréstimos tomados por entes públicos com o intuito de refinanciar outras dívidas (supostamente a um custo mais baixo ou prazo mais longo) não precisariam observar as seguintes restrições existentes na LRF: (a) a eliminação, pelo Poder ou órgão infrator, em até dois quadrimestres, da parcela da despesa total com pessoal que ultrapasse os limites legais; (b) os limites globais para o montante da dívida consolidada, fixados mediante Resolução do Senado Federal.

Ademais, ainda segundo a emenda, as operações poderão ser garantidas pela União independentemente das seguintes comprovações por parte do beneficiário: (a) que se acha em dia quanto à prestação de contas de recursos federais anteriormente recebidos; (b) que cumpre os limites constitucionais relativos à educação e à saúde; (c) que observa os limites das dívidas consolidada e mobiliária, de operações de crédito, de inscrição em restos a pagar e de despesa total com pessoal.

Trata-se, em síntese, de autorizar a reestruturação de dívidas sem considerá-las novas operações de crédito e sem lhes impor qualquer limite ou condição. A princípio parece ser uma ideia interessante: se um estado obtém um financiamento mais barato que aquele representado pelo refinanciamento da dívida com a União, pode trocar de credor, tomando um empréstimo de menor custo, saldando seu débito com a União e passando a dever a uma organização internacional (como o Banco Mundial — no caso específico do Rio Grande do Sul, que originou a proposta de emenda) ou mesmo a um banco privado.

Porém, é importante notar que a União entrará como garantidora dessa nova operação de crédito, nos casos em que a contratação for junto a organismos internacionais. Nesse caso, teremos, então, entes federados que, por força da flexibilização da LRF, tornar-se-ão isentos de cumprir uma série de regras da Lei, com maior propensão a insolvência, impondo maior risco de crédito à União.

Se a recomposição da dívida se fizer junto ao mercado financeiro, dificilmente ela se dará sem o aval da União, pois apenas ela, por força do art. 167, § 4º, da Constituição, pode reter, automaticamente, recursos dos estados e municípios para fins de pagamento de dívida. É difícil imaginar que um credor privado possa emprestar a um ente subnacional, a taxas de juros menores que as oferecidas pelo governo federal, sem dispor de instrumento de garantia similar ao da União.

Além do mais, se um Poder ou órgão de determinado ente da Federação não for capaz de eliminar a sua despesa total com pessoal excedente, quaisquer garantias que venham a ser dadas às operações de crédito pleiteadas pelo Poder Executivo correspondente implicará risco excessivo para o garantidor. Afinal, estaria demonstrado que o pleiteante não conta com o apoio do conjunto de Poderes e órgãos para cumprir os limites da LRF.

Em suma, a emenda relaxa restrições ao endividamento sem exigir dos estados ou municípios beneficiários qualquer esforço fiscal compensatório.

A situação pode se agravar no Senado, onde há grande repercussão de pleitos de governadores estaduais para reformulação dos contratos de refinanciamento das dívidas estaduais junto à União. Um pleito comum é relativo à redução das prestações mensais, ou redução das taxas de juros ou, ainda, da proibição de contratação de novos empréstimos enquanto a dívida não tiver abaixo do limite máximo. A rigor, esses itens não podem ser mudados por lei, pois constam especificamente dos contratos assinados pela União e pelo estado ou município. Assim, por força do art. 5º, inc. XXXVI, a lei não pode prejudicar o ato jurídico perfeito. Contudo, não se deve subestimar a capacidade de interpretação jurídica de quem tem fortes incentivos econômicos em vista. Desmontando-se parte da LRF, fica aberta a porteira para novas concessões. E não há dúvida que os atuais contratos de refinanciamento das dívidas são um instrumento central (ainda mais fortes que a LRF, conforme comentado acima) na imposição de disciplina fiscal (pois impõem sanções fiscais imediata e irrevogáveis, como o confisco de dinheiro diretamente da conta do ente inadimplente ou a piora, automática, das condições contratuais).

Uma flexibilização adicional dos limites fiscais de estados e municípios que têm dívida renegociada com a União (inclusive limites para despesa de pessoal) foi efetivada por meio da Medida Provisória nº 487/2010. Essa MP permite que estados que não estejam cumprindo a trajetória de redução da sua dívida possam contratar novos empréstimos.

A justificativa para isso é o baixo desempenho do PIB em 2009, que teria piorado os indicadores fiscais.

Até faz sentido flexibilizar limites em momentos de recessão. Porém, a lógica da LRF (art. 66) não é a de *suspender* a vigência de limites e punições, como faz a citada MP, mas tão somente *ampliar o prazo legal* para o ajuste das contas. Assim, por exemplo, em vez de a despesa de pessoal ter de se ajustar em dois quadrimestres, esse prazo passa a ser de quatro quadrimestres. Simplesmente remover a exigência de ajuste e a respectiva punição aos infratores é uma sinalização bastante ruim, que desestimula a responsabilidade fiscal.

O que se conclui, portanto, é que o Poder Executivo Federal e sua bancada majoritária na Câmara têm atuado no sentido de fragilizar os controles institucionais da despesa de pessoal, seja impedindo a aprovação de medidas que poderiam ser restritivas (ainda que provavelmente inócuas e apresentadas "para inglês ver"), seja aprovando rapidamente medidas que desmontam peças centrais da LRF no que diz respeito ao controle da despesa de pessoal e às punições associadas ao seu descumprimento.

Conclusões

A política de pessoal do governo federal, nos últimos anos, parece ter adotado uma postura temerária no que diz respeito a seu impacto fiscal. A forte elevação de salários e contratações tem levado a uma evolução da despesa em ritmo superior ao do crescimento do PIB, mesmo nos anos de forte crescimento da economia. Dada a rigidez desse tipo de despesa, provavelmente se está criando problemas para os próximos dois ou três presidentes da República.

Mostrou-se, também, que no campo da regulação da despesa de pessoal o governo federal está agindo no sentido de desmontar a atual estrutura de controle sem colocar outra em seu lugar. Ao mesmo tempo em que apresenta propostas de controle de improvável eficácia, e ainda menos provável aprovação no Congresso, o governo viabiliza, por meio de sua liderança na Câmara, a aprovação de projeto que desmonta os limites e as respectivas punições para o excesso de despesa de pessoal. Vai ainda mais longe ao facilitar a contratação de empréstimos por entes públicos que estejam descumprindo os limites de despesa de pessoal e outros limites impostos pela LRF.

Seja no aspecto fiscal, seja no aspecto de planejamento, metas e gerenciamento, a política de pessoal, por seu impacto financeiro e na qualidade dos serviços públicos, precisa de uma atenção maior na gestão governamental. Não serão limites de gastos genéricos que conterão essa despesa. É preciso um diagnóstico do tipo de força de trabalho necessária, uma política de remuneração compatível com a remuneração do setor privado, uma hierarquização das carreiras em conformidade com sua relevância, a criação de estímulos à produtividade e à ascensão funcional; entre outras providências de nível administrativo e gerencial, muito mais trabalhosas (porém mais eficazes) do que a simples fixação de um (inexequível) limite máximo de despesas.

DESAFIOS PARA A PREVIDÊNCIA SOCIAL BRASILEIRA: AGENDA DE REFORMAS EM MEIO À CONTRARREFORMA

Os gastos correntes com transferências referentes a aposentadorias e pensões no Brasil atingiram a cifra de 11% do PIB em 2008. Neste valor, somam-se os benefícios pagos pelo INSS aos antigos segurados do setor privado, assim como os valores destinados aos regimes próprios de previdência da União, estados, municípios e Distrito Federal. Ainda não há dados disponíveis para 2009 para os regimes próprios de previdência de estados e municípios. Porém, somente o INSS apresentou, em 2009, incremento de gasto real de 7,3%.

Essa quantia mostra-se elevada para um país ainda relativamente jovem. De acordo com o IBGE, a população idosa, ou seja, com 65 anos ou mais, representava 6,5% da população brasileira em 2008. Estima-se que essa proporção mais que triplique nas próximas décadas e assuma o patamar em torno de 23% em 2050. Ademais, a crescente participação feminina no mercado trabalho leva ao agravamento do quadro fiscal de longo prazo, uma vez que esse grupo contribui por período menor e recebe suas aposentadorias por mais tempo que os homens, em função tanto da maior longevidade feminina quanto das condições mais brandas de acesso ao benefício.

Essa elevada participação de gastos previdenciários gera duas fontes de perdas. Em primeiro lugar, para cobrir tantos gastos necessita-se tributar muito. As consequências imediatas são elevadas cunha fiscal e carga tributária, que reduzem os incentivos à formalização do mercado de trabalho e da criação e manutenção de negócios e demais mercados que garantiriam a geração de riqueza do país. Na segunda ótica, a composição dos gastos públicos brasileiros indica elevada participação da despesa previdenciária, a qual não proporciona ao sistema econômico produtividade equivalente a outros gastos públicos como saúde, educação, segurança e infraestrutura. Além disso, a substancial destinação do gasto público à população idosa sacrifica a provisão de serviços públicos à população jovem, os quais poderiam elevar a produtividade desse grupo populacional e ampliar a probabilidade de inserção bem-sucedida no mercado de trabalho.

Dado esse quadro geral, esta seção objetiva mostrar quais características da previdência social brasileira que necessitam de ajustes de modo a ampliar sua viabilidade de longo prazo. Na subseção seguinte, faz-se um breve histórico da política previdenciária recente no Brasil, apresenta-se o contraditório avanço de propostas que aumentam ainda mais o gasto público com previdência em meio a um contexto de gasto elevado e crescente, assim como se elencam propostas de reformas para previdência. Por fim, a última subseção conclui esta parte do texto dedicada à previdência.

HISTÓRICO RECENTE E AGENDA DE REFORMAS

Em termos de políticas previdenciárias, o governo Lula adotou simultaneamente um conjunto de medidas que contribuíram para contenção da despesa da previdência e outras que permitiram sua elevação. Em seus dois mandatos, o governo promoveu elevação substancial do salário-mínimo. De fato, em 2002, o salário-mínimo representava 25% do valor do salário médio das regiões metropolitanas. No seu último ano de governo, esse valor passou a representar 37%. Houve, além dos ganhos reais, reajustes que tornaram o salário-mínimo mais próximo do salário médio. Independentemente de eventuais impactos benéficos dessa elevação, seus custos fiscais são evidentes.

Por outro lado, no primeiro mandato do atual governo, realizou-se reforma da previdência dos servidores públicos por meio da Emenda Constitucional nº 41, de 19 de dezembro de 2003, mas não houve alterações no Regime Geral de Previdência Social (RGPS), voltado aos trabalhadores do setor privado, com exceção do aumento do teto de contribuição. Em relação aos servidores públicos, houve aprovação da contribuição previdenciária de inativos e pensionistas, alteração do valor dos benefícios da pensão por morte, mudança gradual da fórmula de cálculo da aposentadoria do último salário para a média e também da paridade em relação ao salário do ativo para a correção dos benefícios pela inflação de preços. Importante item dessa reforma, que ainda necessita de regulamentação, é a criação da previdência complementar para os servidores públicos.

O segundo mandato se caracterizou pela adoção de um conjunto de medidas administrativas e infraconstitucionais que permitiram ao RGPS aumentar sua receita e reduzir sua despesa, apesar da inexistência de alterações constitucionais ou reformas mais ambiciosas. Dentre as reformas administrativas,

163

cabe maior destaque para a redução do estoque de benefícios de auxílio-doença, um dos pontos centrais de preocupação da política previdenciária no início desta década. O Gráfico 12 ilustra a evolução recente do estoque de benefícios de auxílio-doença. De fato, desde seu pico até o momento atual houve redução de aproximadamente 1/4 do estoque de benefícios. Entretanto, a expansão no período de 2000 a 2005 foi tão expressiva que ainda há espaço para futuras diminuições em seu estoque. Em decorrência dessa contenção, a política de reversão do crescimento de auxílio-doença saiu da agenda de reformas. A atual agenda em relação ao auxílio-doença é a continuação do seu monitoramento, de forma tal que aqueles que o recebam sejam os que efetivamente dele necessitam.

GRÁFICO 12
EVOLUÇÃO DO ESTOQUE DE BENEFÍCIOS EMITIDOS
DE AUXÍLIO-DOENÇA — 1999-2009

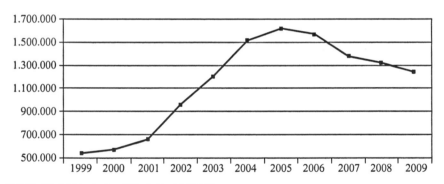

FONTE: Ministério da Previdência Social (MPS).

Junto ao melhor controle do auxílio-doença houve implementação de outras medidas relevantes na área administrativa. Cabe mencionar o reca-dastramento dos benefícios previdenciários; a unificação da receita previ-denciária com a federal, que permitiu ganhos de escala administrativos; o leilão da folha do INSS, em que os bancos passaram a pagar ao governo para ter os aposentados e pensionistas como seus clientes, em vez de o go-verno pagar aos bancos para efetuar o depósito mensal dos benefícios; assim como o ainda novo e incipiente modelo das alíquotas do seguro acidente do trabalho. Em relação a esse último, apesar da possibilidade de ajustes e da reclamação de grupos que tiveram aumento de suas alíquotas, é inegável o mérito de aproximar a precificação de um seguro público aos moldes adotados no setor privado, em que o prêmio pago para o seguro se relaciona com a incidência de sinistros. Cria-se o arcabouço para que a própria estrutura de alíquotas gere incentivos à redução dos acidentes ocorridos no trabalho, dado que a maior ou menor ocorrência desses eventos elevará ou reduzirá a alíquota paga no futuro.

O impacto desse conjunto de políticas está embutido no aumento da despesa do RGPS de 6,0% do PIB em 2002 para 7,2% em 2009, que, obviamente, poderia ter sido maior se não fossem essas medidas. Por sua vez, a despesa com a previdência dos servidores se manteve estável gravitando ao redor de 4,1% do PIB. Em suma, as reformas adotadas foram insuficientes para anular a trajetória crescente do gasto previdenciário e a política de valorização do salário-mínimo contribuiu para esse aumento. Além de a despesa previdenciária ser alta e crescente, a população envelhece rapidamente. Projeções populacionais oficiais indicam que a participação de idosos na população total brasileira mais que triplicará nas próximas quatro décadas.

A evolução histórica da despesa previdenciária e sua perspectiva decorrente do envelhecimento populacional indicam necessidade premente de reformas. Paradoxalmente, a agenda previdenciária no Congresso Nacional a partir de 2008 foi completamente dominada pela contrarreforma. Os principais exemplos de medidas previdenciárias em tramitação hoje no Congresso são aposentadoria especial para deficientes físicos; fim de contribuição para aposentados do RGPS que retornam a trabalhar; reajuste geral acima da inflação para as aposentadorias e pensões superiores ao salário-mínimo; fim do fator previdenciário; retorno ao período de 36 meses para cálculo da aposentadoria e recálculo do valor do benefício de acordo com o número de salários-mínimos à época de sua concessão. O movimento contrarreformista surge em um momento histórico totalmente inoportuno. O país necessita de mais reformas. Apesar da falta de aprovação de qualquer uma dessas medidas, o simples fato de colocá-las em destaque desvia a atenção das reformas que precisam se realizar. Abandonam-se as proposições necessárias e se centra todo o esforço na contenção do avanço da contrarreforma.

A análise histórica um pouco mais ampla da política previdenciária recente do Brasil aponta para semelhanças entre os governos FHC e Lula. Em ambos, houve adoção de reformas relevantes e necessárias que se conjugaram com a política de valorização do salário-mínimo. A resultante dessas duas ações contraditórias — em que se reduz o déficit previdenciário por meio de um conjunto de reformas, mas se eleva a despesa mediante ganhos reais do salário-mínimo — foi a elevação expressiva da despesa previdenciária. Dentro dessa perspectiva, a política previdenciária não contribuiu para redução da despesa, seu principal efeito foi sua redistribuição da despesa em favor dos grupos que recebem um salário-mínimo. Entre as diferenças de ações, o governo Lula tem a seu favor a implementação de reformas administrativas, como as acima citadas. Por sua vez, o governo FHC foi mais bem-sucedido em conter os movimentos de contrarreforma.

O acelerado processo de envelhecimento populacional e o histórico de rápido crescimento da despesa previdenciária indicam que o futuro governo deve retomar a agenda de reformas previdenciárias. A lição fornecida pela história é que reformas ousadas se esvaem quando combinadas com elevações substanciais do valor de aposentadorias e pensões. De pouco ou nada adianta, de um lado, elevar contribuições, tornar critérios de acesso aos benefícios mais rígidos ou criar alterações engenhosas na fórmula de cálculo do benefício, enquanto, por outro lado, concedem-se reajustes generosos aos benefícios já concedidos.

Dentro desta perspectiva, um primeiro ponto da agenda de reformas seria a política de correção dos benefícios previdenciários pela inflação passada, ou seja, a manutenção do seu poder de compra, sem incorporação de eventuais ganhos de produtividade.

A segunda grande distorção da previdência brasileira são as baixas idades de aposentadoria. No que tange às aposentadorias por tempo de contribuição do RGPS, em 2009, homens se aposentaram em média com 54 anos de idade e mulheres com 51. São idades muito baixas em que o tempo de recebimento do benefício praticamente se assemelha ao tempo de contribuição. Tudo isso sem contar com a eventual extensão do período de fruição em decorrência de pensão por morte, aposentadoria por invalidez, auxílio-doença etc.

O terceiro ponto seria tornar as regras de pensão por morte mais seme-lhantes às práticas internacionais. O Brasil é caso único no mundo em que a pensão por morte sempre repõe 100% do valor da aposentadoria; não há qual-quer impedimento ou limite à acumulação de aposentadoria com pensão por morte; não se exige período mínimo nem de casamento nem de contribuição e, também, a pensão por morte é sempre vitalícia para o cônjuge ou companheiro independente de sua idade.

O último ponto que deve constar na agenda de reformas é a criação da previdência complementar para servidores públicos. Política essencial tanto para equidade quanto para solvência de longo prazo da previdência do ser-vidor. Um segurado do RGPS tem seu benefício de aposentadoria limitado ao teto de R$ 3.416,50. Esse valor é 2,5 vezes superior ao salário médio das regiões metropolitanas brasileiras. Para os servidores públicos não existe teto para as aposentadorias. Dados do Ministério do Planejamento indicam que as aposentadorias do Legislativo, Judiciário e Ministério Público do governo federal têm valor médio superior a R$ 16 mil por mês. Ademais, mais de 40% dos aposentados do Poder Executivo da União recebem além do teto do RGPS. O pagamento de aposentadorias nesse patamar com recursos oriundos de tributos implica ônus fiscal e também regressividade dos gastos públicos. Elevada despesa governamental se destina a segmentos da população situados nos estratos mais altos de renda.

É importante reconhecer os custos de transição de curto e médio prazos decorrentes da previdência complementar. Parte das contribuições dos servi-dores se transformará em ativos que financiarão suas próprias aposentadorias futuras, e não mais pagarão as aposentadorias e pensões dos atuais inativos e pensionistas. Ademais, o governo, como empregador, aportará contribuições que passarão a ser de propriedade dos servidores, e não mais do caixa do go-verno. Entretanto, caso se contabilize somente o custo de curto de prazo e se ignore o benefício de longo prazo, haverá perpetuação de política previden-ciária que consome grande parte do PIB brasileiro e transfere renda de toda sociedade para segmentos mais elevados de renda.

É essencial que a próxima administração reconheça a necessidade de re-formas e não seja atraída por soluções fáceis. É preciso reconhecer que com o conjunto de regras existentes, o crescimento econômico e a ampliação da cobertura previdenciária não são soluções do problema da previdência.

Do ponto de vista da participação da despesa previdenciária no PIB, de pouco adianta a economia crescer caso os benefícios se corrijam para além do próprio crescimento do PIB. Já há tendência natural de elevação da despesa previdenciária por causa do envelhecimento populacional que levará um contingente cada vez maior de beneficiários do sistema em relação ao total de contribuintes. Caso, além disso, ainda se garanta reajuste de benefícios acima da evolução do salário médio, a despesa previdenciária como proporção do PIB aumentará em função tanto do maior número de aposentados quanto pelo fato de seu benefício médio crescer em ritmo superior ao salário de quem contribui. Ademais, deve-se questionar se um nível de despesa previdenciária tão alta é capaz de sustentar crescimento econômico necessário ao enriquecimento nacional. Mesmo com uma população ainda jovem, 1/3 de nossa carga tributária se destina à previdência. Fica difícil manter crescimento elevado se o gasto previdenciário exige tantos tributos para financiá-lo e desloca gastos em outras áreas como educação e infraestrutura com maior potencial de alavancar o crescimento.

Em relação à cobertura, dado que o nosso sistema já se encontra desequilibrado, incluir mais pessoas no seu rol de contribuintes não alivia o peso da previdência nas contas públicas. Há, sim, benefícios no curto e médio prazos, enquanto essas pessoas são contribuintes, porém, com o passar de algumas décadas, os atuais contribuintes se aposentam. Com um regime de repartição desequilibrado, as receitas adicionais do presente se transformam em despesas a mais no futuro. Fica também difícil criar uma estrutura de incentivos à ampliação da cobertura, dado o nível de desenvolvimento econômico em que o país se encontra, a elevada carga tributária e o conjunto de benefícios assistenciais com estrutura próxima aos previdenciários. É claro que a ampliação da cobertura é um objetivo em si do regime de previdência dado que fornece seguro a situações de risco para um contingente maior da população. Porém, há de se reconhecer que sua ampliação com as atuais regras tornará o regime ainda mais caro no longo prazo, apesar do alívio fiscal de curto prazo.

As futuras administrações devem também levar em consideração aspectos relacionados à equidade e eficiência na definição das reformas. Por exemplo, ajustar as contas previdenciárias por meio de mais tributação pode até minorar problemas associados ao fluxo de caixa, mas retira incentivos ao esforço e à tomada de riscos essenciais ao crescimento do país. Do ponto de vista da eficiência econômica, recomenda-se que as reformas previdenciárias tenham seu foco na redução da despesa, e não no aumento da receita. De modo análogo, apesar da necessidade de revisão das regras de reajuste do salário-mínimo, não há muito sentido a promoção de ajuste por meio desse mecanismo caso se amplie a generosidade nas regras de funcionários públicos de rendimentos elevados ou que se continue a permitir que pessoas em melhor posição social acumulem aposentadorias e pensões sem restrição alguma.

CONCLUSÃO

Apesar de jovem, o Brasil apresenta gasto previdenciário por demais elevado. Isso torna a tendência de longo prazo preocupante. O país passa por acelerado processo de envelhecimento populacional que aumentará a quantidade de beneficiários em relação à de contribuintes. Além disso, as regras de indexação permitem, para expressivo contingente de beneficiários, reajuste das aposentadorias e pensões em velocidade superior ao salário médio dos contribuintes. Tais fatos indicam duas opções para política fiscal no longo prazo, caso a previdência permaneça com as regras atuais: ou se elevam os tributos para sustentar o gasto previdenciário ou se deslocam recursos de outras áreas como educação e infraestrutura para que se paguem as aposentadorias.

Além disso, o envelhecimento populacional serve como força redutora da formação de poupança nacional. No que tange à poupança privada, pessoas em idade avançada tendem a poupar menos ou a despoupar. Em relação à poupança pública, o envelhecimento populacional aumentará os gastos governamentais com saúde, previdência e políticas assistenciais para idosos, apesar de parcial alívio em gastos educacionais. Em outras palavras, o quadro de longo prazo é pessimista para formação de poupança, o que é deveras preocupante para um país emergente que necessita de altas taxas de investimento para sustentar seu crescimento.

Dentro desse contexto, a necessidade de reformas em nosso sistema previdenciário é premente. A futura administração terá a difícil missão de anular o movimento contrarreformista e propor ousada agenda de reformas. Será impopular, terá custo político elevado, mas é condição necessária para sustentação das altas taxas de crescimento do país e do próprio regime previdenciário.

NOTA ADICIONAL*

DIFERENTES PAPÉIS DA SELIC

Para falar sobre as perspectivas de crescimento do Brasil nos próximos anos, vale a pena buscar lições na experiência macro recente, começando pelos diferentes papéis desempenhados pela taxa Selic. Considerando a primeira fase: 1995-2002, no subperíodo 1995-1998 a Selic foi usada basicamente para atrair recursos externos e sustentar o regime de câmbio quase fixo em vigor. A situação fiscal era precária, e as crises externas pipocavam. Somente na crise da Rússia (segundo semestre de 1998) foi feito um programa fiscal de maior peso. Graças ao câmbio fixo, a inflação ficou baixa, mas a taxa Selic média ficou altíssima: 34,3% a.a. (com inflação bastante baixa, a Selic real média ficou acima de 30% a.a.).

Em toda essa fase, o problema de solvência do setor público dominou o ambiente macroeconômico, ou seja, a razão dívida/PIB era muito sensível a qualquer mudança desfavorável no cenário econômico, e vivia subindo. Isso se dava porque ela era alta, e também porque o peso da dívida externa pública no total da dívida pública era muito alto. Para completar, as reservas internacionais eram baixas. Assim, qualquer choque levava a pânico dos investidores e fuga de capitais do país. Com a queda do regime de câmbio fixo a partir de janeiro de 1999, a taxa de câmbio disparava nas crises, e, em seguida, disparava a inflação. Para combatê-la, sob o novo regime de metas de inflação, o BC era obrigado a subir bastante a Selic, levando à desaceleração da economia. De qualquer forma, parte da pressão que havia sobre a Selic à época do câmbio fixo foi absorvida pelos aumentos da taxa de câmbio. Só que, mesmo assim, a Selic nominal média continuou muito alta entre 1999 e 2002: 20,1%.

Nessas condições, a razão dívida/PIB subia principalmente quando o custo da dívida (à época muito parecido com a Selic) subia e, em seguida, a taxa de crescimento do PIB caía. Por mais que os superávits primários fossem

* Escrita em 16/5/2010.

altos relativamente à situação pré-1999, eles eram insuficientes para conter o crescimento da razão dívida/PIB. Com ou sem acordo com o FMI, o governo era levado a anunciar mais um pacote fiscal, anunciando novas metas de superávits primários, para vender a ideia de que seria capaz de controlar o crescimento da razão dívida/PIB. Logo em seguida, o governo até conseguia aumentar o superávit e vender a ideia de que ia melhorar o controle da dívida, mas bastava uma nova crise para voltar tudo à estaca zero. Por volta de 2002-2003, a situação era crítica, porque há muito a razão dívida/PIB vinha subindo e o novo governo do PT não demonstrava que iria adotar a única saída ao nosso alcance: dobrar a aposta, isto é, aumentar ainda mais os superávits primários para ver se entrávamos num círculo virtuoso. Naquele momento, então, estávamos diante de um sério impasse. Note que nessa época as subidas recorrentes da taxa Selic impediam que os investimentos (e o consumo) privados subissem o suficiente para, em conjunto com gastos públicos correntes crescentes, criar uma situação de excesso de demanda agregada aparecendo, assim, um outro mecanismo de pressão inflacionária. (Cabe lembrar que entre 1995 e 1998 a inflação era contida artificialmente pelo regime de câmbio fixo, enquanto de 1999 em diante pela política de metas de inflação, sob a qual a Selic subia em resposta a pressões decorrentes de choques cambiais.) Por aquela época, a inflação se devia mais aos choques da taxa de câmbio do que a qualquer outra coisa. Em seguida à resposta aos choques, era só a situação se acalmar que as taxas de câmbio e as taxas de juros voltavam a cair e, em conjunto com o corte de demanda propiciado pela subida anterior dos juros, as pressões inflacionárias se arrefeciam.

De 2003 a 2008, aconteceu uma espécie de milagre para resolver o impasse em que nos encontrávamos na transição do segundo governo FHC para o primeiro governo Lula, pois a economia mundial explodiu em crescimento, com forte expansão monetária (taxas de juros muito baixas) no contexto do *boom* do mercado imobiliário do mundo desenvolvido, com o valor dos ativos (imóveis) etc. explodindo e provocando um "efeito riqueza" sobre o consumo dos países desenvolvidos que há muito não se via (onde os consumidores se sentiam mais ricos e queriam consumir mais e mais). Com isso tudo se compôs o forte crescimento da China, que há 30 anos cresce quase à média de 10% ao ano, em uma curiosa sinergia com o mundo desenvolvido, em que principalmente os americanos consumiam e os chineses poupavam na presença de inflação baixa (mesmo com forte expansão monetária mundial). A disponibilidade cada vez maior de produtos baratos da China (com base em mão de obra que pouco recebia para trabalhar, um verdadeiro "exército" de mão de obra abundante e barata posta a serviço de vender cada vez mais produtos industrializados baratos para o resto do mundo).

O *boom* mundial aumentou fortemente a demanda por nossas *commodities* de exportação, cujos preços dispararam nos mercados internacionais. Por aí começou a haver uma inundação de dólares no país, seja via maiores receitas de exportação para as mesmas quantidades exportadas, seja pela avalanche de capitais de todas as formas: investimento direto, compra de participações acionárias especialmente nos setores com maior crescimento de demanda, de forma tal que a taxa de câmbio passou a cair sistematicamente, o que contrastava fortemente com o padrão anterior de choques cambiais recorrentes. A inundação de dólares provocou também o aumento dos prazos de financiamento em geral e queda nas taxas e juros (quanto maior a quantidade de dinheiro que entrava, mais caía seu preço, ou seja, a taxa de juros). A economia passou a crescer cada vez mais, e a razão dívida/PIB passou a cair sistematicamente, criando-se todas as condições para se entrar num círculo virtuoso sem nenhum esforço fiscal adicional. Na verdade, os superávits primários até aumentaram, mas principalmente porque a arrecadação de impostos — induzida pelo *boom* — passou a aumentar acima do próprio crescimento do PIB. Isso se deu porque várias bases de incidência de impostos cresceram muito (como os ganhos de capital na venda de ativos para capitais externos) e porque setores que costumam pagar mais impostos que a média (como a indústria automobilística) passaram a crescer bem mais. O setor automotivo se beneficiou obviamente da grande melhoria das condições de crédito propiciada pelo *boom*: ampliação de recursos disponíveis para emprestar, queda de taxas e ampliação de prazos de financiamento. Só para dar um exemplo, enquanto o PIB crescia, em média, a 3,6% ao ano entre 2002 e 2009, a produção da indústria automotiva cresceu à incrível taxa média de 8,6% ao ano no mesmo período. Na verdade, mesmo com o governo passando a aumentar os investimentos, o crescimento da arrecadação foi tão forte que deu para abrir mão da CPMF e ainda aumentar o superávit primário.

Nessa época, dois outros pontos vulneráveis foram eliminados: em primeiro lugar, a dívida externa pública primeiro zerou e depois virou crédito. Assim, se houvesse um choque cambial, ele não mais afetaria tanto a dívida pública total. Pelo contrário, depois que virou crédito externo passou até a reduzi-la. Em segundo, as reservas saíram de US$ 40 para mais de US$ 200 bilhões em pouco tempo, deixando a economia bem menos sensível a ataques de investidores. O único subproduto indesejável foi que a dívida pública bruta, que antes andava junto com a dívida líquida (que deduz da dívida bruta os ativos financeiros do setor público), passou a se distanciar desta, já que as reservas foram compradas basicamente via emissão de títulos públicos. A dívida bruta se distanciou da líquida, porque enquanto a bruta subia pela emissão de títulos para comprar dólares, a líquida ficava num primeiro momento constante, pois se deduziam do cálculo da dívida bruta as próprias reservas em dólares adquiridas pelo BC. Além disso, a conta de juros líquidos passou a ter um foco novo de pressão: o fato de que as reservas rendiam quase nada lá fora, enquanto a dívida interna pagava a maior taxa de juros básica do mundo. Mas como os superávits primários vinham subindo, a razão dívida líquida/PIB continuou a cair até a crise do mercado imobiliário estourar por aqui no fim de 2008.

O ponto central da nova história é que a Selic não mais subiria em resposta a choques cambiais, mas passou a subir para conter eventuais excessos de demanda agregada, que, agora, encontram o espaço — que antes não havia — para acontecer. Isso se dava basicamente porque o gasto corrente público que vinha crescendo desde a promulgação da Constituição de 1988 (isso não era novo) passou a se encontrar com gastos privados — especialmente os de investimento — crescendo cada vez mais, em resposta às novas condições favoráveis da economia, especialmente a queda da taxa de juros. Assim, o conflito gastos públicos correntes *versus* gastos com investimentos privados aparece com clareza. Como não se consegue importar tudo que é demandado (é só pensar no setor de serviços ou qualquer bem não facilmente comercializável com o exterior), havendo excesso de demanda sobre a capacidade interna de produção, ocorre a pressão inflacionária. É óbvio que quanto menor for o peso dos investimentos em geral do país nos gastos correntes em geral, seja no setor público, seja no setor privado, maior o risco de excesso de demanda pressionar preços, pois a capacidade de produção, que cresce com investimentos e com aumento de produtividade, não se expande suficientemente. Assim, agora o argumento principal em defesa do corte dos gastos públicos correntes não seria mais para aumentar os superávits primários e ajudar a controlar a dívida (que, em termos líquidos, e em relação ao PIB, de 2002 a 2008 só caiu), como ocorria até 2002, mas sim para conter a demanda agregada oriunda do lado corrente dos gastos. Isso não quer dizer que o problema de insolvência pública não possa mais voltar — veja adiante, mas é uma questão do que é prioritário no momento. Mas sem aumentar a relação investimento/gasto corrente, aumenta a probabilidade de ocorrerem fases de excesso de demanda e de subida das taxas de juros pelo BC, como, aliás, está novamente acontecendo agora, e deverá levar, à frente, a uma nova queda dos investimentos privados e das perspectivas de crescimento econômico. Analistas do calibre do Affonso Pastore estimam que a taxa de crescimento sustentável do PIB no momento é da ordem de 4,5% ao ano (antes do *boom* era ao redor de 2,7% ao ano). O grande drama é, então, como aumentá-la para além dos 4,5% ao ano, pois ao redor desse valor o crescimento é incapaz de gerar os empregos necessários. Assim, como no primeiro trimestre de 2010 o PIB pode ter crescido mais de 8%, é óbvio que estamos de novo em uma situação nítida de forte excesso de demanda e de necessidade de o BC subir várias vezes a Selic, caso o governo não ajude do lado do corte de gastos (adiante falarei sobre o anunciado corte de R$ 10 bilhões).

Passando à crise internacional de 2008, em resumo houve o choque desfavorável de queda da demanda externa, que derrubou as exportações industriais e a produção industrial. Diante de vários fatores (pouca queda do emprego e dos salários, resposta rápida da política monetária, isenções tributárias etc.), o Brasil pôde reagir rapidamente e só teve um ano de taxa de crescimento negativa do PIB, o de 2009, com -0,2%. Agora já aponta para algo acima de 5% ou mesmo 6%, dependendo do aumento da taxa Selic que ainda está por ocorrer. Os preços das *commodities* — que antes haviam caído — já estão se recuperando, especialmente pela manutenção do alto crescimento chinês, e porque as nossas taxas de juros, mesmo tendo caído em resposta à crise, ainda são de longe as maiores do mundo. O grande drama aqui foi que o governo, em vez de fazer aumentos temporários de gastos, apenas acentuou as velhas medidas de crescimento dos gastos correntes: aumentos de salários de servidores, aumento do salário-mínimo, aumento dos benefícios acima de

1 SM etc. Isso significa que, passada a crise, ficará mais difícil reduzir gastos públicos correntes, pois ficaram cada vez mais rígidos. O Gráfico 9 mostra o crescimento da razão gastos correntes/PIB e da receita líquida/PIB na União. Na Tabela 1, vê-se que o peso do item que chamo "benefícios assistenciais e subsidiados" (ou seja, benefícios sem qualquer cobertura de contribuições, ou com baixa cobertura) no gasto não financeiro total da União aumentou 8,3 vezes em 2009 comparativamente a 1987, passando de 3,1% do total para 25,8% do total. Chocante... Além disso, e no mesmo período, o peso de inativos e pensionistas aumenta duas vezes (de 6,2% para 12,2% do total); o dos benefícios do INSS acima de 1 SM aumenta 1,8 vezes (de 13% para 23,9% do total). Os três itens somavam 22,3% do total em 1987, e agora há pouco somaram 61,9% do total!

No mais, o peso do gasto com pessoal ativo se mantém mais ou menos estável, e o do item saúde cai um pouco, apesar dos efeitos da Emenda Serra (que estabeleceu crescimento mínimo dos gastos federais em saúde igual ao do PIB a partir de 2001). Se somarmos a parcela de 61,9%, acima apurada, ao peso dos gastos de pessoal ativo e saúde, chega-se ao subtotal super-rígido de 84,4% do gasto total em 2009, algo realmente absurdamente alto. Finalmente, vê-se que a conta foi paga pelos itens "demais despesas correntes" (cujo peso caiu de 37% para 9,6%) e "investimentos" (cujo peso no total do gasto não financeiro caiu de 16% para 6%).

O risco de insolvência pública não está totalmente afastado, seja por conta do crescimento e aumento da rigidez dos gastos correntes, especialmente na crise (quando a receita desabou), seja porque a dívida bruta passou a subir ainda mais, diante do aumento brutal das operações do BNDES financiadas com emissão de dívida imobiliária. Só no ano passado foi anunciado o aporte de R$ 100 bilhões para o BNDES emprestar adicionalmente, com o argumento da necessidade de complementar o pacote de medidas anticrise. O impacto fiscal é análogo ao da compra de reservas: esses recursos são aplicados a taxas abaixo do custo de captação do BC. Além disso, o risco de o principal dos empréstimos não retornar aqui é mais elevado do que no caso das reservas. E finalmente porque não há, no quadro ainda semirrecessivo das economias desenvolvidas, razões para se imaginar um aumento sistemático da razão receita/PIB semelhante ao que ocorreu no *boom* 2002-2008.

Os dados a seguir não estão no trabalho do Fórum, mas se assumirmos que a receita líquida da União sobe igual ao crescimento do PIB real em 2010 (6,26%, segundo o último Focus), que o deflator implícito do PIB varia na mesma proporção do IPCA, e que a despesa não financeira aumenta à mesma taxa real de 2009 (9%), então o superávit primário da União cairia de 1,35% do PIB em 2009, para 0,88% do PIB em 2010. Somando-se os mesmos resultados das demais esferas/níveis de governo do ano passado (0,03% do PIB para as estatais e 0,67% do PIB para estados e municípios), chega-se ao total de 1,58% do PIB, bem abaixo da meta oficial de 3,3% do PIB. Para diminuir a diferença, o governo deverá abater parte de, ou todas as despesas do PAC, dos gastos não financeiros da União no cálculo do superávit desta, ou apelar para receitas extraordinárias adicionais em 2010. Alguma ajuda poderá ocorrer também do lado da inflação, caso o deflator implícito do PIB fique acima do IPCA (em 2009, ao contrário, o deflator implícito foi de 4,8% e o IPCA, de 5,2%). Os dados estão na tabela a seguir:

TABELA 1A
PROJEÇÃO DO SUPERÁVIT PRIMÁRIO DE 2010

	(R$ bilhões) 2008	(R$ bilhões) 2009	(R$ bilhões de 2009) 2010
1. Receita líquida	583,6	611,6	649,9
2. Despesa não financeira	497,8	570,6	621,9
3. Fundo Soberano	14,2	0	0
4. Outros itens	-0,3	1,4	1,4
Sup. primário (1-2-3+4)	71,3	42,4	29,4
em % do PIB	2,37	1,35	0,88
Sup. primário estatais	0,15	0,03	0,03
Sup. primário est. e munic.	1,01	0,67	0,67
Sup. primário total:	3,53	2,05	1,58
PIB	3.005	3.143	3.340

Para sinalizar alguma colaboração com o BC no combate à inflação, e também para tentar acalmar os mercados antes que temores sobre uma forte queda do superávit se materializem este ano, a equipe econômica acaba de anunciar corte adicional de gastos (adicional ao contingenciamento) de R$ 10 bilhões. Anunciou-se ainda que seriam poupados do corte os gastos com o PAC e os gastos sociais. Usando os dados da execução do ano passado, não é difícil mostrar que esse corte se afigura pouco viável de executar. Vejamos: em 2009 e sem contar as despesas financeiras, foram gastos na União R$ 570 bilhões, sendo R$ 481 bilhões com itens não cortáveis: pessoal, previdência, assistência social e saúde. Essa parcela majoritária representa 84% do total, como, aliás, se viu acima. Dos 16% (ou R$ 89 bilhões restantes), R$ 34 bilhões são investimentos e há R$ 55 bilhões de "outras despesas correntes". Se estimarmos o PAC em 0,9% do PIB, isso implica R$ 28 bilhões em valores de 2009, e se estimarmos a manutenção dos órgãos em 0,4% do PIB, isso monta R$ 13 bilhões. Assim, parcela de R$ 6 bilhões é representada por investimentos não PAC ou não prioritários, e parcela de R$ 13 bilhões é representada por gastos de manutenção. Os restantes R$ 42 bilhões dentro de "outras despesas correntes" tendem a ser representados por programas de duração continuada como merenda escolar, reforma agrária e outros gastos rígidos. Ao final os R$ 10 bilhões teriam de ser retirados da soma de R$ 6 bilhões mais R$ 13 bilhões = R$ 19 bilhões, representando investimentos não prioritários e gastos de manutenção. Só que 40% da execução financeira do ano de 2010 já ocorreu, ou seja, grosso modo, falta executar R$ 11 bilhões do bolo cortável. Como a ideia é cortar R$ 10 bilhões, antes de encerrar o exercício, sua implementação implicaria provavelmente zerar todos esses gastos, o que não é, obviamente, crível. Não se pode esquecer também que a sobra do que é cortável pode ser ainda menor se considerarmos que a execução financeira este ano está sendo feita com rapidez atípica para o primeiro trimestre. Segundo informou recentemente a STN, o crescimento real do total dos gastos não financeiros no primeiro trimestre de 2010 foi o maior crescimento verificado em primeiros trimestres desde o início do governo Lula. O crescimento real recorde deste ano foi de 13,8%, enquanto nos primeiros trimestres de 2003-2008 as taxas foram, respectivamente,

-2,5%; 11,2%; 6,9%; 3,7%; 10,9%; 12,8% e -6,9%. E o item do gasto que realmente explodiu no primeiro trimestre deste ano foi exatamente o item "investimento", que é o grande candidato a corte, e cuja taxa de aumento, frente ao primeiro semestre do ano passado, foi de 106,2%!

O problema é que qualquer corte de gasto feito de última hora tem pouca chance de se materializar, e, mesmo que aconteça, tenderá a atingir apenas os segmentos mais fracos do orçamento, notadamente os investimentos. Ou seja, tudo indica que o BC vai continuar com o mesmo programa de subida da Selic que os membros do Copom devem ter hoje em mente, e a economia, se desacelerar, será por conta disso, e não de aperto na política fiscal.

O início do texto do Fórum volta atrás no tempo e mostra, em síntese, que há muito a taxa de crescimento do PIB vem caindo, em resposta à queda da taxa de investimento global do país, que precisa ser revertida para a economia crescer mais. Em 2003, ano do fundo do poço, tanto a taxa de investimento global quanto a de crescimento do PIB haviam caído pela metade em relação a meados dos anos 1970. Mais recentemente as taxas de investimento voltaram a subir um pouco, mas a crise de 2008 abortou essa recuperação. Agora, puxada pelo investimento privado, a taxa de investimento global voltou a subir, mas o excessivo crescimento da demanda agregada que se vive vai colocar de novo por terra o surto de investimento que se esboçava. O texto mostra que o Brasil, lá atrás, crescia bem acima da média mundial e a taxas parecidas com as da China. Depois, nossas taxas desabaram e passamos a crescer abaixo da média mundial, enquanto a China cresce há 30 anos a cerca de 10% ao ano. Como reverter esse quadro, de novo, é a grande questão. Em seguida, o texto mostra que a desabada da taxa de investimento foi liderada em boa parte do período analisado pelas administrações públicas e, nestas, pelo desempenho da União. É gritante, aí, a queda dos investimentos em transportes, item de maior peso no orçamento federal de investimentos (veja detalhes no texto, inclusive as consequências ruins para o estado das rodovias sob gestão pública no Brasil). Colocou-se também um gráfico que mostra a desabada da razão investimento/gasto corrente da União, fortemente correlacionada com a queda das taxas de crescimento do PIB. Deixo, ao final desta nota adicional, um apêndice com uma síntese dessa mesma resenha histórica, usando variáveis e gráficos de comunicação mais fácil. (Veja Apêndice.)

No mais, passamos a discutir em maior profundidade a questão do gasto de pessoal, segundo item de maior peso no gasto não financeiro federal, para mostrar que o ajuste que precisa ser feito nos gastos correntes tem de ser precedido de um estudo cuidadoso de cada item relevante de sua composição.

Pontos a destacar na área do gasto de pessoal (ou "complô" para aumentar o gasto de pessoal):

1. Desde 2003 gasto de pessoal vem crescendo acima do PIB, especialmente em 2009 (ante contestações oficiais no Fórum 2009). Valor de 2009 só inferior ao de 1995, após forte correção geral pela inflação passada em cima da parada da inflação.
2. A preços constantes, gasto de pessoal deve crescer 84% entre 1995 e 2010 (só caiu em 2003 com aceleração da inflação).
3. Não está no texto, mas gasto de pessoal do Executivo Civil sem Ministério Público ficou estável em termos reais de 1995 a 2002, e disparou entre 2002 e 2009.
4. Não há por que, necessariamente, esse gasto crescer sequer junto com o PIB. Por que não menos que o PIB?
5. Não está no texto, mas gasto de pessoal do Brasil é maior do que dos países de renda per capita semelhante.
6. Não está no texto, mas salários servidores pós-2002 ficaram muito maiores do que congêneres no setor privado.
7. Texto anterior ao Fórum: ainda não há lei de greve específica, mas, pelo STF, lei de greve do setor privado deveria valer para setor público, mas não vale. Logo, nessa seara se faz o que se quer.
8. Texto anterior ao Fórum: dinâmica perversa contra a saúde financeira do setor público. Com autonomia financeira e administrativa pela Constituição, Poderes Autônomos iniciam aumentos despropositados de salários, que são seguidos por carreiras fortes do Executivo, que entram em greve e ganham. Depois, vêm as demais carreiras, especialmente após governo Lula, com mesa de negociação permanente

de fortes sindicatos de servidores encastelados no próprio Ministério do Planejamento.

9. Aparente existência de movimento no sentido de fragilizar os controles sobre gastos de pessoal, o que viabiliza e estimula a sua expansão, a julgar por:

- Ineficácia, em certos casos, de importantes instrumentos de controle do gasto aprovados recentemente, como os limites máximos de gasto de pessoal, em relação à receita, previstos na Lei de Responsabilidade Fiscal (LRF), talvez por falta de mecanismos mais rigorosos de punição. Nesse contexto, vêm sendo encontradas várias formas contábeis de "esconder" (via "contabilidade criativa") certos tipos de gasto com pessoal (como as despesas com inativos e pensionistas e com pessoal terceirizado). Nota-se ainda excessiva tolerância de certos órgãos de controle com violações dos regulamentos de restrição ao gasto de pessoal.

- Desobediência aberta a certos dispositivos legais de incidência temporária, como as Leis de Diretrizes Orçamentárias (LDO) federais de 2006 e 2007, que previam limites numéricos para o total de gastos correntes e esses foram solenemente ignorados ao longo da execução orçamentária (em parte, porque o mesmo proponente das LDO propunha outras peças de legislação que atuavam na direção oposta).

- Incapacidade de (ou desinteresse na) aprovação, pelo governo, de novos instrumentos (ainda que haja dúvidas sobre sua eficácia — a exemplo das acima referidas no caso da LRF — e a despeito de serem de sua própria proposição), como certos projetos de legislação prevendo o estabelecimento de taxas máximas de crescimento real para o gasto de pessoal.

- Várias propostas de flexibilização dos limites de gasto de pessoal da LRF, além de outras restrições previstas na mesma lei, ora em discussão, tanto de iniciativa do Executivo quanto do Congresso Nacional, algumas já sendo implementadas.

Pontos a destacar na área da previdência:

1. Item de maior peso na pauta de gastos não financeiros da União
2. Crescimento real do gasto do INSS em 2009: 7,3%, enquanto o PIB caía 0,2%. De 2002 a 2009, esse gasto subiu 6,0% para 7,2% do PIB, a despeito de medidas administrativas que têm tido bom resultado nos últimos anos.
3. Em 2005, o Brasil tinha razão de dependência (razão de pessoas com mais de 65 anos sobre pessoas entre 15 e 64 anos) de 8,4%, e gastou 11,8% do PIB com todas as previdências: INSS mais inativos e pensionistas da União, estados e municípios. Se gastasse como os países com razões de dependência próximas às suas, despenderia apenas 3,8% do PIB. O que explica os 8 pontos de percentagem do PIB a mais? (Somente as aposentadorias por tempo de contribuição são cobertas inteiramente por contribuições; estão fora dessa cobertura: todas que pagam 1 SM, os benefícios de risco — auxílio-doença, aposentadorias por invalidez, por idade, e pensões — e os gastos com sentenças judiciais.)
4. Projeções de envelhecimento preocupam: Segundo o IBGE população com mais de 65 anos correspondia em 2008 a 6,5% da população total. Deve chegar a 23% em 2050 (mais que triplicará nas próximas décadas). Pela relação acima, o gasto chegaria, grosso modo, sem reformas, a 18,4% do PIB, implicando um aumento de quase 7 pontos percentuais do PIB de necessidades de recursos adicionais.
5. Outras fontes de deterioração do quadro previdenciário: crescente participação feminina na força de trabalho (grupo que contribui por menos tempo e recebe por mais tempo); regras de indexação de valores unitários de benefícios permitem, para expressivo contingente de beneficiários, reajuste das aposentadorias e pensões em velocidade superior à do aumento do salário médio dos contribuintes.
6. Adequar o sistema de pensões à experiência internacional
7. Introduzir idade mínima no RGPS (Previdência do INSS).
8. Falta criar a previdência complementar dos servidores públicos.

9. Mudar a agenda recente do Congresso na área da previdência, que tem sido basicamente contrarreformista. Há, de fato, um movimento contrarreformista, ao lado do "complô" pró-gasto que ocorre com a despesa de pessoal.

APÊNDICE

É PRECISO SABER...

Que, em 2003, no "fundo do poço" de um processo que vem desde os anos 1970, o Brasil investia metade do que fazia naqueles anos. Crescia economicamente (ou em geração de empregos), portanto, menos da metade do que costumava fazer anteriormente. E que, no melhor ano da recente fase de bonança externa (2008), esses indicadores melhoraram apenas um pouco.

GRÁFICO 1A

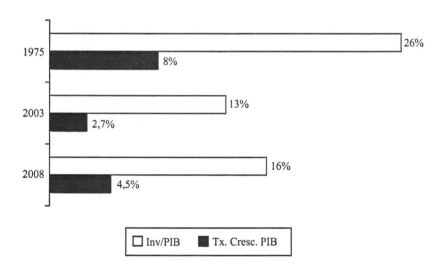

Conclusão: é hora de voltar a ter maiores taxas de investimento e de crescimento do PIB, para os brasileiros terem maiores e melhores oportunidades de emprego.

Mais ainda: o Brasil que, juntamente com Japão e Coreia do Sul, já foi um dos países mais dinâmicos do mundo, desde o início da década de 1990 cresce abaixo da média mundial.

GRÁFICO 2A

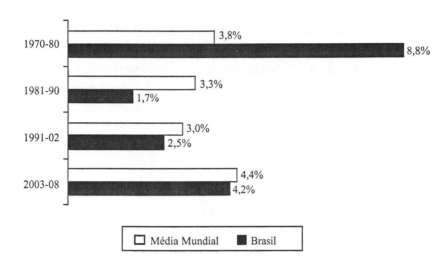

Enquanto isso a China vem crescendo o triplo dessa mesma média.

GRÁFICO 3A

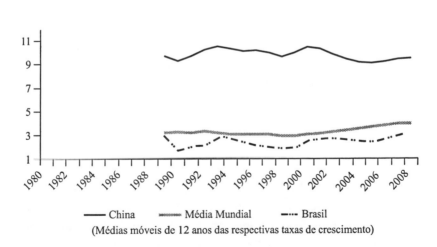

(Médias móveis de 12 anos das respectivas taxas de crescimento)

A seguir, cabe saber que: (1) os investimentos das administrações públicas lideraram a desabada dos investimentos em grande parte desse período; (2) que na União os investimentos caíram mais do que nas demais esferas de governo; e (3) que, nesta, foi o Ministério dos Transportes quem liderou a queda. Não é à toa que a situação das rodovias sob gestão estatal está em estado tão lastimável como mostram as pesquisas da CNT (Confederação Nacional dos Transportes). Estradas em estado lastimável são um dos sintomas da doença do baixo crescimento do PIB.

GRÁFICO 4A
ESTADO DAS RODOVIAS BRASILEIRAS (GESTÃO ESTATAL)
EM % DO TOTAL

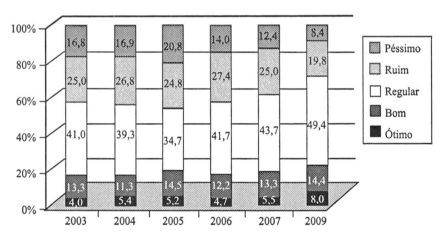

Péssimo + Ruim + Regular:

2003	2004	2005	2006	2007	2009
82,8	83,0	80,3	83,1	81,2	77,6

A queda dos investimentos da União se deve tanto à falta de recursos públicos quanto à deterioração da capacidade de gestão do governo. Nos anos 1970 os investimentos federais em transportes eram de 1,8% do PIB. Hoje, gravitam em torno de 0,2% do PIB, nove vezes menores.

GRÁFICO 5A
RESERVAS INTERNACIONAIS LÍQUIDAS

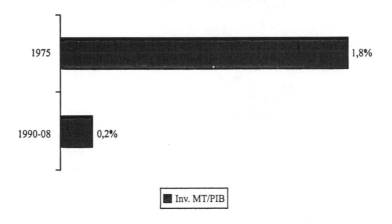

E poderiam ser bem maiores, se não fosse a inoperância governamental, bastando ver quanto dos investimentos autorizados segundo o PNLT (Plano Nacional de Logística de Transportes) foi efetivamente desembolsado:

GRÁFICO 6A

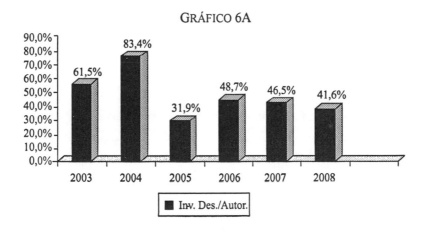

Faltou dinheiro público para investimento, porque, além dos desmandos, adotou-se um modelo não mais de expansão dos investimentos e do emprego, mas de crescimento dos gastos públicos correntes, consagrado na Constituição de 1988. O orçamento da União virou, assim, uma grande folha de pagamento. Em 2005, eram 40 milhões de contracheques de benefícios assistenciais e previdenciários, além de funcionários da ativa, consumindo hoje quase 80% do gasto federal. Há sérias dúvidas sobre a eficácia desses gastos em relação aos objetivos propostos, e certeza de que há gastança em funcionalismo.

GRÁFICO 7A
ESTR. DA DESPESA NÃO FINANCIADA DA UNIÃO, 2009

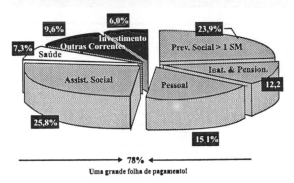

O dinheiro escasseou para o investimento privado, porque o gasto público corrente vem tomando todo o espaço da demanda agregada da economia. A face visível desse processo é a prática de taxas de juros absurdas no Brasil, há muitos anos batendo recordes sobre recordes no mundo. O Banco Central tem de subir a taxa que ele controla (taxa de juros Selic) para evitar a fuga de capitais ou o mal maior da inflação.

GRÁFICO 8A
SELIC E TAXA DE CÂMBIO DE JANEIRO DE 2000 A MAIO DE 2010

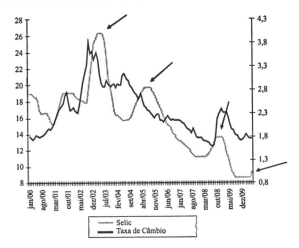

Outra face do sufoco por que passa o setor privado é a excessiva carga tributária, entre as maiores do mundo (médias de 1997 a 2002, em % do PIB):

GRÁFICO 9A

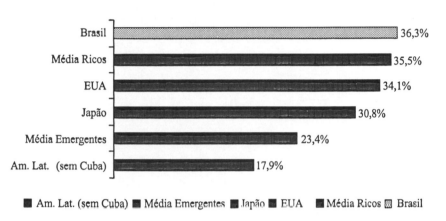

Em síntese: urge reduzir gastos públicos correntes, aumentar e melhorar a execução dos investimentos públicos, reduzir gastos ineficientes e eliminar desperdícios, para as taxas de juros poderem cair — e a economia voltar a crescer — a taxas maiores do que a média mundial e de forma sustentada.

189

Progresso técnico e desempenho exportador: peculiaridades do caso brasileiro*

*José Tavares de Araujo Jr.***

---

* Agradeço a Maria Fernanda Gadelha, da Financiadora de Estudos e Projetos (Finep), que me forneceu uma coletânea de dados atualizados sobre as atividades de ciência e tecnologia no Brasil.
** Diretor do Centro de Estudos de Integração e Desenvolvimento (www.cindesbrasil.org).

INTRODUÇÃO

NO FINAL DA década de 1970, uma nova teoria do comércio internacional começou a ser construída a partir das proposições originais de Dixit e Stiglitz (1977) e Krugman (1979, 1980) a respeito do papel desempenhado por variáveis associadas a economias de escala e diferenciação de produtos na determinação dos padrões de comércio vigentes desde a Segunda Guerra Mundial. Estes autores procuraram explicar alguns fenômenos que, naquele momento, desafiavam os princípios da teoria das vantagens comparativas, como o dinamismo do comércio intraindustrial entre países com estruturas produtivas similares, as estratégias de expansão das empresas multinacionais, e a baixa elasticidade das exportações de bens manufaturados em relação à taxa de câmbio.

Posteriormente, o poder analítico do novo paradigma foi ampliado através de duas contribuições adicionais de Paul Krugman. Em seu trabalho sobre instabilidade cambial, ele mostrou que o fenômeno da histerese, que costuma marcar o desempenho das exportações de bens industriais, é uma característica inerente a oligopólios internacionais cujo processo de competição é baseado na diferenciação de produtos (Krugman, 1989). Em países em que a taxa de câmbio é flutuante, as firmas exportadoras tendem a manter seus preços internacionais inalterados durante longos períodos, porque sua conduta está orientada prioritariamente à manutenção de parcelas de mercado nos países importadores. Em épocas de apreciação cambial, aquelas firmas procuram sustentar seu desempenho através de diversos expedientes, como o lançamento de novos produtos, abertura de filiais no exterior, aquisição de concorrentes e/ou formação de parcerias. O sucesso de tais estratégias varia em função da capacidade inovadora de cada empresa, posto que a demanda por produtos recém-lançados no mercado depende mais dos atributos hedônicos e tecnológicos da inovação do que de seu preço. Assim, quanto maior o ritmo de progresso técnico da indústria doméstica, menor será o impacto de uma eventual apreciação da taxa de câmbio sobre o desempenho exportador do país.

Outra contribuição de Krugman foi a de incorporar ao novo paradigma alguns conceitos clássicos da teoria do desenvolvimento regional, como os de economias de aglomeração e de polos de crescimento, que foram formulados originalmente por Alfred Marshall (1920) e François Perroux (1955). Em seu livro sobre geografia e comércio, Krugman (1991) apresentou um modelo baseado nas noções de centro e periferia, nos quais os fluxos comerciais resultam de distintas combinações entre custos de transporte, rendimentos crescentes e mudança tecnológica. Através deste modelo, é possível explicar, por exemplo, uma característica importante da economia mundial no último quarto de século, que reside nas tendências simultâneas em direção à globalização de mercados e regionalização de cadeias produtivas. Tais tendências foram geradas pela evolução desigual dos custos de informação e de transporte desde os anos 1970. Por um lado, a revolução das tecnologias de informação redefiniu os padrões de competição de inúmeras indústrias, através da redução dos custos de transação e da ampliação do grau de transparência dos mercados. Por outro lado, a estabilidade dos custos de transporte estimulou o comércio intraindustrial entre países vizinhos, em virtude do crescimento do número de firmas que passaram a competir globalmente a partir de estruturas produtivas integradas regionalmente.

Em virtude dos avanços conceituais referidos nos parágrafos anteriores, os estudos recentes sobre comércio internacional tratam, quase sempre, as exportações de manufaturados como um resultado da interação entre padrões de competição e ritmo de progresso técnico (Atkeson e Burstein, 2007; Broda e Weinstein, 2006). Em contraste com o atual debate sobre o desempenho exportador da economia brasileira, esta literatura não confere qualquer importância ao papel exercido pela taxa de câmbio. Em alguns trabalhos, como o de Bernard e Jensen (2004), por exemplo, esta variável é incluída na análise apenas para ratificar as ideias de Dixit (1989) e Krugman (1989) sobre o fenômeno da histerese.

À luz desta literatura, o presente artigo examina alguns aspectos da inserção internacional da economia brasileira nas últimas duas décadas, com foco em dois pontos principais. O primeiro diz respeito ao fato de que, não obstante a reforma do governo Collor, o grau de abertura comercial desta economia continua sendo um dos mais baixos do mundo. Esta peculiaridade resulta de um conjunto de fatores que incluem a geografia econômica do país, os níveis de integração vertical do sistema industrial e a estrutura de proteção aduaneira. O segundo ponto refere-se às teses sobre os riscos de doença holandesa no Brasil, e de eventual desindustrialização da pauta de exportações, decorrentes da contínua apreciação cambial desde 2003 (Bresser-Pereira, 2010; Pires de Souza, 2010). Em dissonância com estas teses, as evidências discutidas a seguir indicam que o principal obstáculo ao crescimento das exportações de manufaturados não reside na taxa de câmbio, mas no precário desempenho inovador da indústria brasileira.

O texto está organizado da seguinte forma. A seção 2 comenta a evolução do comércio exterior do país entre 1990 e 2009, examinando as interações entre os seguintes indicadores: (a) nível da taxa de câmbio real; (b) balança comercial; (c) termos de troca; (d) índices de preços e de quantidades das exportações de produtos básicos, semimanufaturados e manufaturados; (e) coeficientes de penetração das importações desagregados por ramos industriais. A seção 3 destaca o excepcional crescimento das exportações de dois capítulos da nomenclatura tarifária, o 33, relativo a produtos de perfumaria, e o 88, relativo a equipamentos de transporte aéreo. Nestes capítulos estão incluídas as vendas externas de duas empresas, Natura e Embraer, cujo faturamento depende basicamente das inovações que lançam no mercado. A seção 4 usa algumas contribuições da literatura sobre inovação e crescimento, como as de Aghion e Griffith (2005), Arrow (1962) e Baumol (1990), para discutir o peculiar comportamento da indústria brasileira em relação à inovação tecnológica. Por fim, a seção 5 resume as conclusões do artigo.

O DESEMPENHO EXTERNO DA ECONOMIA BRASILEIRA A PARTIR DE 1990

A reforma comercial do governo Collor inaugurou um novo estilo de inserção internacional da economia brasileira, cujos traços fundamentais podem ser percebidos através das variáveis descritas nos Gráficos 1 e 2: o índice dos termos de troca, que mede a relação entre os preços dos produtos exportados e importados, e o coeficiente de penetração das importações na oferta de produtos manufaturados, que revela o grau de exposição do mercado doméstico à competição internacional. O Gráfico 1 mostra a acentuada melhoria dos termos de troca nos últimos 20 anos, bem como os impactos advindos de duas redefinições do contexto macroeconômico ocorridas neste período. O primeiro impacto resultou da mudança do padrão monetário em 1994, com a implantação do Plano Real, que foi responsável pelo salto de 37 pontos percentuais nos termos de troca entre 1993 e 1997. O segundo impacto decorreu da alteração do regime cambial em janeiro de 1999, que provocou uma queda imediata de 19 pontos percentuais naquele índice. Não obstante tais oscilações, a recuperação do índice durante a última década sustentou o fortalecimento da moeda brasileira, cujo poder de compra em 2008 foi 40% superior ao nível vigente 1990.

GRÁFICO 1
ÍNDICE DOS TERMOS DE TROCA DA
ECONOMIA BRASILEIRA (1990 = 100)

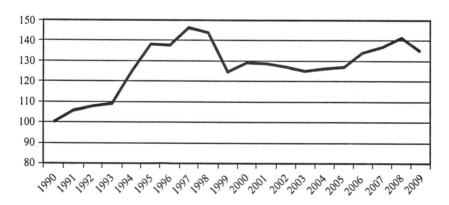

FONTE: Funcex.

196

Em síntese, as reformas econômicas da primeira metade dos anos 1990 geraram uma elevação persistente do poder de compra da moeda brasileira, cujos ganhos de bem-estar incluíram salários reais crescentes ao longo de 20 anos, barateamento relativo dos bens importados, e a superação gradual de uma restrição que havia marcado a economia brasileira desde a década de 1930: a vulnerabilidade externa. Outra consequência relevante foi a de facilitar a expansão internacional de firmas brasileiras, como CSN, Embraer, Gerdau, Natura, Petrobras, Vale, Votorantim, e várias outras. Segundo dados do Banco Central, em 2006, os investimentos diretos de firmas brasileiras no exterior superaram, pela primeira vez na história, o fluxo de entrada de capitais estrangeiros no país; e, em 2008, o estoque daqueles investimentos alcançou a cifra de US$ 80 bilhões.

GRÁFICO 2
COEFICIENTE DE PENETRAÇÃO DAS IMPORTAÇÕES
NA OFERTA DE PRODUTOS MANUFATURADOS

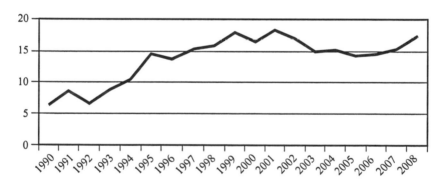

FONTE: Funcex.

A despeito do amplo escopo da reforma comercial executada no início da década de 1990, que promoveu uma redução significativa de tarifas aduaneiras e uma eliminação generalizada de barreiras não tarifárias, seu impacto sobre o grau de abertura da economia à concorrência de produtos importados foi relativamente modesto. Conforme indica o Gráfico 2, entre 1990 e 2001, o coeficiente de penetração das importações na oferta de produtos industrializados subiu de 6,3% para 18,3%. Ainda que aparentemente elevada, esta mudança foi muito inferior àquelas observadas em outros países que também

197

abriram suas economias neste período, como a China e a Índia (Tavares e Costa, 2010). De fato, quando comparada às atuais políticas comerciais em vigor nos principais membros da Organização Mundial do Comércio (OMC), a reforma brasileira pode ser descrita como uma transição entre um regime de virtual autarquia, onde as importações eram estritamente complementares à oferta local, e outro que continuou conferindo um razoável grau de proteção à maioria das indústrias domésticas.

TABELA 1

COEFICIENTES DE PENETRAÇÃO DAS IMPORTAÇÕES
EM INDÚSTRIAS SELECIONADAS

Indústria	Ano 1996	2000	2004	2008
Alimentos e bebidas	5,4	4,2	3,3	_3,4_
Fumo	0,6	0,3	0,2	_0,1_
Têxtil	12,7	10,6	9,6	_14,8_
Vestuário	3,8	2,6	3,3	_5,9_
Couro e calçados	7,2	5,9	5,4	_8,5_
Produtos de madeira	3,6	4,0	3,4	_3,2_
Papel e celulose	9,0	9,8	7,2	_8,6_
Editorial e gráfica	3,4	2,7	1,4	_1,5_
Coque, refino de petróleo e combustíveis	15,3	18,0	12,3	17,7
Produtos químicos	18,6	22,1	23,2	25,5
• Farmacêutica	15,8	24,7	30,8	28,2
• Perfumaria e produtos de limpeza	3,4	5,2	5,5	_6,2_
• Outros produtos químicos	22,2	23,8	23,5	26,5
Artigos de borracha e plástico	9,6	10,1	12,0	_15,0_
Minerais não metálicos	4,5	4,3	5,3	_4,8_
Metalurgia básica	9,3	11,6	9,1	_13,7_
Produtos de metal	8,3	7,6	9,3	_9,1_
Máquinas e equipamentos	27,2	31,2	27,2	**30,7**
Máquinas para escritório e de informática	48,4	34,0	43,1	**41,8**
Material elétrico	21,6	30,2	30,4	28,0
Equipamentos de comunicações	27,3	37,1	34,2	**45,8**
Equipamentos hospitalares e de automação industrial	49,0	51,7	58,5	**60,1**
Veículos	14,1	17,7	12,5	15,1
Móveis e indústrias diversas	8,0	6,2	6,9	_9,7_

FONTE: Funcex.

A melhor evidência de que o mercado brasileiro permaneceu relativamente fechado reside no comportamento da economia entre 2001 e 2008. Neste período, as tarifas aduaneiras não foram alteradas, a taxa real de câmbio valorizou-se em cerca de 30% (ver Gráfico 3), o volume de comércio exterior subiu de US$ 114 bilhões para US$ 371 bilhões (ver Gráfico 4), e o coeficiente de penetração das importações de bens industriais manteve-se em níveis inferiores àquele registrado em 2001! Conforme mostra a Tabela 1, dentre 24 ramos industriais, a parcela de bens importados em 2008 foi igual ou inferior a 15% das vendas domésticas em 14 setores (sublinhados na Tabela 1), e somente ultrapassou o patamar de 30% em quatro deles (que estão em negrito). Além disso, os únicos setores que registraram uma elevação expressiva daquele coeficiente foram os de fármacos, aparelhos de comunicação, e equipamentos hospitalares e de automação industrial.

GRÁFICO 3
TAXA DE CÂMBIO EFETIVA REAL (2000 = 100)

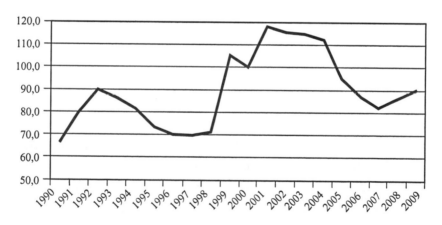

FONTE: www.ipeadata.gov.br

No atual debate sobre o desempenho externo da economia brasileira, o comportamento da taxa de câmbio real tem ocupado o centro das atenções. Segundo Pires de Souza (2010), por exemplo, haveria uma *"lei de ferro da apreciação cambial"* que explicaria tanto o crescimento da parcela importada no mercado doméstico quanto a queda da competitividade das exportações de

199

manufaturados. Na mesma linha, Bresser Pereira (2010) generaliza esta tese, e argumenta que *"o principal obstáculo enfrentado pelos países de renda média para alcançar os desenvolvidos é a tendência à sobrevalorização da taxa de câmbio"* (p. 7).

GRÁFICO 4

BALANÇA COMERCIAL: 1990-2009

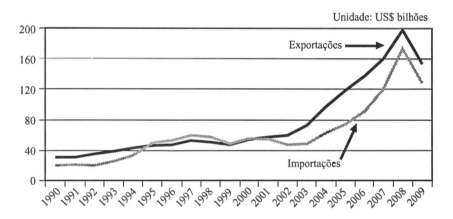

FONTE: www.ipeadata.gov.br

Entretanto, as evidências apresentadas nas páginas anteriores sugerem que a variável merecedora de atenção prioritária é o índice dos termos de troca, e não a taxa de câmbio. Embora interdependentes, estas duas variáveis registram aspectos distintos do sistema econômico. A taxa de câmbio efetiva real, cuja evolução recente está descrita no Gráfico 3, é uma média ponderada das taxas de câmbio nominal da moeda brasileira em relação aos principais parceiros comerciais do país, e corrigida pelos respectivos coeficientes entre os índices de inflação no Brasil e naqueles parceiros. O comportamento desta variável é determinado fundamentalmente por fatores macroeconômicos, como a taxa de poupança agregada da economia, o movimento de capitais, e as políticas monetária e fiscal. O índice dos termos de troca, como vimos, é uma média da razão de preços entre os bens exportados e importados. Ainda que influenciado diretamente pelas variações na taxa de câmbio, este índice também resulta das condições de concorrência vigentes nos mercados dos principais produtos transacionados pelo país, conforme explica a teoria contemporânea do comércio internacional.

Portanto, para estudar o desempenho externo de qualquer economia, é indispensável abordar tópicos como o ritmo do progresso técnico nas indústrias exportadoras, o poder de mercado das firmas que ali atuam, os níveis de proteção aduaneira, e o estado da infraestrutura de transportes do país. O exame destas questões permite mostrar, por exemplo, que a "lei de ferro" referida por Pires de Souza só se aplica, de fato, a indústrias que operam com tecnologias difundidas e cujos níveis de eficiência estão aquém dos padrões internacionais.

Ademais, a análise das condições de concorrência vigentes nas indústrias exportadoras também é útil para esclarecer as disparidades observadas no comportamento dos termos de troca e da taxa de câmbio durante as duas últimas décadas. Como se nota no Gráfico 3, entre 1992 e 2008, a taxa de câmbio passou por dois ciclos de contínua apreciação (1993-1998 e 2003-2008), intercalados por um intervalo de desvalorização, entre 1999 e 2002; e, em 2009, a taxa de câmbio real efetiva retornou ao nível vigente em 1992. Entretanto, esta volatilidade afetou apenas parcialmente a evolução dos termos de troca neste período (ver Gráfico 1). Como discutiremos adiante, este fenômeno não resultou apenas de condições favoráveis na economia mundial, mas também do fato de que alguns exportadores brasileiros importantes, como Vale e Embraer, têm poder de mercado suficiente para influir nos preços internacionais de seus produtos. Assim, os efeitos perversos da sobrevalorização cambial, referidos por Bresser Pereira, não se manifestaram na economia brasileira durante as duas últimas décadas.

Em contraste com o primeiro ciclo de apreciação cambial, que registrou déficits comerciais durante cinco anos, o segundo foi marcado por superávits crescentes até 2006, quando o saldo alcançou o montante inédito de US$ 46,5 bilhões (Gráfico 4), e por uma elevação de preços das exportações muito superior à apreciação cambial em todas as classes de produtos. Como indica o Gráfico 5, entre 2003 e 2008, os preços de produtos básicos, semimanufaturados e manufaturados subiram, respectivamente, 140%, 110% e 70%.

ÍNDICES DE PREÇOS DAS EXPORTAÇÕES BRASILEIRAS (1990 = 100)

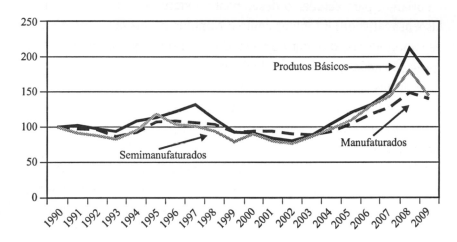

FONTE: www.ipeadata.gov.br

O Gráfico 6 mostra que os índices de *quantum* de produtos básicos e manufaturados evoluíram de forma similar entre 1990 e 2007. Até 2000, o índice de produtos manufaturados foi sistematicamente superior ao de produtos básicos, embora o ritmo de crescimento de ambos tenha sido pequeno ao longo daquela década. Dai em diante, os dois índices passaram a subir rapidamente, registrando uma expansão de 170% de produtos básicos, e de 125% de manufaturados, entre 1999 e 2007. Nos dois anos seguintes, a quantidade de produtos básicos continuou crescendo, apesar da crise internacional, e a de produtos manufaturados caiu bastante, tendo retornado, em 2009, ao patamar de 2003. Já o índice de semimanufaturados, que também foi pouco afetado pela crise, revelou um crescimento modesto, mas estável, entre 2000 e 2009, próximo àquele observado na década anterior.

GRÁFICO 6
ÍNDICES DE *QUANTUM* DAS EXPORTAÇÕES
BRASILEIRAS (1990 = 100)

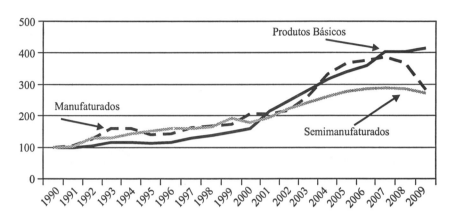

FONTE: www.ipeadata.gov.br

É importante lembrar que, não obstante os índices de descritos nos Gráficos 5 e 6, a principal parcela da pauta de exportações em 2009 continuou sendo a de bens manufaturados, e que esta liderança manteve-se inalterada nos últimos 20 anos, como aponta o Gráfico 7. Ademais, o impacto da crise internacional sobre esta classe de bens já havia sido previsto desde os anos iniciais do ciclo de expansão da última década. Analisando o período 2003-2005, Bonelli (2006) notou que "uma eventual desaceleração da economia mundial teria, tudo o mais constante, severos efeitos negativos para a evolução do *quantum* de manufaturados. Como fases de desaceleração da produção mundial são geralmente associadas a preços de importação declinantes nos diversos países, o efeito sobre as exportações brasileiras pode vir a ser devastador. Isso não significa, obviamente, que os ganhos até aqui obtidos venham a ser completamente erodidos quando e se a desaceleração mundial ocorrer. No entanto, alerta para o fato de que é de se esperar um forte impacto sobre as empresas e, por extensão, sobre a balança comercial" (p. 311-312). Este diagnóstico também foi antecipado por outros autores como, por exemplo, Markwald e Ribeiro (2005).

GRÁFICO 7
EXPORTAÇÕES BRASILEIRAS SEGUNDO
CLASSE DE PRODUTOS: 1990-2009

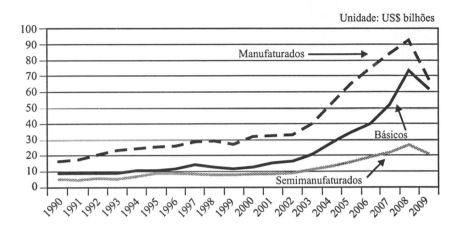

FONTE: www.ipeadata.gov.br

Portanto, os dados comentados nesta seção não fornecem suporte à tese de que a apreciação cambial estaria provocando uma reprimarização da pauta de exportações (Pires de Souza, 2010). Este argumento, que se tornou lugar comum na imprensa ao longo do último ano, apoia-se em três pontos principais: (a) a suposta "lei de ferro" da apreciação cambial; (b) o declínio da participação de bens manufaturados nas exportações totais, que havia atingido o patamar de 60% em 1993, e foi reduzido para cerca de 47% em 2008; (c) o contraste entre a situação brasileira e o cenário mundial, que tem sido marcado pela contínua expansão desta classe de bens. Mas, os indicadores reunidos na Tabela 1 e no Gráfico 2 revelaram que, na última década, a "lei de ferro" foi inoperante do lado das importações, cujo coeficiente de penetração no mercado doméstico continuou sendo um dos mais baixos entre os principais países membros da OMC. Além disso, aquela "lei" também não explica o comportamento dos preços das exportações de manufaturados entre 2003 e 2008, que registraram um ritmo de crescimento superior ao dobro da apreciação cambial (ver Gráficos 3 e 5). Quanto à composição da pauta, cabe notar que, em 1993, o comércio exterior do Brasil foi de apenas US$ 77 bilhões, contra US$ 371 bilhões em 2008 (Gráfico 4). Assim, após o impacto da crise internacional, as exportações de manufaturados em 2009 ainda alcançaram US$ 67 bilhões, um dos maiores montantes na história do país, que só foi superado pelos valores obtidos entre 2006 e 2008 (Gráfico 7). Neste contexto, falar de reprimarização da pauta carece de sentido.

Não obstante as críticas acima, a tese da reprimarização destaca uma questão crucial, que diz respeito à escolha dos instrumentos de política econômica requeridos para promover a competitividade internacional da indústria brasileira. Este tema será abordado nas duas próximas seções.

FONTES DE COMPETITIVIDADE DAS EXPORTAÇÕES BRASILEIRAS

A literatura acadêmica sobre padrões contemporâneos de comércio internacional, referida na introdução deste artigo, costuma explicar o desempenho de firmas exportadoras através de quatro mecanismos principais: (a) exploração de economias de escala; (b) diferenciação de produtos; (c) capacidade de influir nos preços internacionais; (d) investimentos diretos no exterior. No Brasil, o primeiro mecanismo foi, na última década, especialmente relevante em algumas indústrias, como química, siderurgia e veículos, e em outros segmentos importantes da pauta de exportações, como agronegócio e mineração (Castilho e Luporini, 2009; Markwald e Ribeiro, 2005; Pinheiro e Bonelli, 2007; Torres Filho e Puga, 2009).

Tal como em qualquer economia cuja pauta é diversificada, diferenciação de produtos é um instrumento fundamental em certas indústrias brasileiras, como aviões, automobilística, cosméticos e material eletroeletrônico; e também cumpre algum papel em setores de tecnologia difundida, como têxtil, vestuário, calçados e móveis. Entretanto, ao contrário do que ocorre usualmente em países exportadores de produtos manufaturados, no Brasil, são raros os casos em que a diferenciação de produtos resulta de inovações lançadas pelas firmas domésticas. Conforme atesta a história daqueles países nos últimos 50 anos, firmas que inovam regularmente tendem a controlar nichos do mercado internacional durante longos períodos, através da construção de uma reputação sólida em vários países, da introdução de novos hábitos de consumo associados à marca da firma, e/ou da manutenção de posições de liderança na oferta de tecnologias de fronteira. Assim, em indústrias onde o ritmo de inovações é elevado, as exportações se tornam relativamente independentes da taxa de câmbio, porque as firmas ali estabelecidas têm poder para influir no comportamento dos preços internacionais de seus produtos.

Outra fonte clássica de poder de mercado é o controle sobre recursos naturais, como ocorre no setor de mineração no Brasil. Por exemplo, em 1997, quando a Vale foi privatizada, o país exportou US$ 2,8 bilhões de minério de ferro, a um preço médio de US$ 21 por tonelada. Em 2008, estas exportações haviam saltado para US$ 16,5 bilhões, a um preço médio de US$ 59 por tonelada. Este desempenho não resultou apenas da expansão da demanda externa, mas também das condições de concorrência neste mercado, cujos preços são formados através de uma sequência de negociações periódicas entre dois oligopólios. Do lado da oferta, atuam três firmas líderes: a Vale e duas mineradoras australianas, BHP Billiton e Rio Tinto. Do lado da demanda, os compradores principais são empresas siderúrgicas europeias e japonesas.

Por fim, o quarto mecanismo que reduz o impacto da taxa de câmbio sobre a competitividade da indústria doméstica é o investimento direto no exterior, por dois motivos. Em primeiro lugar, porque a aquisição de ativos em outros países torna-se menos onerosa durante períodos de apreciação cambial. Em segundo lugar, porque o estabelecimento de filiais nos mercados importadores fortalece outros instrumentos de competição da empresa matriz, como a consolidação de marcas e ganhos de escala; diversifica fontes de receita, e dilui os eventuais prejuízos causados pela volatilidade cambial no país de origem da corporação.

Um dos aspectos notáveis do último ciclo de apreciação da moeda brasileira foi, justamente, o rápido crescimento do volume de investimentos diretos no exterior, conforme vimos na seção 2. Além da abertura comercial e do Plano Real, outro fator decisivo para estimular a internacionalização das firmas brasileiras foi a ampla reforma da legislação cambial executada pelo Banco Central a partir de 1999. Em novembro daquele ano, o Brasil aderiu às normas do artigo VIII dos estatutos do Fundo Monetário Internacional (FMI), tornando o real conversível para transações correntes, e eliminando uma restrição legal que vigorava no país desde 1933. Esta providência foi complementada, nos anos seguintes, por uma série de mudanças pontuais na legislação, dentre as quais se destacam a unificação do mercado de câmbio em 2005, e o fim da repatriação obrigatória das divisas de exportação em 2008.

Em síntese, a extraordinária elevação do índice dos termos de troca da economia brasileira nos últimos 20 anos, bem como sua autonomia parcial em relação à taxa de câmbio, são fenômenos consistentes com as hipóteses atualmente em voga na literatura econômica. De fato, com exceção da inovação tecnológica, as fontes básicas de competitividade internacional tem sido exploradas intensamente pelos exportadores brasileiros, apesar da conhecida lista de problemas que prejudicam o desempenho da economia nas áreas de infraestrutura, educação, sistema tributário, regulação de serviços públicos etc. Ademais, os dois exemplos comentados a seguir indicam que os investimentos em inovação já adquiriram relevância em algumas indústrias.

O Gráfico 8 mostra a evolução das exportações do capítulo 33 da nomenclatura tarifária, relativo a produtos de perfumaria, cujo crescimento, entre 1999 e 2009, foi superior não apenas ao total da pauta da economia, mas também ao de produtos básicos, além de ter sofrido um impacto da crise internacional muito inferior ao de outros bens industriais (ver Gráficos 4 e 7). Este capítulo inclui os produtos da Natura, que se tornou uma marca de prestígio internacional neste período, a partir de uma estratégia que usa a biodiversidade brasileira como fonte de matérias-primas para perfumes, sabonetes, xampus, cremes e outros produtos. Com este foco, as atividades de P&D da empresa tem sustentado um ritmo de lançamento de novos artigos que, a cada dois anos, correspondem a 70% do faturamento (Finep, 2006). Seguindo o padrão típico de firmas inovadoras, a Natura possui atualmente filiais na França e em sete países da América Latina, todas inauguradas na última década.

GRÁFICO 8

EXPORTAÇÕES DE PRODUTOS DE PERFUMARIA: 1999-2009

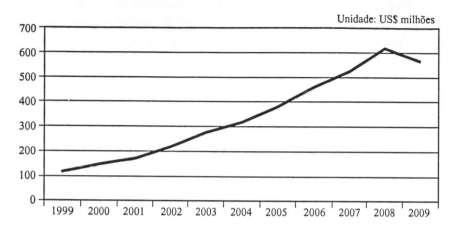

FONTE: Ministério do Desenvolvimento, Sistema ALICEWEB.

O Gráfico 9 descreve outro caso no qual o desempenho exportador decorre da introdução de novos produtos no mercado internacional, que é o do capítulo 88, relativo a equipamentos de transporte aéreo. Estão incluídas neste capítulo as vendas da Embraer que é a quarta maior fabricante de aeronaves do mundo. O crescimento registrado entre 1995 e 2001 corresponde ao período de comercialização dos jatos ERJ 135 e 145; o intervalo de declínio, entre 2002 e 2003, indica a fase final daquela geração de aeronaves; e a outra etapa de expansão, entre 2004 e 2008, registra o lançamento da nova safra de modelos, da série Embraer 170, 175, 190 e 195. Por coincidência, as exportações do capítulo 88 cresceram justamente durante períodos de apreciação cambial, e diminuíram num momento em que a taxa de câmbio estava relativamente desvalorizada. Cabe notar, entretanto, que as fases de crescimento deste capítulo são bastante previsíveis, posto que ocorrerão sempre nas ocasiões em que a Embraer estiver introduzindo um produto novo no mercado internacional, a despeito do estado da taxa de câmbio naquele instante.

EXPORTAÇÕES DE AERONAVES: 1995-2009

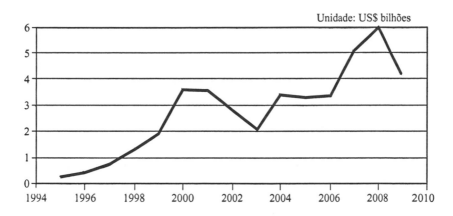

FONTE: Ministério do Desenvolvimento, Sistema ALICEWEB.

CONCORRÊNCIA E INOVAÇÃO

Os dados contidos nos Gráficos 8 e 9 sugerem duas questões: (a) por que os exemplos da Embraer e da Natura são raros entre os exportadores brasileiros? (b) que tipo de ações governamentais poderiam ser tomadas para difundir tais condutas no país?

Uma das respostas para a primeira pergunta é a de que a indústria brasileira ainda não superou inteiramente uma distorção que vigorou no país durante a época da substituição de importações: as taxas de crescimento econômico eram elevadas, mas as empresas privadas não inovavam. De fato, até final dos anos 1980, os investimentos em tecnologia eram realizados essencialmente por órgãos públicos, como o Instituto Tecnológico da Aeronáutica, o Centro de Pesquisas da Petrobras, o Instituto de Pesquisas Tecnológicas do Estado de São Paulo, a Embrapa etc. As razões do comportamento do setor privado são bem conhecidas. Conforme resumiu Baumol (1990), empresários só inovam quando esta é a única estratégia disponível para manter a sobrevivência da firma, e ela só será adotada após terem sido esgotadas outras alternativas menos onerosas, como o acesso privilegiado a compras estatais e a eliminação da concorrência através de barreiras comerciais ou institucionais.

O novo estilo de inserção internacional da economia descrito nas seções anteriores vem alterando gradualmente as condutas empresariais na maioria dos setores industriais. Alguns indicadores desta mudança foram divulgados pela Financiadora de Estudos e Projetos em 2006, através de um documento que reuniu 40 histórias de firmas que atualmente investem em inovação, e que operam em 16 ramos distintos.[1] Esta amostra inclui desde pequenas empresas com menos de 50 empregados até algumas das principais corporações do país. É interessante notar que 16 destas firmas foram fundadas depois de 1990, como aponta o Gráfico 10, e não conheceram, portanto, a fase anterior.

GRÁFICO 10
NÚMERO DE FIRMAS INOVADORAS
SEGUNDO A DATA DE FUNDAÇÃO

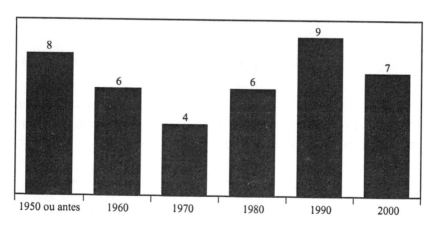

FONTE: Finep (2006).

A teoria da organização industrial destaca duas formas de interação entre progresso técnico e concorrência. A primeira, e mais frequente, é a *competição no mercado*, na qual as firmas procuram melhorar sua eficiência através

---

[1] Os setores são: aeronáutica, alimentos, automação industrial, bebidas, bens de capital, biotecnologia, combustíveis, cosméticos, equipamentos hospitalares, farmacêutica, informática, metalmecânica, metalurgia, petroquímica, química e veículos.

de inovações incrementais oriundas de paradigmas tecnológicos conhecidos. Esta modalidade não requer, em geral, investimentos significativos em P&D, posto que sua principal fonte de dinamismo é o aprendizado adquirido nas atividades rotineiras da firma.[2] A segunda é a *competição pelo mercado*, na qual as estratégias empresariais estão orientadas à busca de inovações radicais, geradoras de conhecimentos que não serão apropriados facilmente pelos concorrentes. Tais inovações eventualmente dão início ao processo schumpeteriano de destruição criadora, que implica o surgimento de uma nova indústria sob a liderança da firma inovadora, bem como a reestruturação ou desaparecimento de outros ramos cuja base tecnológica se tornou obsoleta. Entretanto, os resultados mais usuais são aqueles em que a firma inovadora passa a explorar com exclusividade um novo nicho de mercado durante algum tempo (Evans e Schmalensee, 2001; Aghion e Griffith, 2005).

Um dos fundamentos deste segundo padrão de competição é o de que as firmas disponham de recursos materiais e institucionais para lidar com as três características principais dos investimentos em P&D: (a) as elevadas economias de escala e escopo inerentes à atividade inovadora; (b) o grau de incerteza quanto aos resultados a serem obtidos; (c) o risco de que as inovações geradas pela empresa sejam apropriadas rapidamente pelos concorrentes. Por isto, conforme demonstrou o célebre artigo de Arrow (1962), este padrão de competição só será factível naquelas economias em que a política de ciência e tecnologia for uma prioridade permanente do governo, desde que vigorem também as condições apontadas por Baumol (1990).

Além dos casos da Embraer e da Natura, o documento da Finep (2006) contém vários outros relatos de firmas bem-sucedidas na competição pelo mercado. Por outro lado, desde a década de 1970, o Brasil dispõe de um amplo conjunto de instrumentos de apoio às atividades de ciência e tecnologia, que foi aprimorado ao longo desse período. Nos últimos anos, novos incentivos foram criados, como os das Leis nº 10.973/04 (lei da inovação) e nº 11.196/05 (lei do bem), e outros instrumentos mais antigos foram fortalecidos, como o Fundo Nacional de Desenvolvimento Científico e Tecnológico (FNDCT), e as linhas de financiamento da Finep e do BNDES.

---

[2] É por esta razão que levantamentos como a Pesquisa de Inovação Tecnológica (Pintec), do Instituto Brasileiro de Geografia e Estatística (IBGE), sempre registram um número elevado de firmas que se declaram inovadoras.

Assim, é razoável supor que o ritmo de progresso técnico endógeno da indústria brasileira seja crescente no futuro próximo. Da mesma forma, dado que a importância do gasto público em ciência e tecnologia é reconhecida por todas as correntes políticas do país, é provável que este tópico continue ocupando um lugar de destaque entre as metas governamentais. Cabe lembrar, contudo, que a tese de Baumol ainda é válida para vários segmentos do mercado doméstico, que permaneceram imunes à pressão competitiva das importações, como vimos na seção 2. Este é, talvez, o principal obstáculo a ser superado para assegurar a sustentabilidade do atual estilo de inserção da economia.

CONCLUSÃO

A principal virtude do setor externo brasileiro nos últimos 20 anos foi a de haver gerado uma elevação de 40% no índice dos termos de troca da economia. Esta melhoria resultou de duas fontes: a mudança do padrão monetário em 1994, e o desempenho das exportações entre 2003 e 2008, quando os preços de todas as classes de produtos subiram em ritmos muito superiores aos da apreciação cambial. Além da alta de preços, a rentabilidade das firmas exportadoras foi sustentada por fatores adicionais, como a exploração de economias de escala e a diferenciação de produtos. Outro aspecto notável da última década foi o rápido crescimento do volume de investimentos diretos no exterior, que promoveu a internacionalização de diversas firmas.

O extraordinário dinamismo das exportações brasileiras é passível apenas de um reparo: o setor industrial investe pouco em P&D, apesar dos avanços registrados no passado recente. Os dois exemplos de firmas inovadoras aqui referidos ilustram com eloquência a importância desta fonte de competitividade internacional. Conforme vimos, as perspectivas de que esta deficiência seja superada no futuro próximo são relativamente otimistas, sobretudo se o governo decidir enfrentar um outro desafio não trivial, que é o de promover uma nova reforma comercial. De fato, não há qualquer justificativa racional para o fato de que o Brasil continue sendo uma das economias mais fechadas entre os principais membros da OMC.

REFERÊNCIAS BIBLIOGRÁFICAS

AGHION, Philippe e GRIFFITH, Rachel (2005). *Competition and Growth: Reconciling Theory and Evidence*, MIT Press, Cambridge, Mass.

ATKESON, Andrew e BURSTEIN, Ariel (2007). Innovation, Firm Dynamics, and International Trade, *NBER Working Paper*, n. 13.326.

ARROW, Kenneth J. (1962). Economic Welfare and the Allocation of Resources for Invention, em *The Rate and Direction of Inventive Activity: Economic and Social Factors*, Princeton University Press, Nova Jersey.

BAUMOL, William J. (1990). Entrepreneurship: Productive, Unproductive, and Destructive, *Journal of Political Economy*, v. 98, n. 5.

BERNARD, Andrew B. e JENSEN, J. Bradford (2004). Why Some Firms Export, *Review of Economics and Statistics*, v. 86, n. 2.

BONELLI, Regis (2006). O Desempenho Exportador das Firmas Industriais Brasileiras e o Contexto Macroeconômico, em DE NEGRI, João Alberto e ARAÚJO, Bruno César Pino Oliveira de (orgs.). *As empresas brasileiras e o comércio internacional*, Ipea, Brasília.

BRESSER-PEREIRA, Luiz Carlos (2010). *Globalização e competição: Por que alguns países emergentes têm sucesso e outros não*, Elsevier Editora, Rio de Janeiro.

BRODA, Christian e WEINSTEIN, David (2006). Globalization and the Gains from Variety, *Quarterly Journal of Economics*, v. 121, n. 2.

CASTILHO, Marta R. e LUPORINI, Viviane (2009). A elasticidade-renda do comércio regional de produtos manufaturados, *Anais do XXXVII Encontro Nacional de Economia*, Foz do Iguaçu.

DIXIT, Avinash (1989). Hysteresis, Import Penetration, and Exchange Rate Pass-Through, *Quarterly Journal of Economics*, v. 104, n. 2.

_____ e STIGLITZ, Joseph (1977). Monopolistic Competition and Optimum Product Diversity, *American Economic Review*, v. 67, n. 3.

EVANS, David S. e SCHMALENSEE, Richard (2001). Some Economic Aspects of Antitrust Analysis in Dynamically Competitive Industries, *NBER Working Paper*, n. 8.268.

FINANCIADORA de Estudos e Projetos (2006). *Brasil inovador: 40 histórias de sucesso de empresas que investem em inovação*, Rio de Janeiro.

KRUGMAN, Paul (1979). Increasing Returns, Monopolistic Competition, and International Trade, *Journal of International Economics*, v. 9, n. 4.

_____ (1980). Scale Economies, Product Differentiation, and the Pattern of Trade, *American Economic Review*, v. 70, n. 5.

_____ (1989). *Exchange-rate Instability*, MIT Press, Cambridge, Mass.

_____ (1991). *Geography and Trade*, MIT Press, Cambridge, Mass.

MARKWALD, Ricardo e PUGA, Fernando (2005). Análise das exportações brasileiras sob a ótica das empresas, dos produtos e dos mercados, *Revista Brasileira de Comércio Exterior*, n. 85, outubro/dezembro.

MARSHALL, Alfred (1920). *Principles of Economics*, Macmillan, Londres.

PERROUX, François (1955). Note sur la Notion de Pole de Croissance, *Économie Appliqué*, v. 10, n.1, Paris.

PINHEIRO, Armando Castelar e BONELLI, Regis (2007). "Comparative Advantage or Economic Policy? Stylized Facts and Reflections on Brazil's Insertion in the World Economy: 1994-2005, *Texto para Discussão*, n. 1.275a, Ipea, Rio de Janeiro.

PIRES de Souza, Francisco Eduardo (2010). Da reativação da economia ao crescimento de longo prazo: A questão da competitividade e do câmbio, em Velloso, João Paulo dos Reis e Albuquerque, Roberto Cavalcanti de (orgs.). *Na crise, esperança e oportunidade, desenvolvimento como sonho brasileiro*, Elsevier Editora, Rio de Janeiro.

TAVARES de Araujo, José e COSTA, Katarina Pereira da (2010). Abertura comercial e inserção internacional: Os casos do Brasil, China e Índia, em Baumann, Renato (org.), *O Brasil e os demais BRICs*, Ipea, Brasília.

TORRES Filho, Ernani Teixeira e PUGA, Fernando (2009). Exportações brasileiras: um cenário pós-crise internacional, em Giambiagi, Fabio e Barros, Octavio de (orgs.), *Brasil pós-crise: agenda para a próxima década*, Elsevier Editora, Rio de Janeiro.

Como expandir as exportações, principalmente de manufaturados

*Welber Barral**

* Ministro interino do Desenvolvimento, Indústria e Comércio Exterior.

É UMA GRANDE satisfação comparecer mais uma vez ao ciclo de debates do Fórum Nacional. Aqui vários representantes da sociedade têm a oportunidade de discutir sobre os desafios do Brasil e as alternativas para tornar o país mais forte.

O painel para o qual fui convidado deve tratar de uma questão fundamental que é a necessidade de aumentar as exportações brasileiras, principalmente de manufaturados.

Essa é uma preocupação permanente da política comercial brasileira. Agora que estamos aí como toda essa movimentação em torno das descobertas do pré-sal, nada mais oportuno esse debate. Muitos países erraram nas suas estratégias diante de seus recursos naturais, mas teremos uma oportunidade muito grande com o advento da exploração do petróleo da camada do pré-sal.

Só como estímulo ao debate, diria que uma ideia básica de qualquer política de longo prazo deve ser a agregação de valor ao que o país produz. Digo isso como um mero exemplo e uma provocação: Por que não agregar valor ao petróleo bruto, para futuramente exportarmos derivados e não óleo cru? Por que não exportar produtos siderúrgicos acabados em vez de minério bruto? Por que não exportar café solúvel em vez de café em grão? Afinal, é melhor exportar o suco da laranja do que a laranja em si.

Pretendo fazer um apanhado geral destacando o desempenho recente do comércio exterior brasileiro, sobretudo até 2008 quando o comércio global deu uma virada com queda generalizada. Preparei uma rápida interpretação sobre as causas que explicam o bom desempenho comercial brasileiro até 2008.

O comércio exterior brasileiro experimentou grandes mudanças nessa última década. Entre os anos de 2002 a 2008, a corrente de comércio brasileira teve um aumento significativo: aumentando de US$ 107,6 bilhões, em 2002, para US$ 370,9 bilhões, em 2008. As exportações brasileiras saltaram de US$ 60,4 para US$ 197,9 bilhões em 2008. Na exportação verificou-se marcante alteração nas participações dos países desenvolvidos e em desenvolvimento ao longo dos últimos anos. Em 2002, os percentuais haviam sido, respectivamente, de 60,1% e de 39,9%.

Em 2007, as participações haviam-se alterado substancialmente, de 50,2% para os países desenvolvidos e 49,8% para os países em desenvolvimento.

Em 2007, atingiu-se, na prática, um equilíbrio quase perfeito entre os dois agrupamentos de países no que se refere ao peso participativo no comércio exterior brasileiro. Tal fato demonstra a crescente importância dos países em desenvolvimento para o nosso comércio exterior e o êxito da política de diversificação de exportações adotada pelo governo.

Como explicar o bom desempenho comercial que tivemos até 2008? Tivemos um verdadeiro *boom* econômico mundial que foi interrompido pelos efeitos da crise financeira internacional sobre tudo que aconteceu em termos econômicos a partir de 2008. Outro ponto absolutamente fundamental foi a solidez da política econômica. O Brasil conquistou uma estabilidade macroeconômica que reorganizou a economia brasileira e deu previsibilidade e capacidade de projeção de nossos produtos nos mercados externos. O governo paulatinamente adotou diversas medidas específicas para incentivar às exportações.

Uma das frentes de trabalho se concentrou em facilitação de comércio e ações para modernização e desburocratização de processos administrativos de comércio exterior. Até o final de 2009, foram aprovadas várias medidas de simplificação de comércio exterior.

Tais medidas significaram, dentre outras consequências, a redução de controles não tarifários na importação e na exportação, a criação do mecanismo de licenciamento instantâneo, dentre outras.

Especificamente em relação ao comércio, a Política de Desenvolvimento propôs várias medidas administrativas e regulatórias, que devem tornar mais simples a vida das empresas exportadoras e importadoras. Várias iniciativas de integração com países da América Latina, África e Oriente Médio foram preconizadas para que pudéssemos experimentar o expressivo crescimento em termos de valor e de volume de comércio que observamos na distribuição percentual dos parceiros comerciais do Brasil.

A realização de missões comerciais para vários países não tradicionais de destino das exportações brasileiras foram fundamentais para apoiar o acesso a novos mercados e estabelecer oportunidades de negócios ao redor do mundo. Na busca pela diversificação, realizamos missões comerciais para cerca de 50 países em quase todos os continentes.

Com a eclosão dos efeitos mais danosos da crise econômica em 2008/2009, pudemos verificar alguns reflexos sobre a composição de nossa pauta de exportações. A verdade é que desde 2007, as exportações brasileiras de maior valor agregado estão perdendo peso relativo no total exportado. Os produtos básicos vêm ganhando maior participação cm ralação aos industrializados.

Se considerarmos apenas as exportações de produtos industrializados que se compõem de produtos manufaturados e semimanufaturados, aí fica evidente a perda de participação dos produtos manufaturados.

GRÁFICO 1

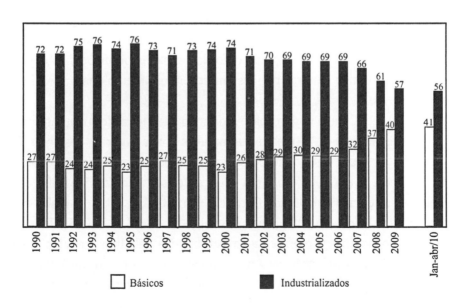

GRÁFICO 2
PRINCIPAIS BLOCOS DE DESTINO DAS EXPORTAÇÕES
DE MANUFATURADOS 2005/2009 (PARTICIPAÇÃO %)

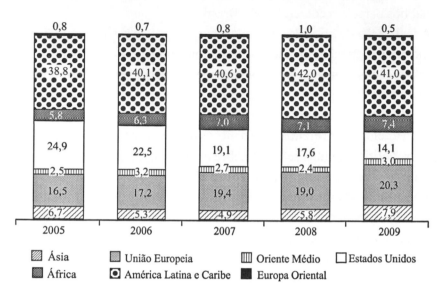

Aqui temos uma visão clara dos destinos de nossas exportações de manufaturados e onde é que estão se verificando as mudanças mais significativas
nesses últimos anos. A primeira evidência mais saliente é a perda de participação dos Estados Unidos e o aumento de nossas exportações, sobretudo
para a América Latina e outras regiões em desenvolvimento como a África e
o Oriente Médio.

Em 2000, qual era o quadro na exportação brasileira de manufaturados
por blocos econômicos? A América Latina já ocupava lugar de destaque. Os
Estados Unidos eram o segundo colocado, mas perdeu essa posição para a
União Europeia lá em 2007, portanto antes da crise, e em 2008 e 2009 essa
posição foi sustentada pela União Europeia. Em 2000, a África não absorvia
sequer US$ 1 bilhão e em 2009 já absorvia algo em torno de US$ 5 bilhões, o
que ainda é pouco, mas já representa um reflexo dos trabalhos que vêm sendo
desenvolvidos. A participação da Ásia também passa nos últimos dois anos
para o patamar de US$ 5 bilhões a US$ 6 bilhões. Agora vemos os números de
2010 que demonstram a manutenção da América Latina, seguida pela União

Europeia e Estados Unidos como os principais destinos de nossas exportações de manufaturados.

As causas da perda de participação das exportações de manufaturados foram geradas por fatores internos e fatores externos que nos ajudam a entender o que está acontecendo.

Como fatores externos podemos citar alguns pontos importantes: em 2009 foi verificada a maior queda no comércio mundial em anos. Espera-se que em 2010 haja uma retomada do crescimento do comércio da ordem de 9,5%, de acordo com as estimativas da OMC, mas o fato é que no ano passado houve uma queda de 12,2% em volume e 23% em valor no comércio mundial.

A queda em valor foi mais expressiva porque tivemos uma redução nos preços de *commodities* primárias e do preço do petróleo. Só em 1975 que tivemos uma queda da ordem de 7%, mas nada parecido com o que houve em 2009. Para termos uma dimensão do tamanho da retração global, eu destacaria apenas que o comércio de manufaturas começou a cair no quarto trimestre de 2008 com uma queda de 10,4% e nos três trimestres de 2009 a queda foi de menos 27,6% no primeiro trimestre; menos 29,8% no segundo e menos 21,5% no terceiro trimestre de acordo com os últimos dados divulgados pela OMC.

Os problemas de liquidez internacional geraram restrição do crédito externo para países emergentes e mesmo para desenvolvidos, que também colaborou em alguma medida para a redução do apetite comercial no mundo inteiro.

A crise de confiança que se seguiu nos mercados compradores como efeito da crise financeira internacional levou à forte contração da demanda global, e a queda na demanda externa por manufaturados foi mais forte que a queda na demanda por *commodities* minerais e agrícolas.

Não devemos deixar de citar os efeitos da concorrência desleal em terceiros mercados ocasionada por países com câmbio desvalorizado, sobretudo a China que contribuiu para a geração de desequilíbrios muito marcantes no comércio global.

As pressões protecionistas exerceram um efeito muito grande à medida que o crescimento do desemprego em vários países contribuiu para que alguns governos impusessem restrições a importações de manufaturas.

Outro fator externo considerável foi o acirramento da concorrência global, porque muitos países adotaram uma agenda muito mais agressiva de promoção de suas exportações.

Como fatores internos que ajudam a explicar a mudança de composição da pauta de exportações brasileiras, devemos considerar alguns pontos que se somaram aos fatores de natureza externa já discutidos. Diante da retração externa, ficou evidenciada a importância da pujança do mercado interno em tempos de crise externa. A força da demanda doméstica em função do aumento dos níveis de emprego e de renda da população absorveu o que teria sido destinado à exportação. A expansão da classe média somada à redução da desigualdade verificada nos últimos anos gerou um cenário de atratividade do mercado interno diante da retração dos mercados externos.

Outro fator de destaque foi de natureza cambial. A valorização cambial do Real em relação a outras moedas retirou competitividade das exportações brasileiras de produtos manufaturados. Apesar das ações desburocratizantes que temos adotado, ainda existem procedimentos administrativos complexos nas operações de comércio exterior que afetam a competitividade de nossos produtos.

Temos uma estrutura tributária que apresenta dificuldades para realizar a compensação e o ressarcimento aos exportadores dos créditos tributários de bens e serviços exportados. O padrão mundial é não exportar tributos indiretos (impostos de consumo) e a normativa OMC admite a isenção ou devolução dos tributos indiretos sobre bens e serviços exportados.

Os principais concorrentes do Brasil desoneram integralmente suas exportações. As legislações do IPI e do ICMS adotam o critério de crédito físico, em contraposição ao crédito financeiro, ou seja, não geram créditos os tributos pagos sobre bens de capital, bens de consumo e outros bens que não se incorporam fisicamente às mercadorias exportadas, ainda que tenham onerado a sua produção.

As legislações do PIS e da Cofins restringem o direito ao crédito a um conjunto limitado de insumos. As normas infraconstitucionais limitam o alcance da imunidade ou não incidência tributária e não asseguram a recuperação plena dos tributos indiretos que incidem sobre os bens e serviços exportados.

Adotamos várias medidas para enfrentar os fatores de natureza interna que limitam a competitividade de nossas exportações. Avançamos com as desonerações tributárias por meio de *drawback*.

Foram criados o *drawback* verde-amarelo e o *drawback* integrado que permitiu a unificação de todas as facilidades existentes no *drawback* importação e do *drawback* verde-amarelo, com suspensão de tributos sobre aquisições no mercado interno ou externo de insumos empregados ou consumidos no processo de fabricação de bens exportáveis.

O *drawback* verde-amarelo é um incentivo tributário que suspende o pagamento de tributos — IPI, PIS e Cofins — na compra de matérias-primas, produtos intermediários e materiais de embalagem, no mercado interno, e que comporão produtos exportados.

Reduzimos a zero da alíquota do Imposto de Renda sobre pagamento de despesas com promoção comercial no exterior. Para não permitir que a escassez de crédito atingisse em cheio nossos exportadores, o Banco Central atuou rapidamente com a realização de leilões de moedas com recursos das reservas brasileiras para financiar as exportações (ACCs).

A injeção de liquidez em moeda estrangeira pelo Banco Central se deu por leilões de US$ 24,4 bilhões para exportadores e venda de dólares no mercado à vista, além das operações de *swap* cambial.

Dentre outras medidas, o governo criou o seguro de crédito à exportação das micro, pequenas e médias empresas para facilitar o acesso dessas empresas aos mercados externos. Ainda em fomento às pequenas e médias empresas, foi criado o Proex-financiamento para a produção exportável das micro, pequenas e médias empresas com faturamento bruto anual de até R$ 60 milhões.

No que se refere à facilitação de comércio e ações para modernização de processos administrativos de comércio exterior temos realizado um trabalho diário de monitoramento. A Câmara de Comércio Exterior coordenou um amplo trabalho que continua em andamento visando a revisão e atualização de procedimentos de controle das operações de comércio exterior.

Hoje existe consenso entre os órgãos brasileiros que atuam na área de comércio exterior de que os processos e procedimentos operacionais no país precisam ser continuamente modernizados e harmonizados com as melhores práticas internacionais.

É necessário equiparar o tratamento dos produtores e exportadores brasileiros ao que já é prática corrente em outros países com grande volume de comércio. No último dia 5 de maio, o governo divulgou um conjunto de medidas de incentivo à competitividade concentradas na área de apoio à exportação.

Destaco o anúncio da criação do Exim Brasil como empresa subsidiária do BNDES para dar celeridade e efetividade às operações de exportação pós-embarque com simplificação da estrutura existente de financiamento à exportação. Todos os países que são grandes exportadores têm esse tipo de apoio institucional aos seus exportadores, e no Brasil ainda temos muito a fazer nessa área.

O financiamento às exportações de bens e serviços é oferecido por agências governamentais de apoio às exportações em praticamente todos os países que participam do comércio internacional.

A oferta de financiamento é componente usual nos casos de licitações internacionais, e as agências governamentais de apoio às exportações, sobretudo, nos países desenvolvidos como o JBIC do Japão e o *EximBank* dos Estados Unidos e instituições semelhantes na Inglaterra, Alemanha, França, Espanha e Itália fazem exatamente a mesma coisa.

As modalidades de financiamento destinadas à exportação de bens e serviços podem ser aplicadas tanto na fase pré-embarque (produção no Brasil) como na fase pós-embarque (comercialização no exterior) e o Exim Brasil coloca o Brasil melhor aparelhado para aumentar a competitividade internacional da produção brasileira de bens e serviços de maior valor agregado.

Com a criação do Exim Brasil, o BNDES reforça sua atuação na área de comércio exterior. O BNDES já operava diversas linhas de financiamento como o BNDES Exim Pré-embarque, o BNDES Exim Pré-embarque Ágil, o BNDES Exim Pré-embarque Especial, o BNDES Exim Pré-embarque Empresa Âncora, o BNDES Exim Pré-embarque Automóveis e o BNDES Exim Pós-embarque que é um refinanciamento ao exportador.

Além dessas linhas, o Banco já operava outros três programas direcionados à exportação: o BNDES PSI-Exportação Pré-embarque que é um financiamento, na fase pré-embarque, à produção de bens de capital destinados à exportação, limitado a R$ 300 milhões por empresa com taxa de 4,5% a.a. em até 36 meses; o Prosoft-Exportação que é o financiamento à exportação de software e serviços de Tecnologia da Informação (TI) nacionais, nas fases pré-embarque e pós-embarque; e o Profarma-Exportação que é o financiamento à exportação de bens e serviços nacionais, inseridos no complexo industrial da saúde, nas fases pré-embarque e pós-embarque.

Além disso, também foram propostas medidas para reduzir o peso dos impostos sobre a atividade exportadora. Dentre as outras medidas que foram anunciadas devo citar a devolução aos exportadores de 50% dos créditos de PIS/Pasep, Cofins e IPI acumulados na exportação. Como disse há pouco, não podemos persistir com qualquer tipo de oneração de nossas exportações porque isso desestimula investimentos em projetos de exportação.

Foi excluída a receita de exportação do faturamento total para efeito de cálculo no enquadramento no Simples. Implementamos o *drawback* isenção no mercado interno que é um mecanismo que vai permitir que a exportação realizada no período anterior gere um direito à aquisição de insumos nacionais com alíquota zero de impostos no período corrente.

As medidas de apoio às exportações procuraram fortalecer os instrumentos de financiamento às exportações. As outras medidas anunciadas incluíram ações para a modernização do sistema público de garantias com a criação do Fundo Garantidor de Infraestrutura (FGI), da Empresa Brasileira de Seguros (EBS) e do Fundo Garantidor de Comércio Exterior (FGCE) sob administração do BNDES com patrimônio inicial de R$ 2 bilhões.

Outra medida na direção do barateamento dos custos para as empresas exportadoras foi a redução do custo de financiamento à exportação de bens de consumo. Assim como diversos países o fazem, decidimos por um mecanismo de preferência para bens e serviços nacionais nas compras governamentais, sob critérios específicos. São medidas que vieram em boa hora para o setor produtivo e dão mais fôlego à atividade exportadora de nossas empresas.

Muitas outras medidas ainda são necessárias para incentivar as exportações de manufaturados. Devemos ainda persistir no esforço de realizar uma revisão das normas legais que disciplinam a desoneração dos bens e serviços exportados para assegurar o recebimento dos créditos legítimos pelos exportadores. Como já dissemos, os principais concorrentes do Brasil como China,

Coreia e tantos outros desoneram integralmente suas exportações e se não o fazemos também com nossos exportadores estamos criando dificuldades para nós mesmos.

É absolutamente necessária a simplificação e modernização dos procedimentos administrativos para apuração, reconhecimento e devolução de créditos de exportação, tanto na área federal quanto na área estadual, e devemos trabalhar porque isso não ocorre do dia para a noite; mas já demos um passo importante para não permitir esses acúmulos de créditos.

Para aumentar nossas exportações de manufaturados, importantíssimas para o país, devemos ter em consideração as seguintes ações: aperfeiçoar os mecanismos de compensação e ressarcimento de créditos tributários de exportação. Reduzir os custos das exportações brasileiras pela continuidade da desoneração dos investimentos produtivos, sobretudo aqueles voltados especificamente para a exportação. Melhorar a qualificação de trabalhadores porque sem mão de obra treinada e qualificada não dá para crescer nas atividades que requerem maior sofisticação do trabalho. Expandir os investimentos em infraestrutura logística e energética na linha do que já vem sendo realizado pelas obras do PAC em diversos domínios. Desonerar as exportações para as micro e pequenas empresas (MPEs) para que elas possam efetivamente adotar uma busca por oportunidades no mercado externo com produtos competitivos. Sob o aspecto da regulação, os órgãos que intervêm no comércio exterior devem estabelecer regras mais simplificadas para embarques de baixo valor de modo a fomentar a atividade de microempreendedores.

O fomento à implantação e ao desenvolvimento de Zonas de Processamento de Exportações pode ser uma ferramenta muito eficaz na agregação de valor à produção regional e à geração de tecnologias pela agregação de empresas num polo com uma finalidade específica.

As ZPEs estão diretamente ligadas à atração de investimentos orientados às exportações de manufaturas como, aliás, ocorreu em países que ofereceram as menores restrições e os melhores incentivos para atração de investimentos na produção voltada à exportação.

É absolutamente prioritária a manutenção de um sistema de crédito saudável e apto à expansão para atender às necessidades de um país em crescimento como será o Brasil desses próximos anos, estimulado tanto pelos grandes projetos nacionais como Copa do Mundo e Olimpíadas, como pelas expectativas de retomada do crescimento da economia mundial.

Devemos ampliar os mecanismos de crédito e garantias à exportação como uma forma de elevar cada vez mais a participação de bens de maior valor agregado em nossa pauta exportadora. É preciso elevar o esforço de inovação, principalmente no setor privado, para aumentar a produtividade e a competitividade das empresas brasileiras porque no mercado de manufaturados a inovação é crucial para conquistar e manter os espaços.

O exportador brasileiro deve ter ao seu dispor condições financeiras compatíveis com as do mercado internacional porque sem isso ele não consegue vender suas máquinas e equipamentos. O jogo é pesado porque os países mais ousados montam esquemas financeiros que colocam seus exportadores em condições muito favoráveis e é com eles que estamos competindo no comércio de manufaturados de maior valor agregado.

No curto prazo, devemos cumprir uma agenda de missões comerciais prioritárias para 2010 em países selecionados que já sinalizam com boas perspectivas de negócios para nossos exportadores, e procurar atingir a meta de US$ 168 bilhões de exportações em 2010, que representa um acréscimo global de 10% sobre as exportações de 2009.

Expansão das exportações: quais as alternativas?

Ricardo Markwald* e Fernando Ribeiro**

* Diretor-geral da Funcex.
** Economista chefe da Funcex.

INTRODUÇÃO

DURANTE O PERÍODO que antecedeu a eclosão da crise financeira internacional, em setembro de 2008, a balança comercial brasileira encontrava-se em uma trajetória de rápida deterioração, resultado da combinação de um crescimento acelerado das importações com perda de dinamismo das exportações. Entre junho de 2007, quando o superávit acumulado em 12 meses alcançou o recorde histórico de US$ 47,5 bilhões, e o mês de setembro de 2008, o saldo comercial registrou uma queda de US$ 18,8 bilhões. Às vésperas da crise, os especialistas tentavam prever em que momento o saldo comercial tornar-se-ia negativo, e muitos acreditavam que isso poderia acontecer em um prazo de dois ou, no máximo, três anos.

Diante da crise internacional, o cenário de déficit comercial parecia se tornar uma realidade ainda mais próxima, tendo em vista os impactos que a recessão mundial teria sobre as exportações brasileiras, não só em termos de redução das quantidades exportadas, mas também de queda dos preços das *commodities*, que haviam sido o grande sustentáculo do desempenho exportador brasileiro nos últimos anos. A realidade, porém, mostrou que o nível de atividade no Brasil também estava sendo fortemente afetado pela crise, notadamente a produção industrial, com grande impacto sobre os volumes de importação. Inesperadamente, o desempenho das importações (-26,3%) revelou-se pior do que o das exportações (-22,7%), permitindo que se registrasse em 2009 um ligeiro aumento do superávit comercial, que alcançou US$ 25,3 bilhões.

GRÁFICO 1
EXPORTAÇÕES, IMPORTAÇÕES E SALDO COMERCIAL
VALORES ACUMULADOS EM 12 MESES (US$ BILHÕES)

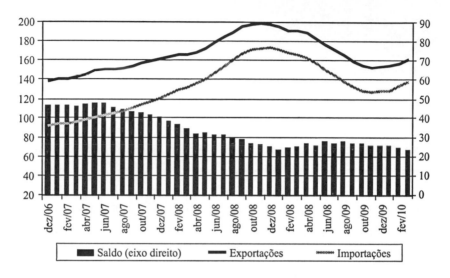

FONTE: Secex-MDIC.

Passados os efeitos da crise, e com a recuperação das economias doméstica e mundial, os números começam a mostrar que o ano de 2009 foi nada mais do que um simples interregno durante o qual foi adiado o processo de redução do superávit comercial. No primeiro trimestre de 2010, as importações tiveram um crescimento de 36% em relação ao mesmo período de 2009, superando a expansão das exportações (25,8%) e provocando uma redução de 70% no saldo comercial, que somou apenas US$ 892 milhões, o pior resultado para esse período desde o ano de 2001.

Diante disso, a evolução das contas comerciais voltou a gerar apreensão, principalmente quando se tem em vista a trajetória recente e esperada para as contas de serviços e de rendas do balanço de pagamentos. A Tabela 1 mostra que entre 2005 e 2008 as despesas líquidas com pagamentos de lucros e dividendos tiveram aumento de 167%, alcançando US$ 33,9 bilhões e mais do que compensando a redução de 46,4% das despesas líquidas com juros, que se deu graças ao aumento das receitas obtidas com a aplicação das crescentes

232

reservas internacionais do país. A crise internacional trouxe uma retração expressiva nas remessas de lucros e dividendos, mas estas já voltaram a crescer no primeiro trimestre de 2010, e a expectativa é de que, no total do ano, elas voltem a registrar um saldo negativo maior ou igual ao observado em 2008. Quanto às despesas líquidas com juros, a manutenção das reservas em patamar elevado deve mantê-las em níveis pouco superiores aos registrados em 2008.

TABELA 1

TRANSAÇÕES CORRENTES DO BALANÇO
DE PAGAMENTOS (US$ BILHÕES)

	2005	2006	2007	2008	2009	jan.-mar. 2009	jan.-mar. 2010
Balança comercial	44,7	46,5	40,0	24,7	25,3	3,0	0,9
Exportações	118,3	137,8	160,6	197,9	153,0	31,2	39,2
Importações	-73,6	-91,4	-120,6	173,2	127,7	28,2	38,3
Serviços	-8,3	-9,7	-13,2	-16,7	-19,2	-2,8	-6,3
Aluguel de equipamentos	-4,1	-4,9	-5,8	-7,8	-9,4	-1,9	-2,9
Viagens internacionais	-0,9	-1,4	-3,3	-5,2	-5,6	-0,5	-1,7
Demais serviços	-3,3	-3,3	-4,2	-3,7	-4,3	-0,4	-1,8
Rendas	-26,0	-27,5	-29,3	-40,6	-33,7	-6,0	-7,5
Juros	-13,5	-11,3	-7,3	-7,2	-9,1	-2,6	-3,1
Lucros e dividendos	-12,7	-16,4	-22,4	-33,9	-25,2	-3,6	-4,6
Demais rendas	0,2	0,2	0,4	0,5	0,6	0,2	0,1
Transferências unilaterais	3,6	4,3	4,0	4,2	3,3	0,9	0,8
Saldo em T.C.	14,0	13,6	1,6	-28,3	-24,3	-4,9	-12,1
Saldo em % do PIB	1,58	1,25	0,12	-1,78	-1,54	-1,74	-2,63

FONTE: BCB.

O déficit da conta de serviços, em termos absolutos, é bem menor do que o da conta de rendas, mas vem crescendo de forma acelerada nos últimos anos.

Ele dobrou entre 2005 e 2008, continuou aumentando em 2009, a despeito da crise, e teve crescimento de 122,5% no primeiro trimestre de 2010 em relação ao mesmo período do ano passado, sinalizando para um resultado anual negativo que poderá chegar a US$ 25 bilhões. Destaque-se que o déficit dessa conta relaciona-se basicamente a duas rubricas: aluguel de equipamentos, cujo déficit deverá romper a casa dos US$ 10 bilhões e tende a aumentar no futuro próximo, em vista da crescente demanda relacionada à exploração de petróleo do pré-sal; e viagens internacionais, item que também deverá permanecer em crescimento pela combinação de aumento da renda doméstica com valorização real da moeda nacional.

A conjugação de menor superávit comercial com déficit crescente em serviços e rendas levou a uma rápida deterioração do saldo em transações correntes, que entre 2005 e 2008 passou de um superávit de US$ 14 bilhões (1,58% do PIB), para um déficit de US$ 28,3 bilhões (1,78% do PIB). O desequilíbrio se atenuou em 2009 (1,54% do PIB), principalmente em virtude da redução das despesas com juros, lucros e dividendos, mas as projeções para 2010[1] apontam para um déficit na casa de US$ 50 bilhões, o equivalente a cerca de 2,5% do PIB.

À luz da teoria macroeconômica, a deterioração do saldo em transações correntes é consequência natural de uma economia que precisa elevar o nível de investimentos como proporção do PIB, de forma a criar as condições para um crescimento econômico sustentável, mas que se mostra incapaz de elevar o volume de recursos necessários para financiar estes investimentos, na forma de poupança doméstica. Ao contrário, os esforços fiscais realizados para mitigar os efeitos da crise internacional, embora bem-sucedidos, acabaram por deteriorar a poupança pública, e pairam sérias dúvidas sobre a real capacidade que o governo tem de reverter a situação de suas contas no curto ou no médio prazo, em vista dos aumentos permanentes de despesa sancionados inclusive antes da eclosão da crise.

O quadro atual não permite concluir que a economia brasileira corra risco iminente, tendo em vista a grande capacidade que o país demonstra para financiar seu déficit externo. O grau de investimento atribuído ao Brasil pelas agências internacionais e a grande atratividade que o país exerce sobre os

---

[1] Segundo o Boletim Focus, do Banco Central do Brasil, publicado em 16/4/2010.

investimentos estrangeiros, somados ao grande "colchão" de reservas internacionais, garantem as condições para o "fechamento" do balanço de pagamentos. Mas também não se deve alimentar a falsa ilusão de que o país livrou-se definitivamente de qualquer ameaça de vulnerabilidade externa e de que todo e qualquer déficit será financiado, sem qualquer risco. Mesmo a ideia de que o regime de câmbio flutuante tende a atuar como instrumento de correção natural dos desequilíbrios merece ressalvas, visto que os mercados cambiais têm sua dinâmica frequentemente dominada pelos fluxos financeiros, de modo que eventuais desvalorizações compensatórias podem ocorrer apenas quando o déficit em transações correntes já atingiu seu limite e, não raro, ocorre um processo de *overshooting* que provoca grandes danos ao equilíbrio macroeconômico doméstico. A prudência manda que, uma vez identificada uma trajetória potencialmente perigosa, sejam adotadas desde já medidas que procurem mitigar os problemas e reverter a trajetória, até porque as medidas costumam levar algum tempo para surtir efeito.

O primeiro passo para a ação é diagnosticar a fonte do problema. O segundo é mapear as possíveis estratégias de ação para equacionar o problema, identificando as possibilidades e dificuldades associadas a cada estratégia.

O artigo parte da constatação de que o ponto frágil das contas externas do país reside no insuficiente dinamismo das exportações, ou mais especificamente, na incapacidade de o país sustentar um ritmo de crescimento das vendas externas capaz de fazer frente à natural expansão das importações, cuja evolução acompanha o crescimento da produção e da demanda doméstica, notadamente dos investimentos. A despeito de todos os avanços ocorridos nos últimos anos, as exportações continuam representando uma parcela relativamente baixa do PIB (apenas 10% em 2009) e não têm mostrado fôlego suficiente para acompanhar a expansão da demanda doméstica.

A seção 1 apresenta um breve retrato da evolução das exportações brasileiras nos últimos anos, considerando inclusive o impacto da crise internacional, e relacionando-o ao comportamento de variáveis importantes como os termos de troca, o crescimento doméstico e a taxa de câmbio real. A seção 2 busca analisar a composição da pauta exportadora do país, sua estrutura e diversificação, com o intuito de identificar padrões e características que norteiem a elaboração de estratégias exportadoras. A seção 3 dedica-se a mapear diferentes visões e possíveis caminhos a serem considerados como base para a elaboração de estratégias viáveis que visem o crescimento sustentado das exportações brasileiras. O artigo encerra com breves considerações finais.

EVOLUÇAO DAS EXPORTAÇÕES: UM RETRATO

A queda do saldo comercial verificada em 2007-2008 resultou do grande diferencial entre as taxas de crescimento do *quantum* das exportações e das importações. O Gráfico 2 ilustra que, já em meados de 2006, o *quantum* importado crescia a uma taxa duas vezes maior do que o *quantum* das exportações, diferença que se acentuou ainda mais nos dois anos seguintes.

GRÁFICO 2
TAXA DE CRESCIMENTO DO *QUANTUM*
DE EXPORTAÇÕES E DE IMPORTAÇÕES
MÉDIA MÓVEL DE 12 MESES (%)

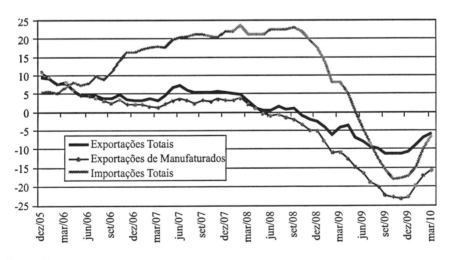

FONTE: Funcex.

Em 2008, a despeito do forte impacto da crise no último trimestre do ano, as quantidades importadas tiveram alta de 17,7%, ao passo que as exportações já registravam queda de 2,5%. O diferencial é ainda maior quando se considera o *quantum* de exportações de manufaturados. Este já vinha crescendo abaixo do ritmo das exportações totais, e em meados de 2008, ou seja, antes da eclosão da crise internacional, registrava variações negativas na comparação com o ano anterior.

O impacto deste diferencial de desempenho foi, no entanto, bastante suavizado pela evolução favorável dos preços. De dezembro de 2005 a outubro de 2008, o país obteve um ganho de 14,3% em seus termos de troca (Gráfico 3), com o aumento de 61,5% dos preços de exportação superando a alta de 41,4% dos preços de importação. É importante destacar que os ganhos do lado das exportações ocorreram inclusive nos bens manufaturados (alta de 42,7%), embora tenham sido bastante maiores nos produtos básicos (+80,3%) e semimanufaturados (+77,3%). Entre as importações, a maior alta correspondeu aos combustíveis (+80,4%), mas foi também bastante expressiva nos bens intermediários (+41,4%) e nos bens de consumo não duráveis (+41,6%).

GRÁFICO 3
TERMOS DE TROCA
(2006 = 100)

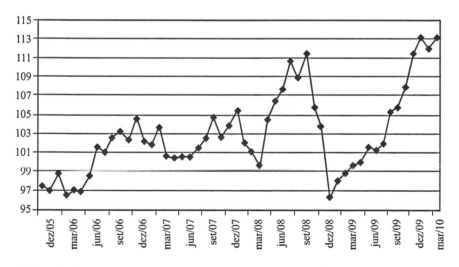

FONTE: Funcex.

237

Embora a magnitude da variação dos termos de troca não pareça tão expressiva, seu impacto sobre o resultado da balança comercial foi decisivo. Caso os preços de exportação e de importação tivessem se mantido estáveis nos níveis observados em dezembro de 2005, o valor das exportações acumulado em 12 meses até outubro de 2008 teria alcançado US$ 127,8 bilhões, o que significa uma perda de US$ 70 bilhões em relação ao que foi efetivamente exportado, enquanto que as importações teriam somado US$ 122,8 bilhões, com perda de US$ 48 bilhões. O resultado teria sido um saldo comercial de apenas US$ 5 bilhões, US$ 21,5 bilhões a menos do que o efetivamente registrado.

É verdade que, como se vê no Gráfico 3, todo o ganho de termos de troca obtido ao longo de três anos foi devolvido em apenas três meses (novembro de 2008 a janeiro de 2009). Mas a recuperação posterior também foi surpreendentemente rápida, de modo que, em dezembro de 2009 o índice de termos de troca já havia retornado ao nível pré-crise e acumulava um aumento de 7,3% em comparação com dezembro de 2008. Em março de 2010 os termos de troca já alcançavam um novo pico histórico, 1,6% acima do pico anterior registrado em outubro de 2008. O que se vem observando desde meados de 2009 até o presente é um forte crescimento dos preços de exportação – que é generalizado entre os diversos tipos de produtos, mas com especial destaque para petróleo e derivados, celulose e produtos siderúrgicos – e uma estabilidade dos preços de importação, com exceção dos combustíveis. A recente alta dos preços do minério de ferro deverá promover novos aumentos dos preços de exportação e melhorar ainda mais os termos de troca até o final do ano, agregando mais alguns bilhões de dólares ao superávit comercial do país.

Não resta dúvida de que os ganhos de termos de troca têm dado grande fôlego à balança comercial brasileira, mas isso não deve mascarar a questão fundamental, que é o baixo crescimento do *quantum* exportado, notadamente dos bens manufaturados. Este fato certamente não pode ser relacionado a problemas de demanda, pois mesmo no período em que o comércio mundial crescia de forma acelerada, como de 2006 a 2008, as exportações brasileiras já registravam fraco desempenho. Na verdade, o Gráfico 4 mostra que, não fossem os ganhos de preço, o Brasil teria registrado queda de *market-share* nas importações mundiais, visto que o *quantum* exportado cresceu a taxas menores do que o *quantum* do comércio mundial entre 2006 e 2008.

GRÁFICO 4

QUANTUM DO COMÉRCIO MUNDIAL, DAS EXPORTAÇÕES TOTAIS
BRASILEIRAS E DAS EXPORTAÇÕES DE MANUFATURADOS
(TAXAS DE CRESCIMENTO ANUAL, EM %)

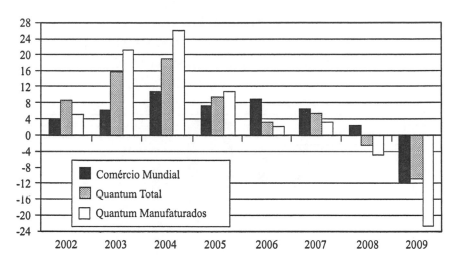

FONTE: FMI.

O que explica a perda de fôlego no crescimento do *quantum* exportado a partir de 2004? Acreditamos que ela resulta da conjugação de dois fatores inter-relacionados: a incompatibilidade entre o crescimento da demanda doméstica e o crescimento das exportações, em virtude de limitações de capacidade produtiva na indústria; e a consequente apreciação da taxa de câmbio real e seus impactos sobre a rentabilidade da atividade exportadora.

EXPORTAÇÕES E CRESCIMENTO DOMÉSTICO

A indústria brasileira apresenta, historicamente, uma grande dificuldade para conciliar o atendimento simultâneo dos mercados doméstico e externo, e este fenômeno vem se repetindo nos últimos anos. O Gráfico 5 apresenta as taxas de crescimento da demanda doméstica e do *quantum* de exportação de manufaturados nos últimos 10 anos, utilizando uma média móvel de três meses para suavizar as variações pontuais. A interpretação do gráfico é inequívoca: as exportações de manufaturados cresceram a taxas elevadas, enquanto

239

a demanda doméstica esteve comprimida, o que foi a tônica no período 1999-2003. Com a retomada do crescimento da demanda a partir de 2004 o *quantum* sofreu uma forte desaceleração, destacadamente nos anos de 2007 e 2008, quando a demanda cresceu a uma taxa média de cerca de 8% a.a.

GRÁFICO 5

TAXA DE CRESCIMENTO DO *QUANTUM* DE EXPORTAÇÕES DE
MANUFATURADOS E DA DEMANDA DOMÉSTICA
MÉDIA MÓVEL DE 3 ANOS (%)

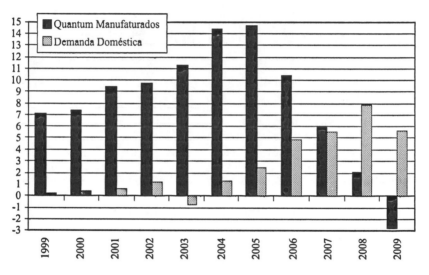

FONTE: Funcex e IBGE.

Isso significa que o crescimento da demanda doméstica ainda é um fator que limita o potencial de crescimento das exportações brasileiras de manufaturados, o que resulta fundamentalmente da baixa taxa de investimento agregado. Na verdade, quanto menor a taxa de investimento, menor o ritmo de crescimento potencial da economia e menor a capacidade de ela crescer sem promover desequilíbrios, seja na forma de inflação ou de déficits externos crescentes. Embora as estimativas não sejam muito precisas, é certo que, com a taxa de investimento atual (não maior do que 20% do PIB) não há como o país crescer mais do que 4% ou 4,5% a.a. Sempre que a demanda doméstica crescer acima desta taxa, como foi o caso em 2007 e 2008, a consequência inevitável será a redução do saldo comercial, com menor crescimento das exportações.

EXPORTAÇÕES E RENTABILIDADE

O Gráfico 6 apresenta as séries do índice de rentabilidade das exportações[2] e da taxa de crescimento do *quantum* de exportação de manufaturados, este último em termos de médias móveis de 12 meses. Dois movimentos chamam atenção. Primeiro, a queda da rentabilidade ocorrida em 2003 não parece ter afetado o desempenho exportador, pois representou apenas o retorno do câmbio a níveis normais, após o *overshooting* ocorrido em 2002. Segundo, a desaceleração das exportações a partir de 2005 parece ter respondido à redução da rentabilidade para níveis historicamente baixos, o que é compatível com a hipótese de que há um determinado nível crítico abaixo do qual as exportações tornam-se pouco rentáveis para diversos setores produtivos.

GRÁFICO 6

TAXA DE CRESCIMENTO DO *QUANTUM* DE EXPORTAÇÕES
DE MANUFATURADOS (MÉDIA MÓVEL DE 12 MESES) E
RENTABILIDADE DAS EXPORTAÇÕES (DEZEMBRO/2003 = 100)

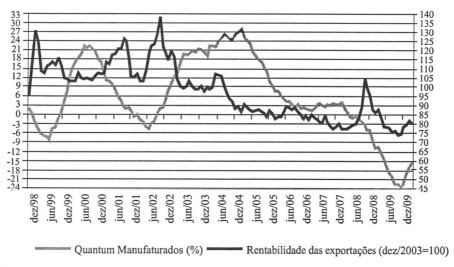

FONTE: Funcex.

---

[2] Índice calculado mensalmente pela Funcex, é composto pela taxa de câmbio nominal R$/US$, o índice de preços de exportação e o índice de custo da produção, como deflator.

241

Em síntese, na primeira metade da década a rentabilidade manteve-se em níveis atraentes para a exportação, a despeito das grandes flutuações. Já na segunda metade a trajetória de queda contínua levou a rentabilidade a níveis que comprometiam a competitividade de parcela relevante dos manufaturados.

ESTRUTURA E DIVERSIFICAÇÃO DAS EXPORTAÇÕES

Entre 2000 e 2008, excluído, portanto, o ano da crise internacional, as exportações totais brasileiras cresceram a uma taxa média de 17,3% ao ano, superior, inclusive, à expansão do comércio mundial (12,1% a.a.). O recente *boom* exportador só pode ser comparado com o ocorrido no período do "milagre", entre 1968 e 1974, quando as exportações brasileiras cresceram a um ritmo de 27,2% ao ano, embaladas por outra extraordinária fase de expansão do comércio mundial, que cresceu a um ritmo de 23,3% a.a. no mesmo período.[3] Esse foi, de fato, o maior surto exportador documentado por nossas estatísticas de comércio exterior.

Há, contudo, diferenças importantes entre esses episódios. O primeiro coincidiu com uma etapa de elevado crescimento do produto doméstico e representou uma profunda mudança na estrutura de nossa pauta de exportação, que se traduziu em rápida expansão da participação dos produtos manufaturados nas vendas externas do país. Essa transformação, mesmo que alimentada por dose generosa de subsídios, foi consensualmente considerada como um marco no desenvolvimento do país, pois consagrava o sucesso de uma estratégia ancorada na expansão e diversificação da estrutura industrial do Brasil.

O recente surto exportador coincidiu, por sua vez, com uma fase de intensa e continuada elevação dos preços internacionais das *commodities,* resultado, em larga medida, da insaciável demanda de matérias-primas agrícolas, minerais e energéticas provenientes de grandes economias emergentes da Ásia. A explosão da demanda externa ocorreu no exato momento em que o *agribusiness* brasileiro começava a colher os frutos de duas décadas de profundas transformações, como resultado de processos de modernização,

---

[3] As informações são baseadas no Unctad, *Handbook of Statistics*, 2009

avanços na área de pesquisa agronômica, incorporação de novas áreas agricultáveis e reestruturação dos esquemas de concessão do crédito agrícola. A partir de 2004, coincidiu, também, com uma contínua e intensa apreciação cambial. Esse conjunto de fatores contribuiu para a ocorrência de nova mudança na estrutura da pauta de exportações do país, mas dessa vez em favor dos produtos básicos.

À diferença das mudanças ocorridas em fins da década de 1960, que tiveram avaliação inequivocamente positiva, a recente reconfiguração da pauta exportadora brasileira gera dúvidas e preocupações. A comemoração pelo fato de o Brasil ter adquirido inegável eficiência na produção de uma ampla gama de *commodities* e ocupar a liderança na exportação mundial de diversos produtos é ofuscada pelo temor de uma especialização "regressiva" de sua economia e de uma eventual concentração de suas vendas externas em produtos de baixo valor agregado e baixa intensidade tecnológica.

As transformações recentes na estrutura da pauta de exportações, assim como a evolução do processo de diversificação/concentração de produtos e mercados externos são examinados a seguir, levando em conta esses temores.

MUDANÇAS RECENTES NA ESTRUTURA DA PAUTA DE EXPORTAÇÕES

O Gráfico 7 mostra a evolução da participação de manufaturados, básicos e semimanufaturados na pauta de exportação brasileira, no período 1990 a 2009. Note-se que entre 1990 e 2005, a participação dos manufaturados manteve-se relativamente estável, oscilando em torno de uma média de 56%. Nesse período, verifica-se a ocorrência de dois picos, que não se sustentam, o primeiro em 1993, quando a participação dos manufaturados alcança 60,8%, e o segundo em 2000, quando ela atinge um patamar ligeiramente inferior (59,8%). A partir de 2005, contudo, a tendência declinante é nítida, além de bastante rápida, com a participação dos manufaturados encolhendo de forma persistente, até se reduzir para 44% em 2009.

GRÁFICO 7

PARTICIPAÇÃO (%) DAS CLASSES DE PRODUTOS
NAS EXPORTAÇÕES BRASILEIRAS

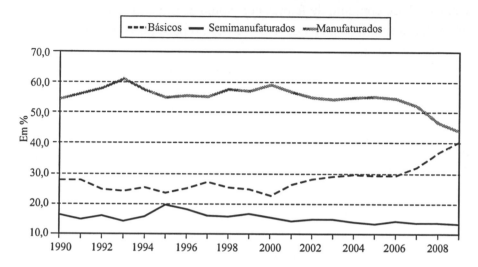

FONTE: Secex/MDIC.

Destaque-se, ainda, que os dados correspondentes ao primeiro trimestre de 2010, quando comparados com os de idêntico período de 2009, apontam para uma retração adicional de 2 p.p. na participação dos manufaturados, sugerindo que a trajetória de queda não foi interrompida. Note-se, também, que os produtos básicos vêm aumentando sua participação de forma quase ininterrupta desde o ano 2000, haja vista que os semimanufaturados apresentam trajetória de suave declínio desde meados da década de 1990.

A queda na participação dos manufaturados não pode ser explicada em virtude de problemas de mensuração ou de agregação, nem constitui um fenômeno que possa ser atribuído à crise internacional, mesmo que o enfraquecimento da demanda externa tenha colaborado para seu agravamento.

Com efeito, a eventual exclusão de um grupo de produtos (etanol, derivados do petróleo, óleos vegetais refinados, açúcar refinado, sucos de frutas, entre outros) que as estatísticas da Secex incluem na classe dos manufaturados, mas que outras classificações mais criteriosas consideram como produtos

244

primários ou semiprocessados, não reduz nem amplia a queda, que se mantém em 11 pontos percentuais entre 2005 e 2009. De outro lado, ainda que a crise financeira internacional possa ter afetado de forma particularmente intensa nossos principais mercados de destino de produtos industriais, notadamente os Estados Unidos e os países da Aladi, a queda na participação dos manufaturados é anterior à retração dos fluxos de comércio mundial. De fato, em setembro de 2008, essa participação, medida com base na exportação acumulada em 12 meses, já tinha se reduzido para 47,6%. O fenômeno, portanto, obedece a outros fatores que não apenas a crise.

A evolução da participação setorial das exportações no período 2000-2009, apresentada na Tabela 2, mostra quais as atividades econômicas que aumentaram ou diminuíram sua participação na pauta de exportação.

Entre as atividades que ganham peso na pauta, o predomínio dos setores produtores de *commodities* é absoluto, com destaque para a extração de petróleo, o refino de petróleo, a extração de minerais metálicos e a agropecuária. Note-se que entre 2000 e 2008 — excluído, portanto, o ano da crise —, esses quatro setores aumentam sua participação em mais de 13 pontos percentuais, sendo que metade do ganho é devida exclusivamente ao setor de extração de petróleo. O quinto setor com aumento notável de participação na pauta é o setor produtor de alimentos e bebidas.

Diferentemente dos ganhos, bastante concentrados, as perdas de participação se distribuem entre um número bem mais amplo de setores, como destacado na Tabela 2. Contudo, elas são particularmente significativas em alguns setores específicos, como couro e calçados, outros materiais de transporte, veículos automotores, e material elétrico e comunicações. Em todos esses setores, as perdas de participação se agravaram ainda mais em 2009.

É conveniente examinar as mudanças ocorridas na pauta de exportações à luz de algumas classificações compactas, que desagregam as exportações com base em diferentes atributos dos bens comercializados e/ou dos setores que os produzem, como a origem setorial e a fonte das vantagens comparativas, o uso de fatores produtivos, o grau de intensidade tecnológica e o destino do consumo.

O uso de classificações alternativas pode se mostrar esclarecedor para a identificação de padrões ou determinantes comuns. Os resultados, mostrados nas Tabelas 3, 4 e 5, contribuem, de fato, para um melhor entendimento das

TABELA 2

PARTICIPAÇÃO DOS PRINCIPAIS SETORES NA PAUTA DE EXPORTAÇÃO
ANOS SELECIONADOS

Em %

Setores (CNAE)	2000	2002	2004	2006	2008	2009	Exportação setorial Var. 2000/2008 (em % a.a.)
Produtos alimentícios e bebidas	**14,5**	**18,1**	**17,7**	**16,6**	**17,0**	**20,4**	**19,7**
Agricultura e pecuária	**8,8**	**9,7**	**10,3**	**8,4**	**10,5**	**13,7**	**20,1**
Metalurgia básica	11,1	10,1	10,9	11,4	10,5	8,8	16,5
Extração de minerais metálicos	**5,8**	**5,3**	**5,4**	**7,1**	**9,5**	**9,4**	**24,6**
Veículos automotores, reboques e carrocerias	9,9	9,2	9,8	10,0	7,8	6,2	13,9
Extração de petróleo	**0,3**	**2,8**	**2,6**	**5,0**	**6,9**	**6,1**	**74,6**
Máquinas e equipamentos	5,2	5,2	6,2	5,7	5,2	4,4	17,3
Produtos químicos	6,6	5,8	5,5	5,5	5,1	5,8	13,6
Outros equipamentos de transporte	7,1	5,1	5,7	3,8	4,8	3,4	11,7
Coque, refino de petróleo e combustíveis	**1,6**	**2,5**	**2,6**	**4,0**	**3,8**	**3,0**	**30,6**
Celulose, papel e produtos de papel	4,6	3,4	3,0	2,9	2,9	3,3	11,0
Preparação de couros, seus artefatos e calçados	4,4	4,3	3,4	2,9	2,0	1,8	6,5
Máquinas, aparelhos e materiais elétricos	1,8	1,7	1,5	2,0	1,9	2,0	18,7
Artigos de borracha e plástico	1,7	1,5	1,5	1,5	1,4	1,5	14,7
Material eletrônico e de comunicações	3,4	3,3	1,8	2,6	1,4	1,3	5,4
Produtos de madeira	2,6	2,9	3,1	2,3	1,4	1,1	8,4
Produtos de metal	1,1	0,9	1,0	1,0	1,1	1,1	17,2
Produtos têxteis	1,6	1,5	1,6	1,2	1,0	1,1	11,0
Produtos de minerais não metálicos	1,5	1,5	1,5	1,5	1,0	0,9	11,6
Móveis e indústrias diversas	1,5	1,4	1,4	1,1	0,8	0,8	8,9
Subtotal 20 setores	95,1	96,0	96,5	96,3	96,2	96,1	17,5
Demais setores	4,9	4,0	3,5	3,7	3,8	3,9	13,5
Total	**100,0**	**100,0**	**100,0**	**100,0**	**100,0**	**100,0**	**17,3**

Fonte: Elaborado pela Funcex a partir de dados da Secex/MDIC.

transformações ocorridas na pauta. Há claramente dois grupos de produtos cujo desempenho no período 2000/2008 é significativamente inferior ao de resto da pauta: de um lado, os produtos de baixa tecnologia, intensivos em mão de obra e que algumas classificações denominam como "bens tradicionais"; de outro, os produtos de alta tecnologia, intensivos em P&D ou produtos difusores do progresso técnico. Em termos setoriais, o primeiro grupo de produtos corresponde a bens produzidos pelas indústrias de calçados, madeira e móveis, têxteis e de produtos não metálicos, enquanto o segundo grupo diz respeito a produtos elaborados pelas indústrias de "outros equipamentos de transporte" (aeronáutica) e de material eletrônico e de comunicações.

Note-se, ainda, que o exame das Tabelas 2 a 5 mostra, com clareza, que as perdas de participação dos setores intensivos em mão de obra e de baixa tecnologia se concentram no período pós-2004, quando se acentua a apreciação cambial, piora a relação câmbio/salários e torna-se mais acirrada a concorrência externa, principalmente a chinesa. Trata-se, também, de setores heterogêneos, com elevada participação de empresas de menor porte, cujas fragilidades e/ou deficiências competitivas são conhecidas.

No caso dos produtos de alta tecnologia é preciso destacar *a priori* que, no Brasil, suas exportações estão muito concentradas em apenas dois setores: aeronáutica/aeroespacial e eletrônica e comunicações.

TABELA 3

PARTICIPAÇÃO NA PAUTA DE GRUPOS DE PRODUTOS
CLASSIFICADOS SEGUNDO A ORIGEM SETORIAL E
A INTENSIDADE NO USO DE FATORES
ANOS SELECIONADOS

Em %

Grupos de produtos	2000	2004	2008	2009	Valor exportado Var. 2000/2008 (em % a.a.)
Produtos primários	**17,5**	**21,0**	**29,5**	**32,1**	**25,2**
Agrícolas	10,2	11,9	11,8	15,2	19,4
Minerais	7,0	6,5	10,8	10,8	23,8
Energéticos	0,3	2,6	6,9	6,1	74,3

Continua...

Em %

Grupos de produtos	2000	2004	2008	2009	Valor exportado Var. 2000/2008 (em % a.a.)
Produtos semimanufaturados	**29,1**	**30,9**	**29,5**	**32,0**	**17,5**
Agrícolas/mão de obra intensivos	14,0	17,2	15,0	15,3	18,3
Agrícolas/capital intensivos	6,6	5,7	5,7	8,7	15,1
Minerais	7,1	6,0	6,2	5,9	15,4
Energéticos	1,4	1,9	2,5	2,1	26,7
Produtos manufaturados	**51,4**	**46,6**	**38,6**	**33,3**	**13,2**
Indústrias intensivas em trabalho	9,3	7,6	4,6	4,4	7,4
Indústrias intensivas em economias de escala	19,7	20,2	18,2	14,9	16,2
Fornecedores especializados (bens de capital)	9,3	11,3	9,5	7,7	17,7
Indústrias intensivas em P&D	13,2	7,5	6,4	6,4	7,1
Demais produtos	**2,0**	**1,5**	**2,5**	**2,6**	**20,8**
Total das exportações	**100,0**	**100,0**	**100,0**	**100,0**	**17,3**

ELABORAÇÃO: Funcex.

FONTE: Dados da Secex/MDIC. Metodologia baseada em estudo de Pavitt (1984).

TABELA 4

PARTICIPAÇÃO NA PAUTA DE PRODUTOS
CLASSIFICADOS SEGUNDO DESTINO DO CONSUMO
ANOS SELECIONADOS

Em %

Grupos de produtos	2000	2004	2008	2009	Valor exportado Var. 2000/2008 (em % a.a.)
Bens primários	**16,8**	**20,3**	**28,3**	**30,9**	**25,2**
Agrícolas	10,1	11,7	11,5	14,8	19,3
Minérios	6,5	6,0	9,9	9,9	23,8
Energéticos	0,3	2,6	6,9	6,1	74,3

Continua...

Grupos de produtos	2000	2004	2008	2009	Valor exportado Var. 2000/08 (em % a.a.)
Bens industrializados	81,2	78,2	69,2	66,6	15,0
Alimentos, bebidas e fumo	12,9	15,5	15,2	19,1	19,8
Outros bens tradicionais	13,6	12,3	7,5	7,2	8,8
Bens com elevadas economia de escala e intensivos em RN	25,3	24,2	24,3	21,7	16,8
Bens duráveis e suas partes	9,0	10,1	8,1	5,6	15,7
Bens difusores de progresso técnico	20,4	16,1	14,1	13,0	12,1
Demais produtos	2,0	1,5	2,5	2,6	20,8
Total das exportações	100,0	100,0	100,0	100,0	17,3

ELABORAÇÃO: Funcex.

FONTE: Dados da Secex/MDIC. Metodologia baseada em estudo da Cepal (1990).

TABELA 5

PARTICIPAÇÃO NA PAUTA DE PRODUTOS CLASSIFICADOS SEGUNDO INTENSIDADE TECNOLÓGICA

Em %

Grau de intensidade tecnológica	2000	2004	2008	2009	Valor exportado Var. 2000/2008 (em % a.a.)
Não industriais	16,6	20,0	28,3	31,6	25,5
Industriais	81,5	78,5	69,3	66,6	15,0
Baixa	29,0	29,9	24,7	27,5	15,0
Média-baixa	16,8	18,1	17,3	14,5	17,8
Média-alta	24,7	24,2	21,8	19,1	15,6
Alta	11,0	6,3	5,4	5,5	7,4
Demais produtos	1,9	1,5	2,4	1,8	20,7
Total das exportações	100,0	100,0	100,0	100,0	17,3

ELABORAÇÃO: Funcex.

FONTE: Dados da Secex/MDIC. Metodologia baseada em estudo da OECD [Hatzichronoglou, T. (1997)].

De fato, esses setores responderam, invariavelmente por 75% a 82% das exportações de bens de alta tecnologia do período 2000 a 2009.[4] A escassa diversificação dessas exportações, concentradas, a rigor, em pouco mais de dois produtos (aeronaves e celulares), as torna vulneráveis a problemas localizados de demanda externa e também de oferta, como o lançamento de novos modelos. É paradigmática, nesse sentido, a queda sofrida na comercialização de aeronaves imediatamente após o episódio de 11/9/2001. Note-se, nesse sentido, que diferentemente do observado no caso dos bens intensivos em mão de obra, a queda de participação das exportações de alta tecnologia na pauta já havia sofrido redução logo no início da década, agravando-se nos últimos três anos.

Não cabe aqui qualquer diagnóstico mais aprofundado acerca de quais foram os fatores relevantes capazes de explicar o fraco desempenho exportador desses setores, relativamente a outros setores com menor intensidade tecnológica. Note-se, inclusive, que são setores que demandam intensivamente peças, partes e insumos importados, o que deve ter amenizado o impacto da apreciação cambial sobre a rentabilidade exportadora desses setores.

Merece registro, contudo, o fato de que os setores de alta tecnologia foram alvo específico da política industrial do período 2004-2008, que se concentrou na produção de fármacos e medicamentos, semicondutores, bens de capital e produtos da biotecnologia e da nanotecnologia. Mais recentemente, a política industrial voltou a eleger esses setores como prioritários, incluindo também boa parte dos setores de baixa tecnologia (madeira e móveis, têxteis e confecções, couro e calçados, construção civil) cujo desempenho exportador foi claramente insatisfatório nos últimos anos. A escassa diversificação das exportações de alta tecnologia e o fraco desempenho dos demais setores acima mencionados sugere, portanto, a necessidade de se avaliar com mais cuidado a eficácia dessas iniciativas.

Ainda que o encolhimento da participação de produtos considerados "nobres" (produtos de alta tecnologia e/ou bens difusores do progresso técnico) na pauta exportadora seja fato inegável, cabe indagar qual é o grau de "sofisticação" da cesta exportadora brasileira, comparativamente à cesta de países concorrentes?

---

[4] A parcela restante corresponde a produtos exportados por outros setores. De fato, os produtos de alta tecnologia abrangem outros sete grupos de produtos: (i) computadores e máquinas de escritório; (ii) instrumentos científicos e de precisão; (iii) máquinas elétricas; (iv) máquinas não elétricas; (v) produtos da química fina; (vi) medicamentos; e (vii) armamentos.

Essa pergunta é respondida num estudo recente (Hausmann, 2008) destinado a diagnosticar as causas do baixo crescimento do Brasil nos últimos anos. A resposta, baseada numa medida de sofisticação da cesta exportadora,[5] é que o Brasil detém uma cesta de exportação altamente sofisticada, bastante superior à que seria esperada em função de seu nível de renda per capita. A composição da pauta exportadora do Brasil não poderia ser invocada, portanto, como um dos fatores capazes de contribuir para o baixo crescimento.[6]

A Tabela 6 retrata outro tipo de comparação, elaborada com base em indicadores certamente mais rudimentares, que tende a confirmar a percepção de que a composição da pauta exportadora brasileira é bastante satisfatória.

TABELA 6

INDICADORES DE SOFISTICAÇÃO DA PAUTA DE EXPORTAÇÃO
COMPARAÇÕES ENTRE PAÍSES SELECIONADOS

Países	Manufaturados (conceito Secex) / Exportação total (em US$ bilhões)	Manufaturados de alta + média alta intensidade / Produtos Industriais (em %)	Bens de capital + Bens intensivos em P&D/Produtos Manufaturados (em %)	Bens difusores de progresso técnico/Bens industrializados (em %)
Coreia do Sul	409,8	63,6	63,5	40,1
China	1.370,6	56,4	54,1	43,0
México	224,9	74,7	59,9	39,7
Brasil	**92,6**	**39,4**	**41,2**	**20,4**
África do Sul	35,4	41,0	33,2	16,0
Índia	146,1	27,2	32,5	14,4
Argentina	30,7	30,7	30,8	9,0
Rússia	144,6	21,3	28,2	6,2

FONTE: Dados básicos do Comtrade. ELABORAÇÃO: Funcex.

As exportações brasileiras de produtos manufaturados (conceito Secex) mostram-se pouco expressivas quando comparadas às da China, Rússia e

---

[5] Ver Hausmann, Hwang e Rodrik (2005).
[6] Hausmann atribui valor preditivo a essa medida de "sofisticação" do pacote exportador de um país: "... *this measure is highly predictive of future growth: countries tend to converge to the income level of their competitors.*" O baixo crescimento do Brasil, contudo, frustra essa previsão (Hausmann, 2008, p. 4 e ss.).

México, e bastante inferiores, também, às da Rússia e da Índia.[7] Isso é o resultado do baixo grau de abertura da economia brasileira, cuja relação exportações de bens/PIB é a menor entre os países selecionados, mas, também, a diferenças nas vantagens comparativas decorrentes da dotação diferenciada de recursos produtivos do país. Ainda assim, a participação relativa de produtos "nobres" na pauta de exportação de bens industriais ou manufaturados, conforme definidos em cada classificação, aponta para um posicionamento razoavelmente satisfatório do Brasil.

EVOLUÇÃO DA DIVERSIFICAÇÃO DE PRODUTOS E MERCADOS

Há três questões bastante discutidas na literatura econômica sobre diversificação de exportações que vale a pena relembrar. Elas podem ser colocadas na forma de três indagações: A diversificação exportadora beneficia o crescimento? Quais são os determinantes da diversificação exportadora? Qual é o impacto da diversificação sobre o crescimento das exportações?

De modo geral, os estudos concluem que a diversificação das exportações pode favorecer o crescimento econômico, em virtude de dois efeitos: em primeiro lugar, o efeito carteira (portfólio), que destaca o impacto favorável da diversificação de produtos e mercados para a menor volatilidade das receitas de exportação, dos termos de troca e da taxa de câmbio real, contribuindo, indiretamente, para a menor variância do PIB; em segundo lugar, os efeitos dinâmicos promovidos pela diversificação, principalmente efeitos de aprendizagem (qualificação de mão de obra e de firmas) e de "descoberta" (novos produtos, novos setores, novas demandas externas), que se disseminariam em virtude de externalidades diversas e efeitos de transbordamento (*spillovers*) (Agosín, 2009).

No que tange aos determinantes do processo de diversificação, quatro são frequentemente destacados: a dotação de recursos, a distância econômica, a disponibilidade de capital humano e a taxa de câmbio real (nível e volatilidade). Países com ampla e rica dotação de recursos naturais tendem a apresentar pautas de exportação mais concentradas, o mesmo acontecendo com economias remotas ou países que enfrentam altos custos de comércio (deficiente infraestrutura e logística de exportação) e não contam com parceiros comerciais

---

[7] A ordem, contudo, depende crucialmente do conceito de "manufaturados". A exclusão dos derivados do petróleo da definição torna o Brasil um exportador mais expressivo do que a Rússia.

de tamanho de mercado relevante. Por último, taxas de câmbio apreciadas e/ou voláteis exacerbam riscos, inibem decisões de investimento e não propiciam a diversificação (Agosín et al., 2009).

A contribuição da diversificação exportadora para o crescimento das exportações é assunto controverso. A decomposição do crescimento exportador em dois efeitos — o primeiro resultando da expansão das vendas externas de produtos "antigos" para mercados previamente atendidos *(intensive margin)*, e o segundo decorrente da introdução de novos produtos na pauta e/ou do acesso a novos mercados *(extensive margin)* — tem mostrado resultados discrepantes. Contudo, alguns estudos mais recentes parecem apontar o primeiro efeito (antigos produtos para antigos mercados) como sendo, de longe, ou mais relevante. De outro lado, o impacto da diversificação geográfica parece mais relevante que o da diversificação produtiva. Por último, alguns estudos enfatizam a importância da sobrevivência, tanto de firmas quanto de relações comerciais de exportação (produto-destino) para a expansão das vendas externas. Aumentos marginais nas taxas de sobrevivência resultariam em incrementos muito expressivos das exportações (Amurgo-Pacheco e Pierola, 2008; Besedes e Prusa, 2008).

Diversificação exportadora no nível da firma

A diversificação exportadora constitui, em última instância, o resultado de um processo decisório que ocorre no nível das firmas. São elas que tomam a decisão de ingressar ou não na atividade exportadora, ampliar a gama de produtos exportados ou acessar novos mercados.

O Gráfico 8 retrata a evolução da base exportadora brasileira no período 1990-2009. Verifica-se que a despeito de continuados esforços voltados para a promoção das exportações, a sensibilização e capacitação de empresas e a disseminação de informações sobre oportunidades propiciadas pelo mercado externo, a rentabilidade exportadora continua se mostrando como o principal determinante da decisão de ingresso das firmas na atividade de exportação. De fato, como mostrado no gráfico, a base exportadora se expande em resposta à desvalorização do câmbio real (1991-1992; 1999; 2002-2003) e estagna ou se contrai nos períodos em que o câmbio real se aprecia (1994-1998; 2004-2009). O efeito da sobrevalorização do câmbio não é, contudo, simétrico. Seu impacto sobre a evolução da base exportadora é sempre mais suave e mais demorado, em virtude de histerese.

GRÁFICO 8
NÚMERO DE EMPRESAS EXPORTADORAS E CÂMBIO REAL [1]
PERÍODO 1990-2009

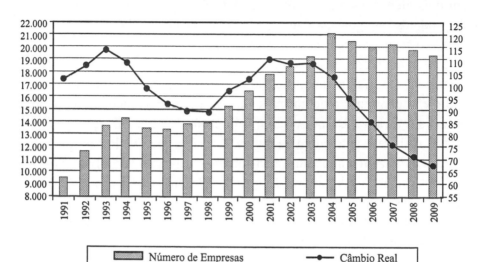

Discriminação	2001	2002	2003	2004	2005	2006	2007	2008	2009
Nº de firmas	17.775	18.380	19.203	21.031	20.488	19.956	20.191	19.797	19.272
Exportação (US$ Bi)	58,2	60,4	73,1	96,5	118,3	137,6	160,3	197,6	152,7
Média por firma (US$ Mi)	3,27	3,29	3,81	4,59	5,77	6,89	7,94	9,98	7,92

OBS.: Exclui exportações de pessoas físicas. NOTA: (1) Média móvel trienal.

FONTES: Secex/MDIC, BCB e IBGE.

O acelerado crescimento das exportações entre 2002 e 2008 não pode ser atribuído, de maneira alguma, à expansão da base exportadora, que registrou nesse período um incremento muito pouco expressivo (7,7%). Note-se, de outro lado, que a combinação de rápido incremento no valor das exportações com lenta evolução da base exportadora resulta em forte elevação da exportação média por empresa, que triplica, passando de US$ 3,3 milhões em 2002 para quase US$ 10 milhões em 2008.

Cabe indagar em que medida o explosivo incremento do valor médio exportado pelas firmas pode ser associado a um aumento da diversificação, seja em termos de produtos ou de mercados. Para responder a essa indagação, são apresentadas as Tabelas 7 e 8, que discriminam as firmas exportadoras do período 2001 a 2009 de acordo com o número de produtos (SH-6 dígitos) exportados e o número de mercados de destino (países) atingidos, respectivamente.

Os dados apresentados destacam, em primeiro lugar, o elevado grau de heterogeneidade das empresas exportadoras brasileiras. De fato, em 2001, 38,71% das firmas exportadoras comercializavam apenas um único produto no exterior, respondendo por somente 10,2% da exportação total brasileira. Em contraste, pouco mais de 11% das empresas exportadoras conseguiam vender 10 ou mais produtos no exterior, mas essas empresas respondiam por 54,6% da exportação total do país. A mesma heterogeneidade é observada em relação ao número de mercados de destino: em 2001, 43,8% das empresas vendiam para um único mercado (país) e suas exportações representavam apenas 2,8% do total exportado; de outro lado, 10,5% das empresas conseguiam acessar 10 ou mais mercados, mas suas vendas representavam nada menos do que 78,5% das vendas externas totais do Brasil.

TABELA 7

DISTRIBUIÇÃO DE NÚMERO DE EMPRESAS E VALORES EXPORTADOS
SEGUNDO O NÚMERO DE PRODUTOS EXPORTADOS
ANOS SELECIONADOS

Em %

Produtos	2001		2003		2005		2008		2009	
	Empresas	Valor	Empresas	Valor	Empresas	Valor	Empresas	Valor	Empresas	Valor
1	38,7	10,2	37,0	10,2	35,5	9,5	37,6	7,2	38,4	7,9
2	17,2	6,7	18,0	5,6	17,4	5,8	17,2	7,9	17,3	9,2
3	9,8	5,8	10,2	4,9	10,8	3,9	10,4	3,7	10,0	4,2
4	5,8	5,4	6,8	7,2	6,9	7,6	6,3	5,1	6,4	5,6
5	5,2	3,1	4,8	3,7	4,7	3,5	4,7	3,4	4,2	11,4
6 a 9	10,2	14,1	9,4	7,5	9,5	11,0	9,3	16,2	8,9	7,1
10 ou +	13,1	54,6	13,9	60,9	15,3	58,7	14,4	56,5	14,7	54,6
Total	100,0	100,0	100,0	100,0	100,0	100,0	100,0	100,0	100,0	100,0

FONTE: Secex/MDIC. Elaboração: Funcex.

TABELA 8

DISTRIBUIÇÃO DE NÚMERO DE EMPRESAS EXPORTADORAS
E VALORES EXPORTADOS SEGUNDO O NÚMERO
DE MERCADOS DE DESTINO ATINGIDOS
ANOS SELECIONADOS

Em %

Mercados	2001		2003		2005		2008		2009	
	Empresas	Valor	Empresas	Valor	Empresas	Valor	Empresas	Valor	Empresas	Valor
1	43,8	2,8	41,4	2,3	39,4	2,0	30,7	1,4	31,5	1,1
2	16,8	2,3	16,5	1,5	15,6	1,7	14,7	1,8	15,5	1,8
3	9,0	2,3	9,5	1,9	9,0	1,8	9,3	1,4	9,4	1,5
4	6,2	1,9	6,4	1,9	6,4	1,3	7,1	1,1	6,8	0,9
5	4,4	3,3	4,5	2,5	4,7	1,7	5,3	1,4	5,3	1,3
6 a 9	9,3	9,0	10,0	7,3	11,1	7,3	13,0	4,6	12,4	4,3
10 ou +	10,5	78,5	11,7	82,5	13,8	84,1	19,8	88,3	19,2	89,1
Total	100,0	100,0	100,0	100,0	100,0	100,0	100,0	100,0	100,0	100,0

FONTE: Secex/MDIC. ELABORAÇÃO: Funcex.

A heterogeneidade da base exportadora brasileira e a elevada concentração das vendas externas do país em um número reduzido de firmas com capacidade para exportar "muitos produtos para muitos mercados" não é uma característica distintiva do Brasil. O mesmo fenômeno tem sido identificado em países como Estados Unidos, França e Chile, cujas pautas de exportação guardam pouca semelhança entre si.[8]

Ao examinar, ainda, a evolução do número de firmas e respectivos valores exportados ao longo do período 2001-2009, constata-se que as empresas brasileiras registraram avanços muito expressivos em termos da diversificação geográfica de suas exportações, mas pouco evoluíram em termos da diversificação de suas cestas exportadoras.

---

[8] No Chile, em 2001, 40,8% das firmas exportavam um único produto e respondiam por apenas 6,3% das vendas externas totais. De outro lado, somente 12,7% das firmas exportavam 10 ou mais produtos, mas elas respondiam por pouco mais de 50% da exportação do país. A discriminação das firmas exportadoras com base no número de mercados atingidos apresentava dados ainda mais contrastantes, de modo análogo ao observado no Brasil (ver Álvarez e Fuentes, 2009). De outro lado, Bernard, Jensen e Schott (2005) retratam um quadro similar no caso dos Estados Unidos, com a ressalva de que os dados de comércio são mais desagregados.

De fato, note-se que entre 2001 e 2009 diminui significativamente (12,3 p.p.) a participação de empresas que exportam para um único mercado ao mesmo tempo em que aumenta de forma expressiva (8,3 p.p.) a participação, na base exportadora, de empresas que exportam para 10 ou mais mercados, o mesmo acontecendo com os respectivos valores exportados (Tabela 8). A importância de empresas que detêm elevada diversificação geográfica de suas exportações é inquestionável: em 2009, cerca de 3.700 empresas (19,2% da base exportadora) acessaram 10 ou mais mercados e responderam por pouco mais de 89% (US$ 136 bilhões) da exportação total brasileira daquele ano.

De outro lado, não houve, nesse período, qualquer mudança significativa em termos da diversificação de produtos. Com efeito, permaneceu relativamente constante a participação, na base exportadora, de empresas que exportaram um único produto, que oscilou entre 35,5% e 38,5% ao longo do período, assim como a participação daquelas que exportaram 10 ou mais produtos, que variou entre 13,5% e 14,8% (Tabela 7). A concentração de valores exportados em empresas com elevada diversificação de produtos é, ainda assim, expressiva: em 2009, cerca de 2.850 empresas exportaram 10 ou mais produtos e responderam por vendas externas da ordem de US$ 83,4 bilhões, ou seja, mais de 54% da exportação brasileira total daquele ano.

Qual é a avaliação do desempenho das empresas exportadoras brasileiras no período 2001-2009, que teve como principais características a lenta expansão da base exportadora, o expressivo aumento da exportação média por empresa, a intensa diversificação geográfica das vendas externas e uma relativa constância em termos da diversificação de produtos?

Os aspectos negativos dizem respeito à lenta expansão da base exportadora, cujo incremento depende crucialmente do ingresso de MPEs na atividade de exportação, haja vista que é reduzido o número de empresas de grande porte que não destinam parte de suas vendas ao mercado externo. O aumento da base entre 2001 e 2009 foi, de fato, pouco expressivo (em torno de 1.500 empresas), como resultado, inclusive, da contração observada entre 2004 e 2009 (redução de mais de 1.700 empresas). Uma base exportadora pequena, comparativamente à base produtiva do país, reduz o impacto de efeitos de aprendizado (*learning by exporting; learning from others*) e de *spillovers*, que podem resultar da interação entre empresas exportadoras com mercados e clientes externos.

A inexistência de avanço em termos da diversificação de produtos é outro aspecto negativo e pode ser creditado, em parte, à redução da rentabilidade exportadora a partir de 2004. Note-se, nesse sentido, que entre 2001 e 2005 ocorre redução da participação de empresas que exportam um único produto e aumento daquelas que exportam 10 ou mais produtos, processo, no entanto, que é revertido nos anos subsequentes (Tabela 7), quando a taxa de câmbio sofre apreciação real.

Por último, os aspectos positivos dizem respeito à crescente participação na exportação, tanto em termos relativos como absolutos, de um número expressivo de empresas que consegue diversificar mercados. Essa evolução é crucial e aponta para a existência de um segmento de empresas exportadoras robustas e consolidadas, que detêm razoável capacidade para resistir a oscilações da demanda externa. É significativa, também, a interseção entre empresas que exportam, simultaneamente, 10 ou mais produtos para 10 ou mais mercados. Em 2008, seu número era superior a 1.400 empresas (7,3% da base exportadora) e essas empresas respondiam por 55% (US$ 108,7 bilhões) da exportação total brasileira.

Diversificação da pauta exportadora

A diversificação no nível das firmas pode não se traduzir em diversificação da pauta exportadora global, pois as mudanças observadas nesse nível podem não resultar em efetivo alargamento de produtos e mercados quando considerada a totalidade da base exportadora do país.

As Tabelas 9, 10 e 11 mostram, nesse sentido, a evolução da diversificação da pauta exportadora global, em termos de produtos, e a comparam com a evolução ocorrida em outros países, no mesmo período, com base em indicadores alternativos.

A Tabela 9 mostra a evolução do índice Herfindhal-Hirschmann para anos selecionados do período 2000 a 2008. O indicador (normalizado) pode variar entre 0 e 1, sendo que valores mais próximos da unidade indicam maior grau de concentração.

TABELA 9
ÍNDICE DE CONCENTRAÇÃO HERFINDHAL-HIRSCHMANN
DAS EXPORTAÇÕES TOTAIS [1]
PAÍSES E ANOS SELECIONADOS

Países	2000	2004	2008
China	0,078	0,109	0,098
Brasil	0,089	0,083	0,108
Argentina	0,138	0,143	0,146
Coreia do Sul	0,158	0,163	0,153
África do Sul	0,141	0,137	0,154
Índia	0,147	0,121	0,159
México	0,138	0,134	0,164
Rússia	0,282	0,321	0,364
Países em desenvolvimento	0,133	0,121	0,141
Países desenvolvidos	0,071	0,068	0,063
Mundo	0,075	0,070	0,082

NOTA: (1) Índice normalizado variando entre 0 e 1 (máxima concentração). Cálculo é baseado na STIC — Revisão 3, na desagregação a 3 dígitos.

FONTE: Unctad, *Handbook of Trade Statistics* — 2009.

Note-se que o indicador, calculado pela Unctad, destaca a elevada diversificação da pauta exportadora do Brasil relativamente aos demais países amostrados, com exceção da China. Constata-se, ainda, um ligeiro aumento da concentração no Brasil entre 2000 e 2008, mais o mesmo acontece com quase todos os demais países selecionados.

A Tabela 10 retrata e evolução do número de produtos SH-6 dígitos exportado pelos países amostrados, para anos selecionados do período 2000-2008. A contagem é baseada em informações da base de dados das Nações Unidas (Comtrade) e em uma mesma versão do Sistema Harmonizado (SH-1996), para evitar distorções. Consoante os dados apresentados, o número de produtos exportados pelo Brasil em 2008 é inferior ao da maioria dos demais países selecionados, com exceção da Argentina e da Rússia, mas não muito distante do número de produtos exportado pelo México e a Coreia. Note-se, também, que ocorre redução no número de produtos exportados entre 2000 e 2008 para

259

todos os países, exceto a Índia. Em termos absolutos, contudo, o Brasil é o que apresenta a menor redução, a despeito de ter sofrido intensa apreciação da taxa de câmbio real.

TABELA 10
DIVERSIFICAÇÃO DAS EXPORTAÇÕES TOTAIS
SEGUNDO O NÚMERO DE SH-6 EXPORTADAS
PAÍSES E ANOS SELECIONADOS

Países	2000		2004		2008		Var. 2000-2008	
	SH-6 (Nº)	Valor (US$ Bi)	SH-6 (Nº)	Valor (US$ Bi)	SH-6 (Nº)	Valor (US$ Bi)	SH-6 (Abs)	Valor (%a.a.)
Índia	4.636	42,36	4.818	79,83	4.829	181,86	193	20,0
China	4.947	249,20	4.880	593,33	4.571	1.430,69	(376)	24,4
África do Sul	4.840	26,30	4.821	40,26	4.560	73,97	(280)	13,8
México	4.507	166,29	4.330	187,98	4.348	291,26	(159)	7,3
Coreia do Sul	4.504	172,27	4.481	253,80	4.325	422,00	(179)	11,8
Brasil	**4.376**	**55,12**	**4.452**	**96,68**	**4.269**	**197,94**	**(107)**	**17,3**
Rússia	4.537	103,09	4.370	181,60	4.064	467,99	(473)	20,8
Argentina	4.068	26,34	4.101	34,58	3.930	70,02	(138)	13,0

OBS.: Países ordenados pela participação decrescente do numero de SH-6 dígitos exportadas em 2008.

NOTA: A contagem foi baseada na versão 1996 do SH, que compreende um total de 5.132 SH-6 dígitos.

FONTE: Comtrade.

É importante destacar que entre os pouco mais de 860 produtos SH-6 dígitos *não* exportados pelo Brasil em 2008, apenas 1/3 é produto de média-alta ou alta tecnologia, o resto correspondendo a bens não industrializados ou a produtos de média-baixa ou baixa intensidade tecnológica.

Por último, a Tabela 11 focaliza exclusivamente os produtos manufaturados e examina a evolução da participação acumulada dos 10, 25, 50 e 250 principais produtos, em termos de valor, na exportação total de manufaturados, em 2000 e 2008, para o mesmo grupo de países previamente selecionado.

TABELA 11

ÍNDICES DE CONCENTRAÇÃO (C3, C5, C10 E C30) DAS EXPORTAÇÕES
DE MANUFATURADOS [1]
PAÍSES E ANOS SELECIONADOS

Participação acumulada (em %)

Países	2000				2008			
	C10	C25	C50	C250	C10	C25	C50	C250
China	13,9	24,5	34,5	65,1	20,1	31,2	41,0	66,0
Brasil	**29,1**	**40,8**	**52,4**	**78,7**	**26,1**	**39,5**	**52,7**	**79,9**
México	28,6	43,9	57,0	82,3	33,8	45,9	57,0	83,1
África do Sul	31,0	41,2	51,8	77,8	35,1	47,6	57,6	81,4
Argentina	31,6	44,7	56,1	83,7	35,9	51,1	63,0	86,5
Coreia do Sul	38,0	49,6	58,8	81,9	44,2	57,0	65,6	86,4
Índia	35,6	46,2	55,7	79,3	42,7	50,0	57,2	78,6
Rússia	45,5	54,2	63,1	83,8	63,8	70,4	76,0	90,4

OBS.: Países ordenados pela participação acumulada crescente dos 10 principais produtos em 2008.

NOTA: (1) O conceito de "manufaturados" é baseado na definição da Secex.

FONTE: Comtrade.

Note-se, com base nessa medida, que o Brasil apresenta uma pauta menos concentrada comparativamente aos demais países, com exceção da China. Destaque-se, ainda, que a participação acumulada dos 10 e 25 principais produtos na pauta de manufaturados do Brasil se reduz entre 2000 e 2008, evolução que contrasta com a observada nos demais países. Mais uma vez, é significativo que essa desconcentração tenha ocorrido num contexto de valorização da taxa de câmbio real.

Os resultados acima apresentados sugerem as seguintes observações: (i) a pauta de exportação brasileira é bastante diversificada, mesmo na comparação com países relevantes; (ii) ela sofreu alguma concentração na presente década, em virtude do maior peso das *commodities*; e (iii) houve, no entanto, desconcentração da pauta de exportação dos produtos manufaturados.

Para o exame da diversificação geográfica das exportações, recorremos novamente ao cálculo do índice Herfindhal-Hirschmann (Tabela 12), bem como ao registro da participação acumulada dos 3, 5 10 e 30 principais destinos (países), ordenados por valor decrescente, na pauta exportadora do grupo de países selecionados, em 2000 e 2008 (Tabela 13).

O índice Herfindhal-Hirschmann apresentado na Tabela 12 não foi normalizado, variando no intervalo entre 0 e 10 mil. Aumentos no valor do indicador indicam aumento da concentração.

TABELA 12

ÍNDICES HERFINDHAL-HIRSCHMANN DE CONCENTRAÇÃO
GEOGRÁFICA DAS EXPORTAÇÕES TOTAIS
PAÍSES E ANOS SELECIONADOS

	2000		2004		2008	
	Nº de países	IHH	Nº de países	IHH	Nº de países	IHH
Índia	211	0,070	221	0,054	221	0,042
África do Sul	210	0,053	212	0,053	214	0,048
Brasil	**198**	**0,087**	**210**	**0,068**	**213**	**0,048**
Rússia	176	0,038	177	0,040	181	0,048
Argentina	158	0,104	177	0,064	180	0,064
China	208	0,111	212	0,098	215	0,067
Coreia do Sul	218	0,086	220	0,086	219	0,074
México	186	0,778	175	0,785	202	0,646

OBS.: Países ordenados pela participação crescente do IHH em 2008.

FONTE: Comtrade. ELABORAÇÃO: Funcex.

Note-se que entre 2000 e 2008 o Brasil aumenta o número de mercados de destino de suas exportações, que passa de 198 em 2000 para 213 em 2008. Todos os demais países registram também aumento no número de mercados de exportação nesse período. O IHH, que leva em consideração os valores exportados para cada destino, mostra que o Brasil, a África do Sul e a Rússia apresentam valores do indicador semelhantes em 2008, só inferiores ao da Índia. Destaque-se, contudo, que o Brasil aumentou a sua diversificação no período, o que não acontece com a Rússia.

Os dados da Tabela 13 confirmam, ainda, que entre 2000 e 2008 houve desconcentração geográfica das exportações em todos os países, exceto na Rússia. Destaque-se que o processo mostrou-se particularmente intenso no caso do Brasil e da China, pois a participação acumulada do valor exportado para os principais destinos declina significativamente nesses dois países.

TABELA 13
ÍNDICES DE CONCENTRAÇÃO GEOGRÁFICA
(C3, C5, C10 E C30) DAS EXPORTAÇÕES TOTAIS
PAÍSES E ANOS SELECIONADOS

Participação acumulada (em %)

Países	2000				2008			
	C3	C5	C10	C30	C3	C5	C10	C30
Índia	34,2	43,7	59,8	86,4	27,8	36,4	52,4	80,6
Rússia	21,4	31,4	52,8	89,1	28,2	39,2	59,6	89,8
Brasil	**40,7**	**49,8**	**66,0**	**88,0**	**31,2**	**41,0**	**53,8**	**82,2**
África do Sul	31,4	43,8	59,8	88,4	29,5	42,0	57,7	86,0
Argentina	48,6	55,3	68,4	90,4	35,9	46,9	59,9	85,0
Coreia do Sul	44,5	55,4	68,9	89,8	39,4	47,9	59,7	84,6
China	55,5	63,8	74,8	90,7	39,1	48,4	60,9	84,7
México	91,2	92,8	95,0	98,7	84,4	87,0	91,1	97,7

OBS.: Países ordenados pela participação acumulada crescente dos cinco principais mercados em 2008.
FONTE: Comtrade.

Mais uma vez, é recomendável avaliar esses dados com alguma cautela. Se restringirmos a análise exclusivamente aos manufaturados e adotarmos um critério de agregação regional dos mercados de destino, verificaremos que, em 2009, dos 20 principais mercados de destino das exportações brasileiras, 11 estavam localizados no Hemisfério Ocidental. De fato, ainda hoje, os países da Aladi e do Nafta respondem, em conjunto, por mais de 55% da exportação brasileira de manufaturados. Na década de 2000, houve, contudo, desconcentração, pois em 2001 essa participação era de 68,1%.

263

CRESCIMENTO DAS EXPORTAÇÕES: QUAIS AS ALTERNATIVAS?

A análise desenvolvida na seção 1 não deixa dúvidas de que, mantidas as tendências atuais, a balança comercial poderá registrar saldos negativos em um prazo bastante curto. De outro lado, não há qualquer indicação de que o diferencial de crescimento das importações em relação às exportações diminuirá ou se inverterá em um horizonte visível, exceto como resposta a medidas de contenção, principalmente na área fiscal. Os termos de troca têm ajudado a minimizar este problema, mas não é razoável acreditar que o país sustentará ganhos de termos de troca indefinidamente.

É consenso, também, que não é recomendável tentar reverter a trajetória da balança comercial através de medidas de restrição às importações, não somente porque hoje o país está submetido a diversas disciplinas internacionais que limitam o uso de instrumentos de proteção, mas principalmente porque, após 20 anos de abertura comercial, os benefícios da liberalização comercial são inequívocos, e poucos são os que ainda enxergam algum benefício no retorno a um protecionismo mais generalizado. A questão não é ideológica: a produtividade e a competitividade das empresas brasileiras dependem do acesso a insumos e bens importados e não há apoio a medidas abrangentes de restrição das importações, como ficou evidenciado em episódio recente, no início de 2009. Na verdade, a manutenção do crescimento das importações é algo inevitável e desejável, visto que a penetração das importações na economia brasileira ainda é notavelmente baixa para os padrões internacionais.

Portanto, torna-se premente a adoção de estratégias que promovam um crescimento mais acelerado das exportações, especialmente de bens manufaturados. Infelizmente, esta constatação não é nova, mas, em regra, a política comercial praticada no país tem se limitado à adoção de medidas pontuais destinadas a combater principalmente problemas de curto prazo.

Esta seção destina-se a revisitar a questão dos possíveis caminhos a serem trilhados pelo país com vistas ao crescimento sustentado das exportações, caminhos que se baseiam em visões diferentes sobre quais são os problemas que realmente restringem o crescimento do país e de suas exportações. De forma geral, essas percepções diferem em dois aspectos: no plano macroeconômico, as diferenças dizem respeito ao papel atribuído à taxa de câmbio real no processo de crescimento econômico e a forma como este pode ou deve ser financiado; no plano microeconômico, as diferenças dizem respeito à forma mais eficaz de se alcançar uma configuração produtiva e exportadora sustentável e quais as medidas prioritárias a serem adotadas.

No plano macroeconômico, as visões alternativas são contraditórias e, portanto, excludentes. No plano microeconômico, as diferenças são de prioridade ou de eficácia.

CRESCIMENTO COM FINANCIAMENTO EXTERNO E CÂMBIO APRECIADO

A primeira visão parte do diagnóstico de que o déficit em transações correntes resulta da rápida expansão da absorção doméstica. Com efeito, o crescimento do produto mostra-se incapaz de atender simultaneamente ao aumento no consumo das famílias, à expansão dos gastos do governo e à demanda por investimentos produtivos. Como no Brasil a taxa de poupança é historicamente baixa, fases de aceleração do crescimento doméstico são sempre acompanhadas de crescentes déficits nas contas-correntes. Para financiar seu crescimento, o país precisa, portanto, recorrer à poupança externa. A opção alternativa significaria promover um aumento significativo da poupança doméstica. Embora desejável, essa opção não está a seu alcance, ao menos no curto prazo, pois implicaria drástica mudança nas suas políticas econômicas, envolvendo redução importante nos gastos correntes do governo, diminuição das transferências e reformas, como a previdenciária, para as quais inexiste consenso e apoio político.

O Brasil, contudo, conta com circunstâncias externas favoráveis e atributos próprios que podem viabilizar uma fase de expansão acelerada do produto com recurso ao financiamento externo. Dentre as primeiras, ressaltam-se uma taxa de juros baixa nos Estados Unidos e a desvalorização do dólar, fatores que estimulam e direcionam os fluxos de capitais para a compra de ativos como ações e *commodities*. Dentre os segundos, destacam-se os bons fundamentos macroeconômicos do país, sua estabilidade política e social, a existência de um mercado interno em expansão e de uma base de recursos naturais diversificada que enfrenta uma demanda externa em ascensão, fatores esses que contribuem para um cenário de crescimento do Brasil acima da média mundial.

Os déficits em conta-corrente, o aumento do passivo externo líquido e a apreciação da taxa de câmbio real são, contudo, a contrapartida natural do recurso ao financiamento externo, com implicações positivas e negativas. De um lado, a apreciação do câmbio real contribui para moderar as pressões inflacionárias e gerar bem-estar, em virtude da maior capacidade aquisitiva do salário real. De outro lado, a deterioração da relação câmbio/salários gera perdas para os setores intensivos em mão de obra e para os setores que concorrem com as importações de modo geral.

A fase de expansão acelerada do produto com recurso ao financiamento externo enfrentará riscos e terá limites. As taxas de juros internacionais voltarão a subir e a aversão ao risco dos investidores externos poderá mudar. O Brasil, portanto, deveria aproveitar essa fase para enfrentar as reformas, principalmente no campo fiscal, que elevem a poupança doméstica e preparem o país para um crescimento mais acelerado e menos dependente dos recursos externos.

Não há nessa visão preocupação relevante com a configuração produtiva e exportadora que poderá resultar de uma fase de expansão com câmbio apreciado. A expectativa é que os novos investimentos que estão ocorrendo produzam efeitos expressivos sobre o desempenho exportador no futuro, com base, em larga medida, nas vantagens comparativas do Brasil em cadeias de recursos naturais, assim como em setores e serviços correlatos, que são geradores de emprego e onde há amplo espaço para a inovação.

CRESCIMENTO COM TAXA DE CÂMBIO COMPETITIVA E ELEVAÇÃO DA POUPANÇA DOMÉSTICA

De acordo com essa visão, uma taxa de câmbio depreciada ou competitiva é ingrediente fundamental para a promoção das exportações, a diversificação da pauta e, em última instância, para o crescimento econômico dos países em desenvolvimento. As razões que fundamentam essa recomendação variam desde o antigo argumento em favor da indústria nascente, passando pela ênfase nos aspectos virtuosos das indústrias exportadoras (maior dinamismo tecnológico, promoção de *learning by doing*, *spillovers* positivos para outros setores) ou, ainda, pela necessidade de compensar os setores *tradeables* por deficiências institucionais e falhas de mercado diversas que os penalizam de forma bem mais intensa do que aos setores *non-tradeables*. A melhor alternativa seria, obviamente, amenizar essas deficiências e corrigir essas falhas, promovendo reformas institucionais e adotando iniciativas de política industrial de caráter pontual. Mas essa não é uma opção realista ao alcance de países em desenvolvimento. Uma taxa de câmbio depreciada, ao aumentar o preço relativo do setor *tradeable*, constituiria, portanto, a melhor alternativa disponível, equivalendo à instituição de um subsídio à produção e um imposto ao consumo dos bens produzidos por esse setor (Rodrik, 2008b).

O pressuposto implícito é que a política econômica tem capacidade para manipular as taxas de câmbio nominais e reais, não apenas no curto prazo, mas também em períodos longos.

A adoção desse curso de ação, porém, não se daria sem custos. De um lado, poderia ocorrer a elevação, ainda que temporária, da taxa de inflação. De outro lado, ao promover um aumento da relação câmbio/salários em benefício dos setores *tradeable,* haveria queda do salário real. Adicionalmente, a manutenção de uma taxa de câmbio real depreciada teria ainda como requisito a elevação da taxa de poupança e a contenção da demanda agregada, o que exigiria, dentre outras alternativas, a obtenção de superávits fiscais de magnitude relevante, reforma previdenciária e/ou instituição de mecanismos de poupança compulsória, além da imposição de restrições à entrada de capitais.

AUMENTO DA COMPETITIVIDADE PELA REDUÇÃO DOS CUSTOS DOMÉSTICOS DE PRODUÇÃO E DOS CUSTOS DE COMÉRCIO

Consoante essa visão, o Brasil conta com ampla margem para promover o aumento de sua competitividade externa e, inclusive, diversificar sua pauta de exportações, reduzindo ou eliminando o viés antiexportador existente na sua economia, em virtude de custos sistêmicos que comprometem gravemente a rentabilidade e o potencial exportador do país.

A lista dos obstáculos a serem enfrentados é conhecida e reflete demandas que estão na pauta de discussão do país há mais de uma década. Os avanços, contudo, têm sido lentos e insuficientes.

Em geral, há cinco áreas onde as reformas são vistas como mais importantes: (i) maiores investimentos em infraestrutura, para reduzir os custos logísticos e os prazos para levar o produto da porta da fábrica à porta do cliente no exterior; (ii) reforma e simplificação da estrutura tributária, com o objetivo de reduzir o alto custo administrativo decorrente do atendimento das obrigações tributárias, desonerar os investimentos, garantir a ágil e pronta devolução dos créditos tributários e resolver o problema do estoque de créditos acumulados, tanto na esfera federal quanto na estadual; (iii) adoção contínua de medidas de facilitação de comércio, com redução e/ou eliminação de entraves burocráticos ao comércio exterior; (iv) melhoria dos mecanismo de financiamento ao comércio exterior, tornando o acesso a linhas públicas e privadas mais barato e mais fácil, especialmente às micro, pequenas e médias empresas; e (v) negociação de acordos comerciais com países/mercados de tamanho econômico relevante, melhorando as condições de acesso a esses mercados e reduzindo ou neutralizando as vantagens obtidas por terceiros países que já se beneficiem de acordos preferenciais.

De modo geral, há consenso em torno dos objetivos dessa agenda, que tem caráter horizontal, atende a demandas do setor exportador e constitui condição necessária para o aumento da rentabilidade exportadora e a competitividade do país. Ela é, contudo, muito abrangente e, portanto, intensiva em coordenação governamental, além de envolver custos fiscais não triviais.

DIVERSIFICAÇÃO E AUMENTO DO POTENCIAL EXPORTADOR COM BASE EM INICIATIVAS DE POLÍTICA INDUSTRIAL, TECNOLÓGICA E DE INOVAÇÃO

O ponto de partida desta visão é a ideia de que a configuração da estrutura produtiva do país, e consequentemente a configuração de sua pauta exportadora, não pode ser determinada simplesmente pela ação dos agentes econômicos. As imperfeições e as falhas de mercado restringiriam sobremaneira a atratividade, para o setor privado, de atividades com alta rentabilidade social como o investimento em novos setores, a descoberta de novos produtos e o desenvolvimento de novas tecnologias.

Não há dúvidas quanto à necessidade de o Brasil implementar, da mesma forma que o fazem todos os demais países, políticas industriais ativas, principalmente aquelas voltadas para promover a inovação. Mas há dúvidas, sim, quanto à capacidade dessas iniciativas obedecerem às melhores práticas, que pressupõem: (a) a adoção de um modelo baseado na colaboração estratégica e a coordenação entre o governo e o setor privado, que promova intenso e continuado intercâmbio de informações entre ambos, mas que preserve, também, a autonomia decisória do primeiro e impeça sua captura pelos interesses privados; (b) a dosagem adequada entre estímulos e contrapartidas, o que pressupõe condicionalidades, monitoramento e avaliações periódicas, e capacidade de descontinuar programas ineficazes; e, por último; (c) transparência e *accountability*, ou seja, a capacidade da sociedade monitorar e responsabilizar os agentes públicos pela legalidade e legitimidade de suas ações e decisões, que envolvem, necessariamente, a concessão discricionária de recursos públicos.

RESUMO E CONSIDERAÇÕES FINAIS

O artigo partiu da constatação de que o ponto frágil das contas externas do país reside no insuficiente dinamismo das exportações e na sua incapacidade para acompanhar o ritmo de crescimento das importações, impulsionado pela acelerada expansão da demanda doméstica. A rápida deterioração do saldo comercial é o resultado do grande diferencial observado entre as taxas de crescimento do *quantum* de exportações e de importações, fenômeno que se tornou evidente a partir de 2006 e que atinge principalmente os produtos manufaturados, que já registravam taxas de crescimento negativas das quantidades exportadas em meados de 2008.

O impacto deste diferencial de desempenho foi suavizado pela evolução favorável dos termos de troca e interrompido, apenas transitoriamente, pela abrupta desaceleração do nível de atividade doméstico, principalmente pela queda da atividade industrial e dos investimentos, em decorrência da crise financeira internacional. Contudo, a vigorosa retomada da expansão da demanda agregada e a continuidade da apreciação cambial tornam inevitável a progressiva redução do saldo comercial e o agravamento dos déficits em conta-corrente.

A redução da rentabilidade exportadora para níveis historicamente baixos tem afetado de forma diferenciada as atividades exportadoras, promovendo significativa mudança na composição da pauta. A participação dos produtos manufaturados declina de forma persistente desde 2005, cedendo espaço às exportações de cadeias produtivas baseadas na exploração de recursos naturais, notadamente combustíveis, produtos da extrativa mineral e produtos agropecuários. Dentre os manufaturados, as perdas de participação na pauta mostram-se bastante disseminadas, mas afetam particularmente as atividades intensivas em mão de obra (couro e calçados, minerais não metálicos e madeira e móveis) e também setores de alta tecnologia (material elétrico e de comunicações e outros materiais de transporte). No período 2000-2008, as exportações desses setores evoluíram, de fato, a um ritmo muito inferior a da média dos manufaturados. No caso dos setores de alta tecnologia, contudo, a perda de participação ocorre principalmente no início da década de 2000, e não parece estar associada à redução da rentabilidade exportadora, mas a fatores setoriais específicos e à concentração das vendas externas em um número muito reduzido de produtos (aviões, celulares).

A despeito das mudanças ocorridas na composição da pauta, medidas de sofisticação da cesta exportadora do Brasil mostram que ela se compara favoravelmente com a de outros países concorrentes e é bastante superior à que seria esperada em função da renda per capita do país.

A análise da diversificação de produtos e mercados de exportação aponta também alguns resultados que surpreendem. Os indicadores mostram que houve aumento discreto de concentração da pauta exportadora global, mas não dentro da pauta de manufaturados, pois declina, nessa categoria, a participação acumulada dos principais produtos de exportação e verifica-se, também, redução dos índices de concentração. A diversificação geográfica das exportações também aumenta, e as comparações com países concorrentes relevantes mostram-se também bastante favoráveis.

A análise da evolução da base exportadora aponta, também, alguns fatos contrastantes. O número de firmas exportadoras atingiu um pico em 2004, mas vem declinando desde então, confirmando que a redução da rentabilidade representa um desestímulo ao ingresso de novas empresas e/ou a sua permanência na atividade de exportação, principalmente no caso das firmas de menor porte. Não por acaso é significativa a participação das pequenas empresas nos setores exportadores com pior desempenho no período recente. Em contrapartida, tem aumentado de forma muito expressiva a exportação média por empresa, uma consequência natural da combinação de uma acelerada expansão das vendas externas com uma base exportadora que declina em termos quantitativos. O fato a destacar, contudo, é o aumento do número de empresas que diversificam mercados, assim como a sua participação nas exportações totais. Em 2008, a base exportadora contabilizava mais de 1.400 empresas que exportaram 10 ou mais produtos para 10 ou mais mercados, as quais responderam por mais da metade da exportação total do país.

A principal conclusão que se deriva da análise é que o Brasil conta com ativos valiosos no seu setor exportador, mas não há duvida que a apreciação da taxa de câmbio real tem afetado a rentabilidade da atividade exportadora, prejudicando, em primeira instância e de forma mais grave, os setores menos eficientes e competitivos. O diferencial entre as taxas de crescimento do *quantum* de exportação e de importação destacado no trabalho preocupa sobremaneira, e não cabe imaginar a ocorrência de ganhos indefinidos e sustentados nos termos de troca.

A título de conclusão, e levando em consideração as diferentes visões que informam o debate sobre o setor externo da economia brasileira, referidas na seção anterior, cabem as seguintes observações:

- Em primeiro lugar, é inegável que a taxa de câmbio real é uma variável de fundamental importância para o setor exportador, pois afeta sua rentabilidade e, em consequência, sua competitividade externa. De outro lado, ela informa as decisões de investimento para exportação, influencia a diversificação da pauta exportadora e contribui decisivamente para estimular o ingresso de novas empresas na atividade de comércio exterior, assim como para sua posterior sobrevivência na base exportadora. Em suma, preços relativos são importantes.
- De outro lado, o Brasil vem colhendo os frutos de uma política macroeconômica baseada em metas inflacionárias, flexibilidade cambial e responsabilidade fiscal, que não deve ser alterada em suas linhas fundamentais. Cabe, isso sim, tentar moderar o ciclo de expansão do nível de

atividade já em curso, reduzindo a expansão dos gastos correntes, com o objetivo de mitigar os desequilíbrios em conta-corrente e abrir espaço para a poupança pública.

- A recomendação para países em desenvolvimento praticarem uma política de câmbio real depreciado tem razoável amparo na literatura econômica, ainda que em evidência empírica controversa. No entanto, essa mesma literatura reconhece que tal recomendação constitui um *"second best"*, pois a melhor alternativa seria a de promover reformas institucionais e intervenções microeconômicas pontuais, capazes de remover obstáculos que entravam a transferência de recursos na economia para setores potencialmente mais produtivos. Essa alternativa superior não estaria, contudo, ao alcance de países com problemas endêmicos de subdesenvolvimento.

- Esses pressupostos têm validez limitada no caso do Brasil, um país que conta com recursos institucionais abundantes, uma sociedade civil razoavelmente organizada e um setor empresarial com boa capacidade empreendedora. De outro lado, parcela relevante dos problemas institucionais e de infraestrutura que obstaculizam o desenvolvimento de um setor exportador mais vigoroso já foram identificados, analisados, debatidos e traduzidos numa agenda detalhada de iniciativas pró-competitividade e redutoras de custos de comércio cujos objetivos não parecem fora do alcance ou das possibilidades do país. Algumas dessas iniciativas, como a desoneração tributária completa das exportações e as medidas de facilitação de comércio, podem ter impacto no curto prazo.

- A rentabilidade da atividade exportadora preocupa muito mais que as apreensões suscitadas por uma eventual especialização regressiva de nossa estrutura produtiva e exportadora. A elevada eficiência adquirida pelo Brasil na exportação de suas cadeias produtivas de recursos naturais pode se estender a setores e serviços correlatos, com impacto positivo na diversificação da pauta de exportações. Ainda assim, não há como não deixar de enfatizar a importância de as políticas governamentais concentrarem esforços e recursos em iniciativas destinadas a promover a inovação. Nesse sentido, conforme constatado em avaliações recentes,[9] são inegáveis os avanços promovidos na última década na

---

[9] Ver De Negri e Kubota (2008) e IPEA (2009).

estrutura legal e institucional das políticas de apoio a CT&I. Nessa área, os principais desafios residem no aumento da escala dos programas de fomento já instituídos e, fundamentalmente, na maior eficácia e agilidade da ação e gestão governamental.

REFERÊNCIAS BIBLIOGRÁFICAS

AGOSIN, M. (2009). Crecimiento y diversificación de exportaciones en economías emergente, *Revista de la Cepal*, n. 97, abril.

_____, ÁLVAREZ, R. e BRAVO-ORTEGA, C. (2009). *Determinants of export diversification around the world: 1962-2000*, Departamento de Economía, SDT 309, Universidad de Chile.

ÁLVAREZ, R. e FUENTES, R. (2009). *Entry into export markets and product quality differences*, DT, n. 367, Universidad Católica de Chile.

AMURGO-PACHECO, A. e PIEROLA, M. (2008). Patterns of export diversification in developing countries: intensive and extensive margins, *Policy Research Working Paper*, n. 4473, World Bank.

BERNARD, A., JENSEN, J. B. e SCHOTT, P. (2005). Portrait of US Exporting firms in Goods, Working Paper Series 05-10, Institute of International Economics, setembro.

BESEDES, T. e PRUSA, T. (2008) *The role of extensive and intensive margins and export growth*, NBER Working Paper Series, WP 13628.

DE Negri, J. A. e KUBOTA, L. C. (orgs.) (2008). *Políticas de incentivo à inovação tecnológica no Brasil*, Ipea, Brasília.

EICHENGREEN, B. (2008). *The real exchange rate and economic growth*, Working Paper 4, Commission on Growth and Development.

GARCIA. M. G. P. (2009). *Incertezas, dilemas, possibilidades da política cambial*, XXXVII Encontro Nacional de Economia, Anpec.

HAUSMANN, R. (2008). *In search of the chains that hold Brazil back*, WP 180, Center of International Development at Harvard University.

_____, HWANG, J. e RODRIK, D. (2005). *What you export matters*, WP 11905, NBER, dezembro.

HESSE, H. (2008). *Export diversification and economic growth*, Working Paper 21, Commission on Growth and Development.

IGLESIAS, R. (2005). El rol del tipo de cambio y la inversión en la diversificación de exportaciones en América Latina y el Caribe, Serie *Macroeconomía del Desarrollo*, n. 43, Cepal, dezembro.

IPEA (2009). Diagnóstico e desempenho recente da política de inovação no Brasil, em *Brasil em desenvolvimento. Estado, planejamento e políticas públicas*, v. 2, Brasília.

LEDERMAN, D. e MALONEY, W. (orgs.) (2007). *Natural resources, neither curse nor destiny*, World Bank e Stanford University Press.

MOREIRA, M. M. (2009). Brazil's Trade Policy: Old and New Issue, em Braindar, Lael e Martinez-Dias, L. (orgs.). *Brazil as an Economic Superpower? Understanding Brazil's Changing Role in the Global Economy*, Bookings Institution Press.

MONTIEL, P. e SERVEN, L. (2009). *Real exchange rates, savings and growth: Is there a link?* Working Paper 46, Commission on Growth and Development.

RODRIK, D. (2008). *The real exchange rate and economic growth*, John F. Kennedy School of Government, Harvard University, versão revisada, outubro.

_____. (2008 b). *Normalizing Industrial Policy*. Working Paper 3, Commission on Growth and Development.

WILLIAMSON, J. (2008). *Exchange rate economics*, Working Paper 2, Commission on Growth and Development.

TERCEIRA PARTE

CRESCIMENTO COM INCLUSÃO SOCIAL

Qualidade e inclusão social*

*Eduardo Portella***

* Transcrito por Sylvia Abramson.
** Membro da Academia Brasileira de Letras. Ex-ministro da Educação.

INICIALMENTE GOSTARIA DE agradecer ao João Paulo dos Reis Velloso, meu amigo, meu ministro, pioneiro em muitas reflexões e tentativas de planejamento na área da Educação e da Cultura. A ele devemos tudo isso, e eu, particularmente. Vou procurar me ater ao tempo que me foi reservado.

A questão da qualidade é a qualidade da questão. O que é exatamente a qualidade? Eu ouço falar, sobretudo nos períodos eleitorais, que precisamos levantar a educação. Todos os candidatos, os mais sonegadores no passado, falam da educação como prioridade. Os resultados concretos são lentos ou inexistentes. O fato concreto é que se nós pensarmos no tempo que passou nesses últimos 40 anos, a educação avançou muito pouco no Brasil, muito aquém das necessidades nacionais; e por que isso? Em grande parte a qualidade deixa a desejar. Houve um *boom* da educação em um determinado momento com a produção de faculdades por todo Brasil, e a qualidade, que no meu entender é sinônimo da educação, porque não há educação sem qualidade, quando ela deserta da educação leva a educação a desertar da sociedade. Então, o que é exatamente a qualidade, essa coisa abstrata que todo mundo fala? Recentemente, li um artigo no qual um professor falava aonde colocar a qualidade, o título do artigo era esse. Eu me pergunto: será que tem um lugar para colocar qualidade, ou, ao contrário, é a partir da qualidade que se coloca a educação? Compreendeu? Gera-se o processo educacional.

O que eu penso da qualidade? É um valor diferenciado, constituinte e constitutivo da educação, da educação criticamente implementada, eticamente apoiada e socialmente encarnada. Sem ela, sem a mobilização do capital simbólico, as coisas se complicam. Há, portanto, três compromissos básicos da educação: um compromisso técnico, ou crítico, como preferem os humanistas, um compromisso ético e um compromisso social. É esse o tripé que apoia e dá sentido e consequência à educação. Isso é, portanto, o primeiro item.

O segundo é educação como política de Estado e não apenas de um governo, e menos ainda de um partido. Uma educação partidária é uma educação partida. Na Espanha, que é um país muito sensível socialmente, o seu ministro da Educação acaba de lançar um pacto educacional, pacto educativo, onde pretende reunir — é um pacto transpartidário — governo e oposição com 148 ações específicas, ou seja, não é um pacto abstrato, não é um pacto partidário, é um pacto estruturado em cima de 148 questões-chave, concretas, que pode ser discutido de uma maneira transpartidária, como convém no caso específico da educação e da cultura.

O terceiro item é o que eu chamaria de interação no lugar de uma política de arquipélagos. Por que política de arquipélagos? Porque um determinado gestor educacional enfatiza o 1º grau, o outro gestor enfatiza o 2º, o terceiro enfatiza o ensino superior e um quarto, ainda, a pós-graduação e o pós-doutorado ou a pesquisa, como se essas coisas existissem isoladamente, como pequenas ilhas, e não estivessem todas elas integradas no mesmo processo. Por quê? A sorte, por exemplo, da evasão e da repetência nos primeiros anos se deve, basicamente, à ausência de um pré-escolar qualificado.

Certa vez insisti muito em uma atenção especial para o pré-escolar. Os pedagogos de plantão me responderam que o pré-escolar não pertencia ao sistema de ensino formal. Eu disse a eles que não pertencia, mas que decidia a sorte do sistema formal de ensino. Sem aquele preparo pré-escolar que na Europa pude implantar enquanto estava na direção geral da Unesco, e que não pude realizar aqui, foi um programa bastante produtivo e qualificado sobre o que eles chamam lá de pré-infância, ou pequena infância, *petite enfance*. Durante o período que passei na Unesco, na direção geral adjunta, onde passei sete anos, tive a sorte de que, justamente, um desses programas viesse a cair sob minha responsabilidade: o programa do pré-escolar. Aqui no Brasil eu não senti e não sinto uma sensibilidade para as faixas iniciais. Falam que são professores primários. Para mim, não existe professor primário, existem pessoas primárias. Às vezes um professor que atua no nível superior de ensino pode estar no estágio de 1º grau e um professor primário pode agir com reflexões da pós-graduação. Essas etapas devem ser levadas muito em conta, esse itinerário que vai do pré-escolar à pós-graduação é um itinerário da consciência. A nossa universidade já foi no seu período idealista uma universidade da consciência, depois passou a ser uma universidade laboral, que só atendia às demandas do mercado, e, finalmente, espera-se que ela possa ser uma universidade cidadã, propositiva, transformadora. Esse, portanto, é o terceiro item da minha pequena exposição sobre interação e arquipélago.

O quarto item trata das perdas. A história do acidente moderno é uma história de perdas também. Se nós abstrairmos a euforia cientificizante vamos registrar um volume de perdas substancial. E quais são essas perdas? Primeiro, é a perda do paraíso. O poeta inglês John Milton se referiu com muita precisão e encanto a essa perda do paraíso. O segundo é a perda das ilusões. Foi o narrador francês Honoré de Balzac que se ocupou das perdas das ilusões. Finalmente os economistas americanos, Daniel Bell e outros, falaram na perda das certezas ou na perda das ideologias. O grave da ideologia é dispor da certeza, como emanação da certeza termina sendo uma geografia autoritária, um espaço sem diálogo, sem permuta, sem troca de ideias.

Dentro desse quadro nós chegamos, finalmente, à perda do emprego. Hoje nós vivemos a época da perda do emprego. Por mais que as estatísticas, mais ou menos produzidas, mais ou menos encomendadas, ou apenas capazes de refletir a realidade almejada, digam que as taxas de emprego aumentaram, esses empregos não envolvem a qualidade, por isso mesmo são ocupações de salário baixíssimo e, consequentemente, não é um emprego, é um subemprego. O professor brasileiro é uma vítima desse subemprego, que confunde mérito e diploma. Em vez do mérito do diploma deveríamos pensar no diploma do mérito para que fôssemos, realmente, capazes de atender à demanda qualitativa e à competição do mercado qualificado ou do capital cultural nesses próximos anos que temos pela frente. Isso significa também mudar o foco do ensino, começar a operar o que eu chamaria, e tive a felicidade de organizar um congresso pioneiro internacional em Paris, na Unesco, e os franceses chamaram de *entre savoir*, quer dizer, de interdisciplinaridade; é aquele conhecimento que está na fronteira das disciplinas. Isso significa também uma flexibilidade na bússola da educação. Se você dispõe de um conhecimento interdisciplinar você também se move em função de determinadas demandas com um pouco mais de eficiência.

O item cinco é a sociedade do conhecimento *versus* sociedade da informação. A informação, pelo menos no estágio atual, ela não pensa, ela informa; ela não conhece, ela transmite; ela não produz conhecimento, ela produz informações. Essas informações às vezes tão excessivas e não selecionadas e nem explicadas podem se transformar em um bloqueio da qualidade. Vejamos uma das interrogações-chave do processo educacional hoje: Como restaurar o saber, não apenas virtual ou tão só virtuoso? De outrora pecou porque era só virtuoso, acreditava idealmente em um saber superior que dominaria a todos nós. O atual acredita em um saber virtual. Esse saber virtual é estruturado de uma forma binária e a realidade não é binária, a realidade é muito mais complexa do que possa indicar uma bipolaridade. O que pode indicar a realidade é esse movimento de homens e coisas, dinâmico, interminável, que se apresenta a nós a cada dia cheio de surpresas, cheio de interrogações. Consequentemente, o binarismo informático não dá conta do real, é um instrumento de trabalho eficiente que presta serviços relevantes, mas não pode tomar o lugar ou substituir a reflexão.

Finalmente, eu acho que toda a educação, todo processo de desenvolvimento, é um processo relacional, ele vive de relações interpessoais. Quando cai a pressão das relações interpessoais, quando baixa o nível dessa intercomunicação, cai inevitavelmente a qualidade do ensino e a qualidade da própria sociedade. Deveríamos perguntar como sustentar o conhecimento em meio à perda da referência.

O nosso tempo, que alguns preferem chamar de pós-moderno, sobretudo os franceses, terminologia da qual eu discordo completamente, nos habituamos a imaginar como alguma coisa que se acrescenta ao anterior, e não é verdade pois o que chamamos de pós-modernidade se acrescentou ao período antecedente. Ao contrário, ele deteriorou os valores básicos da modernidade e até da última modernidade. Eu prefiro chamar de baixa modernidade. Assim como houve uma baixa Idade Média há hoje uma baixa modernidade em meio à perda de referência. Os ortodoxos da metodologia preferem falar em perda de paradigma. O paradigma é também uma camisa de força. Se nós não tivermos capacidade de nos infiltrar nos tecidos do paradigma, é provável que ele não dê conta da complexidade do real. Então, não basta mudar os paradigmas, é preciso mudar um conjunto de referências. Como nós não mudamos a referência, denegam-se os paradigmas anteriores, mas não se produz nem novos paradigmas nem novas referências; nós estamos vivendo em uma baixa modernidade. Essa baixa modernidade se caracteriza pela falta de educação à cultura. A cultura é em geral mal-educada, saudavelmente mal-educada, poderia se dizer, mas não custaria, não faria nenhum mal acrescentar certa taxa de racionalidade. Falta, portanto, educação à cultura e falta cultura à educação. Os nossos professores foram trabalhados, na sua grande maioria, por um imediatismo simplista, com exceções honrosas como João Paulo, Roberto Cavalcanti e vários outros aqui presentes, em consequência da razão instrumental que cria o que se chama uma política de resultados. Ainda bem que os economistas meus conhecidos, que são meus amigos, transpõem a fronteira disciplinar da economia, das ciências sociais. Por isso, uma das coisas com que estou preocupado hoje é promover uma comissão internacional de inquérito das ciências sociais, no século XX. O que nos levou ao beco sem saída do século passado não foi a filosofia, não foi a literatura, não foram as artes, foram as ciências sociais com uma prioridade básica para a economia. Ela vai ter de dar conta à história desse século XX em que ela se transformou em ciência hegemônica, e a nós todos em abstrações mais ou menos inúteis.

É verdade que um economista do porte do Prêmio Nobel indiano, professor Amartya Sen, prefere considerar a sua disciplina como uma "ciência moral". Não parece ser o nosso caso.

Estamos falando muito aqui em exclusão; sem educação não há inclusão. Nós não temos infraestrutura técnica, crítica, capital humano e cultural para fazer frente aos desafios do desenvolvimento atual, sustentável, de maneira que temos de voltar à educação para poder seguir adiante.

Uma avaliação do atual processo de inclusão social no Brasil

*Roberto Cavalcanti de Albuquerque**

* Diretor técnico do Fórum Nacional. Ex-secretário de Planejamento da Secretaria de Planejamento da Presidência da República.

O BRASIL VEM vivenciando nas últimas décadas processo continuado de progresso social. Esse fenômeno, quando aferido pelo Índice de Desenvolvimento Social (IDS)[1] revela que o país cresceu a 2,1% ao ano em 1970-2008 (IDS de 3,74 em 1970 e 8,13 em 2008). Nesse mesmo período, o PIB per capita evoluiu a 2,3% (foi de R$ 7,43 mil em 1970 e R$ 16,61 mil em 2008),[2] o desenvolvimento social de longo prazo afigurando-se, portanto, compatível ao desempenho econômico alcançado.

A performance social brasileira foi mais expressiva na década de 1970, quando o IDS avançou de 3,74 para 5,60, ou seja, a 4,1% anuais. Como esse crescimento foi inferior ao do PIB per capita, que avançou a 6,09% a.a., pode-se especular que, naqueles anos, o Brasil não teria tirado o devido partido da riqueza gerada pela economia para progredir mais socialmente. Já nos anos de chumbo para o crescimento, as décadas de 1980 e 1990, a virtual estagnação do PIB per capita, que se mexeu a apenas 0,18% ao ano, não impediu evolução do IDS de 1% anual (dos mencionados 5,60 em 1980 para 6,87 em 2000). Mais recentemente (2000-2008), à medida que a produção nacional se aquecia, embora a fogo ainda baixo, com o PIB per capita expandindo-se

---

[1] O IDS, indicador sintético integrado por cinco componentes, saúde, educação, trabalho, rendimento e habitação, exprime-se por uma nota que varia hipoteticamente entre zero e dez. No ano de 2007, notas iguais ou maiores que 8,50 (as de Santa Catarina ou da região Sul, por exemplo) refletiam situações de alto desenvolvimento social. Notas menores que 8,50 e iguais ou maiores que 7,50 (como as do Brasil e de Minas Gerais) indicavam médio-alto desenvolvimento social. Notas menores que 7,50 e iguais ou maiores que 5,00 (as do Nordeste e seus estados), correspondiam a médio-baixo desenvolvimento social. E notas menores que 5,00 (a mais baixa entre elas, relativa a Alagoas, foi 6,65) conotavam baixo desenvolvimento social. (Albuquerque & Pessoa, p. 593-642.)

[2] Fonte para os dados de PIB per capita: Ipeadata.

2,3% a.a., os avanços sociais também esquentaram, com o IDS avançando no mesmo ritmo (2,3% anuais) e atingindo 8,13 nesse último ano.

O IDS tem se revelado ferramenta útil ao exame da trajetória e características do desenvolvimento social no país, suas regiões e estados — seja em nível agregado (através do IDS), seja desagregado (pelos seus cinco componentes, os Índices de Saúde, Educação, Trabalho, Rendimento e Habitação, e os 12 subcomponentes).[3]

O objetivo deste estudo é conceber e construir um Índice de Inclusão Social, IIS, que seja capaz de propiciar visões, sintética e analítica, do processo de inclusão social ocorrido no Brasil, suas regiões e estados, nos últimos anos.

O CONCEITO DE INCLUSÃO SOCIAL

A ideia de democracia moderna assenta-se em três princípios fundamentais.

O primeiro deles é o da soberania popular, pelo qual, no dizer de Montesquieu, "o corpo do povo" (a comunidade política) "tem o poder soberano".[4]

O segundo princípio é o da outorga pelo povo (o eleitorado), mediante processo de escolha regulado (as eleições), de parcela do poder político a representantes seus, com mandatos de duração definida e periodicamente renováveis. Os autores de *O federalista* (1787-88), Alexander Hamilton, James Madison e John Jay, chamam esse sistema de "governo popular" ou "governo republicano".[5] John Stuart Mill denomina-o "governo representativo", considerando-o, "idealmente, a melhor forma de governar".[6] Para ele "não deve haver párias em uma nação civilizada e madura, nem pessoas desqualificadas, salvo por sua própria culpa".[7]

Pelo terceiro princípio da democracia moderna, o poder político, sobre ser exercido direta ou indiretamente pelo povo, deve ser empregado em seu bene-

---

[3] Vejam-se a esse propósito, além de Albuquerque & Pessoa, citado, os estudos igualmente publicados pelo Fórum Nacional, Albuquerque 2008 e Albuquerque 2005.
[4] "Lorsque, dans la république, le peuple en corps a la souveraine puissance, c'est une démocratie". Cf. Montesquieu, v. 1, parte I, livro II, capítulo 2, p. 39.
[5] Veja-se, por exemplo, *The Federalist*, n. 10 (Madison), p. 51; n. 9 (Hamilton), p. 48.
[6] Mill, p. 341.
[7] Mill, p. 382.

fício. Ele foi enunciado por Péricles em 430 a.C. quando disse que Atenas era uma democracia porque seu governo beneficiava os muitos e não os poucos.[8] Uma democracia, a ateniense, direta é certo, mas na qual o povo era constituído apenas pelos homens com mais de 20 anos, excluídos as mulheres, os escravos, os estrangeiros: algo como 30 mil cidadãos no tempo de Péricles, 12% dos 250 mil habitantes de Ática.[9] Aos pensadores do século XVIII um mínimo de suficiência econômica pareceu condição essencial ao exercício do voto e, portanto, à democracia. Hamilton afirma que "um poder sobre a subsistência de um homem equivale a um poder sobre sua vontade".[10] No mesmo sentido, Kant considera que o voto "pressupõe a independência ou autossuficiência do indivíduo".[11]

Fundamentado nesses princípios, o pensamento político evoluiu no século XIX para considerar que a democracia deve realizar-se também em termos econômicos e sociais — de modo a evitar que ela abrigue, ou até estimule, desigualdades e injustiças, assim viciando a liberdade política.[12] Como corolário dessa evolução conceitual, passou-se a postular do Estado um sistema de educação tão universal quanto o direito do voto, além da capacidade de assegurar um padrão mínimo de escolaridade a todos. Na visão dos séculos XVIII e XIX, somente a "educação liberal" — liberal porque voltada para formar o bom julgamento e a consciência crítica, ou seja, a inteligência do homem livre — é capaz de capacitar o indivíduo para o exercício da cidadania em geral, e do direito do voto em particular.[13] Sendo necessário que o Estado se capacite para prover a todos igualdade de oportunidades educacionais.[14]

Ao longo do século XX generalizou-se mundialmente a ideia e a prática da democracia política, social e econômica, capaz de assegurar amplamente direitos de participação em sociedade aberta e de garantir a todos inserção produtiva geradora de renda suficiente. Tendo se encorpado no final do século

---

[8] Cf. Tucídides, Livro 2, p. 396.
[9] Trata-se da população estimada no tempo de Péricles. Veja-se sobre o assunto Hignett.
[10] *The Federalist*, n. 79 (Hamilton), p. 233.
[11] Kant, p. 436.
[12] Cf. Adler & Gorman, v.1, p. 303-10.
[13] Cf. Adler & Gorman, v.1, p. 224.
[14] Veja-se Mill, op. cit., p. 330, 339 e 381.

nova onda de globalização e emergido, com a informativa e telemática, sociedade e economia apoiadas no conhecimento e na informação.[15]

O conceito de inclusão social deita raízes nessas ideias e práticas, cabendo para os propósitos deste estudo captar três dimensões essenciais dele.

A primeira delas exprime-se na chamada inserção econômica. Ela se dá por ocupação produtiva estável e socialmente protegida, além de geradora de renda suficiente ao atendimento das necessidades básicas em economia dinâmica onde a renda e a riqueza sejam bem distribuídas. A segunda é a inserção educacional, entendida como a aquisição, sobretudo na escola em seu sentido amplo, das habilidades e qualificações necessárias para viver e participar em economia e sociedade baseadas no conhecimento e informação. E a terceira dimensão diz respeito à inclusão digital, ou seja, ao acesso às ferramentas da informática e telemática, o que supõe o domínio, por meio da educação, dos códigos e linguagens a tanto necessários.

O ÍNDICE DE INCLUSÃO SOCIAL, IIS

O IIS calculado para o Brasil, suas cinco grandes regiões, as três situações de domicílio (rural, urbana e metropolitana) e as 27 unidades da federação, intenta mensurar a inclusão social tal como acima concebida. Ele é bastante abrangente, sendo integrado por três componentes e 12 subcomponentes.

O componente Emprego e Renda, que gera o Índice de Inserção Econômica, é calculado a partir de quatro subcomponentes ou indicadores: a taxa de ocupação, ou seja, a percentagem da PEA ocupada; grau de formalização do emprego, ou seja, a percentagem dos empregados remunerados com carteira assinada; a proporção de não pobres na população; e o coeficiente de igualdade, ou seja, o complemento para 1 do coeficiente de Gini.

O componente Educação e Conhecimento (que se expressa em Índice de Inserção Educacional) é representado por quatro subcomponentes: a taxa de alfabetização da população de 15 anos ou mais; a percentagem das pessoas com 15 anos ou mais e com 4 anos ou mais de estudo; a percentagem das pessoas

---

[15] Para exame mais detido dos princípios da democracia moderna, ver Albuquerque, 2009.

com 20 anos ou mais e 9 anos ou mais de estudo; e a percentagem das pessoas de 24 anos ou mais e 12 anos ou mais de estudo.

O componente Informação e Comunicação (de que decorre Índice de Inclusão Digital), é obtido a partir de quatro indicadores: o percentual dos domicílios com microcomputador; o percentual dos domicílios com acesso à internet; o percentual dos domicílios com televisão; e o percentual dos domicílios com pelo menos um telefone, fixo ou celular.[16]

O ISS foi calculado com base em tabulações especiais da Pesquisa Nacional por Amostra de Domicílios, Pnad, do IBGE, para os anos de 2001 e 2008, dispondo-se de estimativa para 2009 obtida mediante projeção da tendência evolutiva observada entre 2001 e 2008.[17]

O IIS, VISÃO DE CONJUNTO

A Tabela 1 apresenta a escala da inclusão social no Brasil (total, rural, urbano e metropolitano), regiões (total, rural, urbano e metropolitano), e estados (inclusive o Distrito Federal), para 2008, por ordem decrescente do IIS de 2008. Dez dessas situações sociais obtêm grau de inclusão social considerado médio-alto (IIS menor que 8,50 e igual ou maior que 7,50); 29 situações, inclusão social considerada médio-baixa (IIS menor que 7,50 e igual ou maior que 5,00); e 11 outras, inclusão social considerada baixa (IIS menor do que 5,00).[18]

Desponta em primeiro lugar o Sul metropolitano (que corresponde às grandes Curitiba e Porto Alegre), com IIS de 8,30, seguido de Santa Catarina (8,25) e Distrito Federal (8,16), que corresponde ao Centro-Oeste metropolitano. O Brasil ocupa o 20° lugar, com IIS de 6,56 (médio baixo); o Brasil metropolitano, o 11° lugar (IIS: 7,49, médio-baixo); o Brasil urbano, o 15° (IIS 6,75, médio-baixo); e o Brasil rural, o 48° lugar (IIS: 4,00, baixo). Por regiões, a ordem segundo o IIS é encabeçada pelo Sul (IIS de 7,75), seguido

---

[16] Para o cálculo do IIS, ver o Anexo Metodológico.
[17] Ver o Anexo Estatístico para os dados do IIS, componentes e subcomponentes relativos a 2001 e 2008.
[18] Segundo essa classificação, em 2008 IIS igual ou maior que 8,50 teria grau de inclusão social considerado alto.

pelo Sudeste (7,48), Centro-Oeste (6,62), Norte (5,60) e Nordeste (4,80). Por estados, os três primeiros lugares estão ocupados por Santa Catarina (8,25), São Paulo (7,87) e Paraná (7,75), os três últimos, por Alagoas (4,36), Piauí (4,43) e Maranhão (4,54). O Gráfico 1 retrata a escala da inclusão social no Brasil em 2008, deixando evidente a predominância de graus de inclusão considerados médio-baixos.

Para o Brasil, o crescimento médio anual do IIS foi de 5,3% em 2001-2008, muito superior ao do PIB per capita no mesmo período (2,3%).[19] As taxas de crescimento do IIS correlacionam-se inversamente aos níveis de IIS alcançados, sendo tendencialmente menores nos IIS médio-altos (entre 5,7% e 4,1% a.a.) e maiores nos IIS baixos (entre 7,6% e 9,0%).

TABELA 1

A ESCALA DA INCLUSÃO SOCIAL, 2008-2009: BRASIL, REGIÕES, ESTADOS, SITUAÇÕES DOS DOMICÍLIOS

Ordem do IIS 2008	Brasil, regiões, estados, situações dos domicílios	2008	Crescimento* 2001-8	Ordem do IIS 2008 menos do IIS 2009	IIS 2009 (Estimativa)	
Médio-alta inclusão social: IIS de 2008 menor que 8,50 e igual ou maior que 7,50						
1	Sul metropolitano	8,30	4,2	0	8,65	SUM
2	Santa Catarina	8,25	4,1	0	8,59	SC
3	Distrito Federal**	8,16	4,7	0	8,54	DF
4	Sul urbano	8,07	5,8	0	8,53	SUU
5	São Paulo	7,87	4,2	0	8,20	SP
6	Sudeste metropolitano	7,81	4,3	-1	8,14	SDM
7	Paraná	7,75	5,7	1	8,19	PR
8	**Sul**	**7,75**	**4,7**	**0**	**8,11**	**SU**
9	Sudeste urbano	7,55	4,7	0	7,90	SDU
10	Rio de Janeiro	7,52	4,3	0	7,85	RJ

Continua...

---

[19] Isto significa que, nesse período, crescimento do PIB per capita de 1% associou-se a incremento do IIS de 2,4%.

Ordem do IIS 2008	Brasil, regiões, estados, situações dos domicílios	2008	Crescimento* 2001-8	Ordem do IIS 2008 menos do IIS 2009	IIS 2009 (Estimativa)	
Médio-baixa inclusão social: IIS de 2008 menor que 7,50 e igual ou maior que 5,00						
11	Brasil metropolitano	7,49	4,4	-1	7,82	BRM
12	Rio Grande do Sul	7,48	4,1	-1	7,78	RS
13	**Sudeste**	7,48	4,6	2	7,83	SD
14	Espírito Santo	6,96	6,0	0	7,38	ES
15	Brasil urbano	6,75	5,2	-1	7,11	BRU
16	Minas Gerais	6,73	5,7	1	7,11	MG
17	Centro-Oeste urbano	6,69	5,6	0	7,06	COU
18	**Centro-Oeste**	**6,62**	**5,7**	**0**	**7,00**	**CO**
19	Norte metropolitano	6,58	5,2	0	6,92	NOM
20	**Brasil**	**6,56**	**5,3**	**0**	**6,90**	**BR**
21	Mato Grosso do Sul	6,54	5,1	0	6,87	MS
22	Goiás	6,39	6,1	0	6,79	GO
23	Mato Grosso	6,30	6,4	0	6,70	MT
24	Roraima	6,17	6,3	0	6,56	RR
25	Amapá	6,16	2,6	-2	6,32	AP
26	Nordeste metropolitano	6,08	5,0	1	6,38	NEM
27	Amazonas	6,04	4,0	-1	6,28	AM
28	Norte urbano	5,97	6,0	2	6,33	NOU
29	Rondônia	5,93	4,4	0	6,19	RO
30	Acre	5,93	4,2	0	6,18	AC
31	Sergipe	5,73	7,5	0	6,16	SE
32	Sul rural	5,68	5,8	-1	6,01	SUR
33	**Norte**	**5,60**	**5,0**	**-1**	**5,88**	**NO**
34	Tocantins	5,57	10,3	2	6,14	TO
35	Rio Grande do Norte	5,44	5,9	0	5,76	RN
36	Pará	5,26	4,9	-1	5,52	PA
37	Nordeste urbano	5,20	7,0	1	5,56	NEU
38	Ceará	5,04	8,2	0	5,45	CE
39	Sudeste rural	5,03	7,6	0	5,41	SDR

Continua...

Ordem do IIS 2008	Brasil, regiões, estados, situações dos domicílios	Crescimento* 2008	Crescimento* 2001-8	Ordem do IIS 2008 menos do IIS 2009	IIS 2009 (Estimativa)	
Baixa inclusão social: menor que 5,00						
40	Centro-Oeste rural	4,80	7,8	0	5,17	COR
41	**Nordeste**	**4,80**	**7,6**	**0**	**5,16**	**NE**
42	Paraíba	4,80	6,0	-1	5,09	PB
43	Pernambuco	4,76	6,0	-1	5,05	PE
44	Bahia	4,71	8,1	2	5,09	BA
45	Maranhão	4,54	9,6	0	4,97	MA
46	Piauí	4,43	8,5	0	4,81	PI
47	Alagoas	4,36	8,9	0	4,74	AL
48	Brasil rural	4,00	9,0	0	4,36	BRR
49	Norte rural	3,75	...	...	...	NOR
50	Nordeste rural	3,14	7,9	0	3,38	NER

* Crescimento médio anual (%). ** Centro-Oeste metropolitano.

FONTES: IBGE-Pnads de 2001 e 2008 (tabulações especiais). Ver Anexos Metodológico e Estatístico.

GRÁFICO 1

A ESCALA DA INCLUSÃO SOCIAL NO BRASIL, 2008

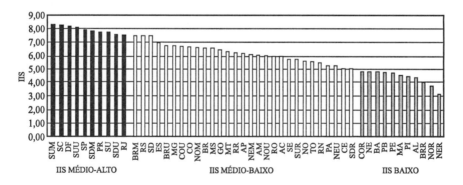

A Tabela 1 apresenta também a estimativa do IIS para 2009 (projeção da tendência observada em 2001-2008) e compara a ordem desse índice em 2008 e 2009, evidenciando sejam os ganhos e perdas de cada situação, seja a manutenção de posições.

O IIS DO BRASIL E SEUS COMPONENTES

A Tabela 2 e o Gráfico 2 desdobram os IIS brasileiros de 2001 e 2008 em seus três componentes, medindo-lhes as taxas de crescimento.

Note-se que o IIS avançou de 4,58 em 2001 para 6,56 em 2008: o equivalente a 43% e a taxa média anual de crescimento de 5,3%. O componente Informação e Comunicação, ou seja, o Índice de Inclusão Digital, foi o que prosperou mais, 57% e 6,6% a.a. Exibem desempenho inferior ao do IIS o componente Emprego e Renda ou Índice de Inserção Econômica (42% e 5,1%, respectivamente) e o componente Educação e Conhecimento (Índice de Inserção Educacional), o que menos progrediu (32% e 4,0%).

TABELA 2

BRASIL: ÍNDICE DE INCLUSÃO SOCIAL, IIS,

E COMPONENTES, 2001 E 2008

Discriminação	IIS		Variação, %	Crescimento*
	2001	2008	2001-2008	2001-2008
Índice de Inclusão Social, IIS	**4,58**	**6,56**	**43,2**	**5,3**
Componente Emprego e Renda	4,37	6,19	41,5	5,1
Componente Educação e Conhecimento	4,79	6,32	31,9	4,0
Componente Informação e Comunicação	4,58	7,16	56,6	6,6

* Crescimento médio anual, %.

FONTES: IBGE-Pnads, 2001 e 2008 (tabulações especiais). Ver Anexos Metodológico e Estatístico.

GRÁFICO 2

BRASIL: IIS E COMPONENTES, 2001 E 2008

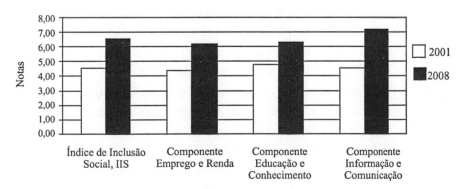

295

DESIGUALDADES REGIONAIS, I: COMPONENTES

As desigualdades regionais, medidas pelo IIS e seus componentes, apresentadas na Tabela 3, reproduzem quadro de disparidades espaciais muito semelhante, seja ao retratado pelos IDS, seja ao visualizado, por exemplo, pelos PIBs per capita.

Em 2001, de um lado os IIS do Nordeste e do Norte correspondiam a 63% e 87% do brasileiro; os Índices de Inserção Econômica, 66% e 85%; os Índices de Inserção Educacional, 62% e 94%, e os Índices de Inclusão Digital, 61% e 81%, respectivamente. Do outro lado, os IIS do Sul e Sudeste eram 23% e 19% superiores aos do país, os Índices de Inserção Econômica, 54% e 15%, os de Inserção Educacional, 9% e 19%, e os de Inclusão Digital, 9% e 22%. No meio, os IIS e componentes do Centro-Oeste situavam-se em níveis próximos do brasileiro: 98% para o IIS e 92% (Inserção Econômica), 105% (Inserção Educacional) e 96% (Inclusão Digital).

Ao longo da década (entre 2001 e 2008), os IIS do Nordeste e Centro-Oeste cresceram mais que o brasileiro (a 7,6% e 5,7% anuais, confrontados com 5,3% para o país), os das demais regiões, menos (Norte, 5,0%; Sul, 4,7%; Sudeste, 4,6%). Os piores desempenhos regionais por componentes foram: Emprego e Renda, Sul (taxa de crescimento de 3,1% anuais) e Sudeste (4,7%); Educação e Conhecimento, Norte (3,1%) e Sudeste (3,3%); Informação e Comunicação, Norte (5,1%) e Sudeste (5,9%).

Houve no período em exame significativa redução das disparidades regionais, tanto com respeito ao IIS quanto a seus três componentes. O coeficiente de variação, V, para o IIS caiu de 25,2% para 19,3% (queda de 23%), com V para o componente Emprego e Renda decrescendo mais rapidamente (de 33,0% para 21,8%, redução de 51%) e Vs para os componentes Educação e Conhecimento e Informação e Comunicação reduzindo-se menos (de 22,6% para 18,2%, queda de 19% no primeiro caso, e de 25,2% para 21,8%, queda de 13% no segundo).

O Gráfico 3 apresenta o IIS e componentes para 2008 por regiões (Brasil = 100). Note-se que, enquanto o Nordeste e o Norte continuam sempre abaixo de 100 e o Sul e o Sudeste sempre acima desse valor, o Centro-Oeste se situa em torno dele, com o IIS e o componente Informação e Comunicação virtualmente no nível 100, o componente Emprego e Renda a ele inferior (93) e o componente Educação e Conhecimento, superior (109).

TABELA 3
BRASIL: DESIGUALDADES REGIONAIS MEDIDAS
PELO IIS E COMPONENTES, 2001 E 2008

Discriminação	Notas 2001	Notas 2008	Variação, % 2001-2008	Crescimento* 2001-2008	Brasil=100 2001	Brasil=100 2008
Índice de Inclusão Social, IIS						
Brasil	4,58	6,56	43,2	5,3	100	100
Norte	3,97	5,60	41,0	5,0	87	85
Nordeste	2,87	4,80	67,0	7,6	63	73
Sudeste	5,44	7,48	37,4	4,6	119	114
Sul	5,63	7,75	37,6	4,7	123	118
Centro-Oeste	4,48	6,62	47,7	5,7	98	101
Componente Emprego e Renda						
Brasil	4,37	6,19	41,5	5,1	100	100
Norte	3,72	6,01	61,6	7,1	85	97
Nordeste	2,87	4,61	60,8	7,0	66	75
Sudeste	5,03	6,93	37,7	4,7	115	112
Sul	6,72	8,31	23,7	3,1	154	134
Centro-Oeste	4,00	5,77	44,2	5,4	92	93
Componente Educação e Conhecimento						
Brasil	4,79	6,32	31,9	4,0	100	100
Norte	4,50	5,55	23,5	3,1	94	88
Nordeste	2,96	4,55	54,1	6,4	62	72
Sudeste	5,71	7,20	25,9	3,3	119	114
Sul	5,21	6,95	33,6	4,2	109	110
Centro-Oeste	5,04	6,88	36,5	4,5	105	109
Componente Informação e Comunicação						
Brasil	4,58	7,16	56,6	6,6	100	100
Norte	3,70	5,24	41,5	5,1	81	73
Nordeste	2,80	5,23	87,0	9,4	61	73
Sudeste	5,57	8,31	49,0	5,9	122	116
Sul	4,97	8,00	60,8	7,0	109	112
Centro-Oeste	4,41	7,23	63,7	7,3	96	101

* Crescimento médio anual, %.

FONTES: IBGE-Pnads de 2001 e 2008 (tabulações especiais). Ver Anexos Metodológico e Estatístico.

IIS E COMPONENTES POR REGIÕES, 2008 (BRASIL = 100)

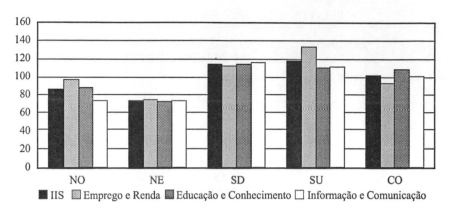

■ IIS ▨ Emprego e Renda ▨ Educação e Conhecimento ☐ Informação e Comunicação

DESIGUALDADES REGIONAIS, II: SUBCOMPONENTES

As desigualdades regionais no nível dos 12 subcomponentes do IIS estão apresentadas, para 2001 e 2008, na Tabela 4. Cabe examiná-las, ainda que brevemente.

EMPREGO E RENDA

A taxa de ocupação para o Brasil recupera-se lentamente entre 2001 e 2008. Refletindo conjuntura econômica desfavorável, ela fora de 90,7% em 2001 (correspondente a desocupação de 9,3%), tendo avançado em 2008 para 92,9% (desocupação de 7,1%). Seu nível mais baixo está no Sudeste (89,2% em 2001 e 92,2% em 2008), onde foi mais acentuada a anemia do crescimento da produção. Nas demais regiões, variações discretas em relação à brasileira refletem contingências locais afetando o comportamento da economia. O Sul tem o melhor desempenho nesse subcomponente.

O grau (ou taxa) de formalização do emprego evoluiu no país de 56,5% em 2001 para 61,9% dos empregados em 2008, crescendo 9,2%. Essa proteção social ao trabalho continuou escassa no Nordeste (embora tenha avançando de 39,6% dos empregados para 44,9% ou seja, 13,4%) e no Norte (onde variou de 41,4% para 47,5%, 14,7%). O Sul manteve a dianteira nesse indicador.

A proporção de não pobres evoluiu de 64,9% da população do país em 2001 para 77,2% em 2008 (redução da pobreza de 35,1% para 22,1%). Num extremo, o Nordeste, esses percentuais foram, respectivamente, 49,3% e 64,5% (pobreza de 51,7% e 35,5%); no outro, o Sul, eles foram 82,1% e 92,2% (17,9% e 7,8%).

O coeficiente de igualdade (o complemento para 1 do coeficiente de Gini) cresceu em todas as regiões, alcançando, em 2008, 0,509 no Sul, 0,491 no Norte, 0,489 no Sudeste, 0,444 no Nordeste e 0,438 no Centro-Oeste (0,457 no Brasil), refletindo tendência para a melhoria nas disparidades interpessoais de renda que vem de 1997.

O Gráfico 4 retrata a situação, em 2008, dos subcomponentes grau de formalização do emprego e proporção de não pobres.

GRÁFICO 4
BRASIL E REGIÕES: SUBCOMPONENTES DO IIS, 2008 (I)

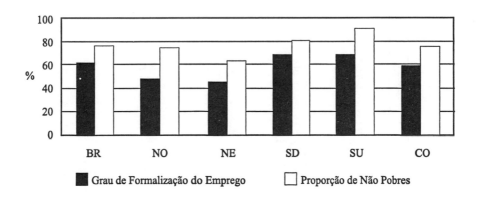

TABELA 4

BRASIL: DESIGUALDADES REGIONAIS MEDIDAS PELOS SUBCOMPONENTES DO IIS, 2001 E 2008

Discriminação	Brasil		Norte		Nordeste		Sudeste		Sul		Centro-Oeste	
	2001	2008	2001	2008	2001	2008	2001	2008	2001	2008	2001	2008
Componente Emprego e Renda *												
Taxa de Ocupação, %	90,7	92,9	90,4	93,5	91,3	92,5	89,2	92,2	93,5	95,1	91,1	92,5
Taxa de Formalização do Emprego, %	56,5	61,9	41,4	47,5	39,6	44,9	63,7	69,3	65,5	69,5	48,7	59,4
Proporção de Não Pobres, %	64,9	77,2	58,9	74,9	49,3	64,5	70,6	81,3	82,1	92,2	62,2	76,2
Taxa de Igualdade	0,412	0,457	0,438	0,491	0,404	0,444	0,442	0,489	0,458	0,509	0,410	0,438
Componente Educação e Conhecimento **												
Taxa de Alfabetização, %	87,6	90,0	88,8	89,3	75,8	80,6	92,5	94,2	92,9	94,5	89,8	91,8
Pessoas com 4 anos ou mais de estudo, %	58,8	68,0	62,3	66,7	45,8	58,8	64,5	72,2	62,7	71,5	61,2	71,2
Pessoas com 9 anos ou mais de estudo, %	31,8	43,5	33,5	41,6	23,6	35,2	36,2	48,3	31,6	43,9	33,1	45,9
Pessoas com 12 anos ou mais de estudo, %	10,2	14,1	6,7	10,0	5,6	8,7	12,8	16,6	11,3	16,6	10,5	16,0
Componente Informação e Comunicação ***												
Domicílios com microcomputadores, %	12,6	31,2	6,5	17,4	5,2	15,7	17,3	40,0	13,9	38,5	10,6	30,9
Domicílios com Internet, %	8,5	23,8	4,0	10,6	3,5	11,6	12,0	31,5	8,7	28,6	7,4	23,5
Domicílios com televisão, %	89,1	95,1	86,1	90,0	78,4	91,7	94,4	97,6	92,3	96,4	88,5	94,6
Domicílios com um ou mais telefones fixos ou celulares, %	58,9	82,1	51,6	72,4	35,9	66,8	70,6	88,9	64,8	89,8	59,9	87,9
Componente Emprego e Renda *												
Taxa de Ocupação, %	100	100	100	101	101	100	98	99	103	102	101	100
Taxa de Formalização do Emprego, %	100	100	73	77	70	73	113	112	116	112	86	96
Proporção de Não Pobres, %	100	100	91	97	76	84	109	105	127	119	96	99
Taxa de Igualdade	100	100	106	107	98	97	107	107	111	111	100	96
Componente Educação e Conhecimento **												
Taxa de Alfabetização, %	100	100	101	99	86	90	106	105	106	105	102	102
Pessoas com 4 anos ou mais de estudo, %	100	100	106	98	78	86	110	106	107	105	104	105
Pessoas com 9 anos ou mais de estudo, %	100	100	105	95	74	81	114	111	99	101	104	105
Pessoas com 12 anos ou mais de estudo, %	100	100	65	71	55	62	125	118	111	118	103	114
Componente Informação e Comunicação ***												
Domicílios com microcomputadores, %	100	100	52	56	42	50	138	128	110	123	85	99
Domicílios com Internet, %	100	100	47	45	42	49	141	132	102	120	86	99
Domicílios com televisão, %	100	100	97	95	88	96	106	103	104	101	99	99
Domicílios com um ou mais telefones fixos ou celulares, %	100	100	88	88	61	81	120	108	110	109	102	107

* Crescimento médio anual, %.

FONTES: IBGE-Pnads de 2001 e 2008 (tabulações especiais). Ver Anexos Metodológico e Estatístico.

EDUCAÇÃO E CONHECIMENTO

As já pequenas diferenciações inter-regionais na taxa de alfabetização no Brasil, observadas em 2001, reduziram-se ainda mais em 2008. Nesse ano, ela foi, no Nordeste, 80,6%, equivalente a 90% da brasileira, com a do Norte atingindo 89,3% (99%), a do Centro-Oeste, 91,8% (102%), e as do Sul e Sudeste, 94,5% e 94,2%, respectivamente (ambas superiores em 5% à nacional).

A percentagem das pessoas com 4 anos ou mais de estudo, baixa no Nordeste (86% da brasileira em 2008), já alcançou 99% da nacional no Norte, 105% no Sul e Centro-Oeste e 106% no Sudeste. São maiores as disparidades tanto no caso da percentagem das pessoas com 9 anos ou mais de estudo (81% da brasileira em 2008 no Nordeste, 95% no Norte, 101% no Sul, 105% no Centro-Oeste e 111% no Sudeste) quanto das pessoas com 12 anos ou mais de estudo (62% no Nordeste, 71% no Norte, 114% no Centro-Oeste e 118% no Sudeste e Sul).

O Gráfico 5 traz os graus de escolaridade (4 anos ou mais, 9 anos ou mais e 12 anos ou mais) em 2008, para o Brasil e regiões.

GRÁFICO 5
BRASIL E REGIÕES: SUBCOMPONENTES DO IIS, 2008 (II)

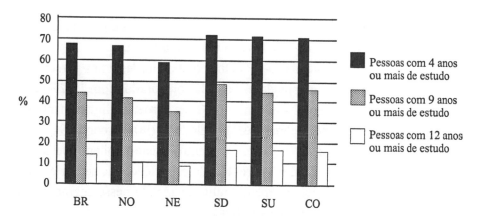

INFORMAÇÃO E COMUNICAÇÃO

A disponibilidade domiciliar das ferramentas da inclusão digital (micro-computadores, internet, televisão e telefone) vem progredindo rapidamente no Brasil ao longo da presente década.

Em 2001, no Brasil como um todo, o porcentual dos domicílios com mi-crocomputadores era de 12,6%, com internet, 8,5%, com televisão, 89,1% e com um ou mais telefones fixos ou celulares, 58,9%. Sete anos depois, em 2008, esses porcentuais haviam alcançado, respectivamente, 31,2%, 23,8%, 95,1% e 82,1%.

Configura-se, portanto, verdadeira revolução digital no país. Ela abriga, é certo, grandes desigualdades inter-regionais. No Nordeste, o percentual de domicílios com computadores em 2001, 5,2%, era apenas 42% do brasileiro; o de domicílios com internet, 3,5%, os mesmos 42%. Essas participações se atenuaram em 2008: para 50% no caso dos microcomputadores e 49% no caso da internet. Mas as desigualdades entre o Nordeste e o país continuavam muito elevadas.

É de ressaltar-se que, já em 2001, era elevado, no Nordeste, o percentual de domicílios com televisão: 78,4%, 88% do brasileiro. Esses números evo-luíram para 91,7% e 96% em 2008. E o percentual de domicílios com telefone (fixo ou celular), explodiu de 35,9% em 2001 para 66,8% em 2008, equiva-lentes, respectivamente, a 61% e 81% dos valores nacionais.

Em 2008, o Norte posicionava-se melhor que o Nordeste nos percentuais de domicílios com microcomputadores (17,4% comparados com 15,7%) e te-lefones fixos ou celulares (72,4% contra 66,8%), perdendo ligeiramente em internet (10,6,% comparados com 11,6%) e televisão (90,0% contra 91,7%).

Nessa corrida pela inclusão digital, o Centro-Oeste também acelerou o passo em relação ao país, com o Sul revelando a tendência de seguir o ritmo brasileiro e o Sudeste, já relativamente muito avançado nesse segmento em 2001, segurando mais a cadência evolutiva.

O Gráfico 6 retrata a disponibilidade domiciliar de microcomputadores, internet, televisão e telefone fixo ou celular, em 2008, para o Brasil e regiões.

BRASIL E REGIÕES: SUBCOMPONENTES DO IIS, 2008 (III)

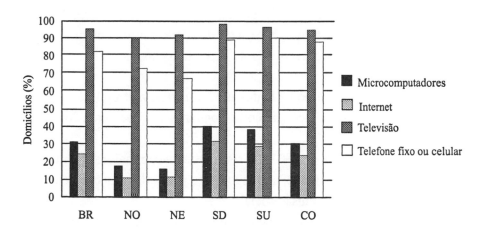

HIATOS METROPOLITANOS, URBANOS E RURAIS

A Tabela 5 reapresenta os IIS, segundo as situações de domicílio (rurais, urbanas, metropolitanas), para 2001 e 2008.

Observe-se que há nesse plano grandes disparidades de níveis de inclusão social, no Brasil como um todo e em cada situação de domicílio. Elas são maiores entre as situações rurais e metropolitanas do que entre as rurais e urbanas e as urbanas e metropolitanas. Em 2001, por exemplo, o IIS para o Brasil rural foi 2,19, o metropolitano, 5,55 e o urbano, 4,73.

Essas distâncias tendem a ocorrer também, em maior ou menor grau, nas regiões, sendo em geral menores em 2008. Repetindo-se no caso dessas três situações de domicílio o mesmo fenômeno da aproximação, ou convergência, já observado entre regiões e que adiante será confirmado com o exame do IIS por estados.

Por situações, o processo de inclusão social vem sendo mais rápido no meio rural do que no urbano e mais rápido no meio urbano do que no metropolitano. Essa tendência está expressa nas colunas 4 a 7 da Tabela 5, que medem a variação, absoluta e relativa, e o crescimento dos IIS entre 2001 e 2008.

Para o Brasil, a variação percentual do IIS rural nesse período foi 82,7%; a do urbano, 42,9%, e a do metropolitano, 35,0%. O crescimento médio anual do IIS foi, no primeiro caso, 9,0%, no segundo, 5,2%, no terceiro, 4,4%. Em 2001, o IIS rural brasileiro equivalia a 48% do IIS do país como um todo, o IIS urbano, 103%, o metropolitano, 121%. Esses percentuais foram, para 2008, 61%, 103% e 114%.

A Tabela 6 traz a exame os hiatos urbano-rurais, metropolitano-urbanos e metropolitano-rurais de IIS, que correspondem aos quocientes dos IIS respectivos.

Veja-se que os hiatos de 2001 são sistematicamente maiores do que os de 2008, o que nos diz que houve, ao longo desse período, reduções generalizadas das disparidades de inclusão social.

Essas reduções foram compreensivelmente maiores, tanto para o Brasil quanto para as regiões, no caso dos hiatos metropolitano-rurais. Foram sempre menores que elas no caso dos hiatos urbano-rurais.

TABELA 5

BRASIL E REGIÕES: IIS, SEGUNDO AS SITUAÇÕES
DO DOMICÍLIO, SOCIAL, 2001 E 2008

Discriminação	IIS		Variação, %	Crescimento*	Brasil=100	
	2001	2008	2001-8	2001-8	2001	2008
Brasil	**4,58**	**6,56**	**43,2**	**5,3**	**100**	**100**
Brasil rural	2,19	4,00	82,7	9,0	48	61
Brasil urbano	4,73	6,75	42,9	5,2	103	103
Brasil metropolitano	5,55	7,49	35,0	4,4	121	114
Norte	**3,97**	**5,60**	**41,0**	**5,0**	**87**	**85**
Norte rural	...	3,75	...	...	...	57
Norte urbano	3,96	5,97	50,8	6,0	86	91
Norte metropolitano	4,63	6,58	42,3	5,2	101	100
Nordeste	**2,87**	**4,80**	**67,0**	**7,6**	**63**	**73**
Nordeste rural	1,84	3,14	70,3	7,9	40	48
Nordeste urbano	3,24	5,20	60,3	7,0	71	79
Nordeste metropolitano	4,30	6,08	41,2	5,0	94	93

Continua...

Discriminação	IIS		Variação, %	Crescimento*	Brasil=100	
	2001	2008	2001-8	2001-8	2001	2008
Sudeste	**5,44**	**7,48**	**37,4**	**4,6**	**119**	**114**
Sudeste rural	3,02	5,03	66,8	7,6	66	77
Sudeste urbano	5,49	7,55	37,5	4,7	120	115
Sudeste metropolitano	5,81	7,79	34,1	4,3	127	119
Sul	**5,63**	**7,75**	**37,6**	**4,7**	**123**	**118**
Sul rural	3,84	5,68	47,9	5,8	84	87
Sul urbano	5,91	8,07	36,4	4,5	129	123
Sul metropolitano	6,24	8,30	33,0	4,2	136	127
Centro-Oeste	**4,48**	**6,62**	**47,7**	**5,7**	**98**	**101**
Centro-Oeste rural	2,85	4,80	68,7	7,8	62	73
Centro-Oeste urbano	4,56	6,69	46,6	5,6	100	102
Centro-Oeste metropolitano	5,90	8,16	38,2	4,7	129	124

* Crescimento médio anual, %.

FONTES: IBGE-Pnads de 2001 e 2008 (tabulações especiais). Ver Anexos Metodológico e Estatístico.

Elas foram menores que estas últimas para os hiatos metropolitano-urbanos — salvo no caso do Nordeste, cuja rede de cidades, integrada por uma miríade de núcleos urbanos de pequeno porte, aproxima-se muito, em suas características econômico-sociais e de condições de vida e bem-estar, dos meios rurais circundantes.

Para o Brasil, a redução ocorrida, entre 2001 e 2008, no hiato metropolitano-rural foi de 26,1%; a do hiato urbano-rural, 21,8%; e a do hiato metropolitano-urbano, 5,6%. No Nordeste, essas reduções foram, respectivamente, 17,1%, 5,8% e 12%.

TABELA 6
BRASIL E REGIÕES: HIATOS DE INCLUSÃO SOCIAL, 2001 E 2008

	2001	2008	Variação, %
Urbano-rurais			
Brasil	2,16	1,69	-21,8
Norte	...	1,59	...
Nordeste	1,76	1,66	-5,8
Sudeste	1,82	1,50	-17,6
Sul	1,54	1,42	-7,8
Centro-Oeste	1,60	1,39	-13,1
Metropolitano-urbanos			
Brasil	1,17	1,11	-5,6
Norte	1,17	1,10	-5,7
Nordeste	1,33	1,17	-12,0
Sudeste	1,06	1,03	-2,4
Sul	1,06	1,03	-2,5
Centro-Oeste	1,29	1,22	-5,7
Metropolitano-rurais			
Brasil	2,53	1,87	-26,1
Norte	...	1,76	...
Nordeste	2,34	1,94	-17,1
Sudeste	1,93	1,55	-19,6
Sul	1,62	1,46	-10,1
Centro-Oeste	2,07	1,70	-18,1

FONTE: Tabela 5.

O Gráfico 7 espelha bem esses fenômenos, nos dois anos observados, para o Brasil e suas regiões e as três situações de domicílio consideradas.

GRÁFICO 7
BRASIL E REGIÕES: HIATOS DE NÍVEIS DE INCLUSÃO SOCIAL, 2001 E 2008

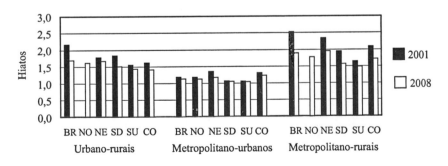

DESIGUALDADES ENTRE OS ESTADOS: CONVERGÊNCIA

As disparidades de níveis de inclusão social entre os estados (neles incluídos o Distrito Federal), apresentados em ordem decrescente do IIS de 2008, estão contidas na Tabela 7 e no Gráfico 8.

Os coeficientes de variação, V, dos IIS para 2001 e 2008 (colunas 2 e 3), de 27,9% no primeiro caso e 19,4% no segundo, evidenciam a redução das disparidades interestaduais de graus de inclusão social ocorrida ao longo da década.

A esse propósito, observe-se que há correspondência inversa entre as notas dos IIS para 2008 (coluna 3) e as variações percentuais deles no período 2001-2008 (coluna 4). Elas tendem a ser menores para as notas mais altas, maiores para as mais baixas. Essa tendência, que se expressa em coeficiente de correlação, R, de -0,630 (e coeficiente de determinação, R^2, de 0,396) também indica queda das desigualdades entre os estados.

Essa queda se explicita quando se comparam os IIS observados normalizados para os do Brasil igualados a 100 (colunas 5 e 6), confirmando tendência para convergência compatível a redução dos desníveis interestaduais de IIS.

A última coluna dessa Tabela 7 mostra, em números absolutos, a variação percentual dos IIS dos estados de 2001 e 2008, normalizados para Brasil igual a 100, que é uma outra medida de convergência e divergência. A distância entre o IIS de Santa Catarina de 2008, por exemplo, o maior entre os estados, e o brasileiro desse mesmo ano, reduziu-se 7,3% em relação à verificada em 2001. Essa redução foi de 3,5% no caso do Distrito Federal e 6,8% no caso de São Paulo. No caso do Paraná, em lugar de convergência, houve divergência de 2,8%. (comparem-se os valores das colunas 5 e 6 para esse Estado, o da coluna 6 sendo maior do que o da coluna 5).

Por esse critério, a maior convergência (de 38,3%) foi observada em Tocantins, onde, desde a instalação, em 1989, do governo estadual, vêm sendo executados projetos de desenvolvimento e políticas sociais, principalmente em educação, transformadores de uma realidade econômico-social antes estagnada. Seguem os estados mais pobres do Nordeste: o Maranhão (32,6%), Alagoas (26,8%), Piauí (23,5%).

TABELA 7

DESIGUALDADES INTERESTADUAIS MEDIDAS PELO IIS, 2001 E 2008

Estados*, por ordem do IIS de 2008	IIS		Variação, %	Brasil = 100		
	2001	2008	2001-8	2001 (A)	2008 (B)	((A-B)/A)x100**
Santa Catarina	6,22	8,25	32,7	136	126	7,3
Distrito Federal	5,90	8,16	38,2	129	124	3,5
São Paulo	5,90	7,87	19,7	129	120	6,8
Paraná	5,27	7,75	47,2	115	118	2,8
Rio de Janeiro	5,59	7,52	34,6	122	115	6,0
Rio Grande do Sul	5,66	7,48	32,0	124	114	7,8
Espírito Santo	4,62	6,96	50,5	101	106	5,1
Minas Gerais	4,57	6,73	47,2	100	103	2,8
Mato Grosso do Sul	4,62	6,54	41,5	101	100	1,2
Goiás	4,22	6,39	51,6	92	98	5,9
Mato Grosso	4,09	6,30	54,2	89	96	7,7
Roraima	4,02	6,17	53,4	88	94	7,1
Amapá	5,14	6,16	19,8	112	94	16,3
Amazonas	4,58	6,04	31,9	100	92	7,9
Rondônia	4,39	5,93	35,0	96	90	5,7
Acre	4,45	5,93	33,1	97	90	7,0
Sergipe	3,46	5,73	65,6	76	87	15,6
Tocantins	2,81	5,57	98,0	61	85	38,3
Rio Grande do Norte	3,63	5,44	49,6	79	83	4,5
Pará	3,77	5,26	39,5	82	80	2,5
Ceará	2,91	5,04	73,1	64	77	20,9
Paraíba	3,19	4,80	50,3	70	73	5,0
Pernambuco	3,16	4,76	50,6	69	73	5,2
Bahia	2,73	4,71	72,6	60	72	20,6
Maranhão	2,39	4,54	89,8	52	69	32,6
Piauí	2,50	4,43	76,9	55	68	23,5
Alagoas	2,40	4,36	81,5	52	66	26,8

* Inclusive o Distrito Federal. ** Em números absolutos.

FONTES: IBGE-Pnads de 2001 e 2008 (tabulações especiais). Ver Anexos Metodológico e Estatístico.

DESIGUALDADES INTERESTADUAIS DE
NÍVEIS DE INCLUSÃO SOCIAL, 2008

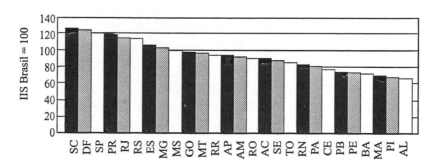

O IIS COMO FERRAMENTA DE ANÁLISE

Do acima exposto, teria ficado assente que o IIS é ferramenta útil ao exame do processo de inclusão social vivenciado pelo Brasil, suas regiões e estados.

A partir dele, três tipos de análise podem ser feitos.

A primeira, em nível agregado (tomando-se as notas do IIS), enseja visão de síntese desse processo e a comparação do IIS com outros indicadores sociais e econômicos — o IDS, por exemplo, ou o PIB per capita.

O segundo tipo de análise, em nível semiagregado, utiliza os três componentes do IIS, isto é, os Índices de Inserção Econômica, Inserção Educacional e Inclusão Social: investigando suas evoluções, as correlações entre eles, as comparações entre regiões, estados, situações de domicílio.

O terceiro tipo de exame, em nível desagregado, toma como base os 12 subcomponentes, construindo painel amplo e multifacetado no qual os perfis, as características, as especificidades de cada situação social, além de seu evoluir no tempo e suas mutações no espaço, poderão ser detalhadamente captadas e compreendidas.

A integração desses três níveis de análise poderá dar, aos formuladores de políticas públicas e aos gestores sociais, informações úteis para orientar seja o planejamento, seja a gerência da inclusão social, processo tão complexo quanto importante à compreensão do desenvolvimento como fenômeno global.

Anexo Metodológico
O ÍNDICE DE INCLUSÃO SOCIAL, IIS

O Índice de Inclusão Social, IIS, é um indicador sintético desenvolvido com o objetivo de medir, para o Brasil, suas regiões, situações de domicílio (rural, urbano e metropolitano) e estados, o grau de inclusão social médio alcançado por suas populações em determinado ano.

O IIS agrega, em uma só unidade de medida de valor relativo, varios indicadores de inserção econômico-social, integrados segundo metodologia que se desdobra em três etapas.

Na primeira estima-se, para cada indicador, I_i, chamado subcomponente, com relação a cada situação social (o Brasil, suas regiões e estados), j, uma medida do grau de evolução de determinado processo inclusivo, I_{ij}, definida como:

$$I_{ij} = 1 - \frac{\max_j I_{ij} - I_{ij}}{\max_j I_{ij} - \min_j I_{ij}}$$

Na segunda etapa, constrói-se para cada componente, C_i, que é uma agregação de subcomponentes, e em relação a cada situação social, j, uma medida do grau de evolução de processos inclusivos mais complexos, C_{ij}, que resulta de média ponderada, das medidas relativas a cada indicador ou subcomponente:

$$C_{ij} = \frac{1}{n} \sum_{j=1}^{n} I_{ij}$$

Na terceira etapa, obtêm-se os índices sintéticos desejados, os IIS_{ij}, que são médias simples de seus componentes:

$$IIS_{ij} = \frac{1}{n} \sum_{i=1}^{n} C_{ij}$$

Os IIS são considerados medidas sintéticas do grau de evolução relativa do processo de inclusão social retratado pelos seus diversos componentes e subcomponentes.[20]

Tradicionalmente, os índices sintéticos têm sido apresentados no intervalo de 0 a 1 e com três algarismos significativos (por exemplo: 0,865). No Fórum Nacional, contudo, desde 2008 esses índices e seus componentes, tendo em vista melhor legibilidade, têm sido expressos no intervalo de 0 e 10, equivalendo a uma espécie de nota com duas casas decimais (exemplo: 8,65).

O IIS calculado para o Brasil, suas cinco grandes regiões, as três situações de domicílio (rural, urbana e metropolitana) e as 27 unidades da federação, é bastante abrangente, sendo integrado por três componentes e 12 subcomponentes. São eles:

I — o componente Emprego e Renda (também chamado Índice de Inserção Econômica), representado por quatro subcomponentes: (1) a taxa de ocupação, ou seja, a percentagem da PEA ocupada (peso 0,3); (2) o grau de formalização do emprego, ou seja, a percentagem dos empregados remunerados com carteira assinada (peso 0,2); (3) a proporção de não pobres (peso 0,3); e (4) o coeficiente de igualdade (ou seja, o complemento para 1 do coeficiente de Gini (peso 0,2);

II — o componente Educação e Conhecimento (ou Índice de Inserção Educacional), representado por quatro subcomponentes: (1) a taxa de alfabetização da população de 15 anos ou mais (peso 0,1); (2) a percentagem das pessoas com 15 anos ou mais e com 4 anos ou mais de estudo (peso 0,2); (3) a percentagem das pessoas com 20 anos ou mais e 9 anos ou mais de estudo (peso 0,3); e (4) a percentagem das pessoas de 24 anos ou mais e 12 anos ou mais de estudo (peso 0,4);

III — o componente Informação e Comunicação (ou Índice de Inclusão Digital), representado por quatro subcomponentes: (1) o percentual dos domicílios com microcomputador (peso 0,3); (2) o percentual dos domicílios com acesso à internet (peso 0,3); (3) o percentual dos domi-

---

[20] Os IIS, como em geral os índices sintéticos de desenvolvimento, são, portanto, sempre normalizados. Eles expressam um valor relativo, no sentido espacial e temporal, e só têm sentido no âmbito da escala de referência utilizada em sua construção.

cílios com televisão (peso 0,2); e (4) o percentual dos domicílios com pelo menos um telefone, fixo ou celular (peso 0,2).

No cálculo do IIS, os três componentes têm pesos iguais. Na normalização dos valores observados para cada indicador ou subcomponente, os valores mínimos são minimamente ajustados para cima de modo a evitar que permaneçam igualados a zero.

A base de dados construída para a estimação do IIS para o Brasil, suas regiões e estados nos anos 2001 e 2008 valeu-se de tabulações especiais elaboradas a partir dos microdados das Pesquisas Nacionais por Amostra de Domicílios, Pnads, relativas a esses dois anos.

A Pnad relativa a 2001 ainda não investigou as populações rurais dos estados de Rondônia, Amazonas, Roraima, Pará e Amapá.[21] Consideraram-se como Norte metropolitano a região metropolitana de Belém; como Nordeste metropolitano as regiões metropolitanas de Fortaleza, Recife e Salvador, Sudeste metropolitano as regiões metropolitanas de Belo Horizonte, Rio de Janeiro e São Paulo; Sul metropolitano as regiões metropolitanas de Curitiba e Porto Alegre; e Centro-Oeste metropolitano o Distrito Federal.

---

[21] Portanto, os dados de 2001 relativos ao Norte e a esses estados não são rigorosamente comparáveis aos de 2008.

ANEXO ESTATÍSTICO

TABELAS I A IV

TABELA I
O ÍNDICE DE INCLUSÃO SOCIAL, IIS, E COMPONENTES, 2001 E 2008

SIGLA	Unidade Espacial	Índice de Inclusão, ISS		Componente Emprego e Renda		Componente Educação e Conhecimento		Componente Informação e Comunicação	
		2001	2008	2001	2008	2001	2008	2001	2008
BR	**BRASIL**	**4,58**	**6,56**	**4,37**	**6,19**	**4,79**	**6,32**	**4,58**	**7,16**
BRR	BRASIL RURAL	2,19	4,00	4,88	6,69	0,69	2,01	0,99	3,30
BRU	BRASIL URBANO	4,73	6,75	4,78	6,60	4,80	6,39	4,60	7,27
BRM	BRASIL METROPOLITANO	5,55	7,49	4,05	5,74	6,53	8,07	6,07	8,66
NO	Norte	3,97	5,60	3,72	6,01	4,50	5,55	3,70	5,24
NOR	Norte Rural	...	3,75	...	7,04	...	2,10	...	2,11
NOU	Norte Urbano	3,96	5,97	3,94	5,84	4,25	6,12	3,68	5,94
NOM	Norte Metropolitano	4,63	6,58	2,98	5,52	6,08	7,35	4,82	6,87
NE	**Nordeste**	**2,87**	**4,80**	**2,87**	**4,61**	**2,96**	**4,55**	**2,80**	**5,23**
NER	Nordeste Rural	1,84	3,14	4,29	5,68	0,57	1,22	0,66	2,51
NEU	Nordeste Urbano	3,24	5,20	2,95	4,81	3,37	5,08	3,40	5,70
NEM	Nordeste Metropolitano	4,30	6,08	2,26	3,76	5,70	7,19	4,95	7,28
SD	**Sudeste**	**5,44**	**7,48**	**5,03**	**6,93**	**5,71**	**7,20**	**5,57**	**8,31**
SDR	Sudeste Rural	3,02	5,03	5,84	7,98	1,26	2,64	1,95	4,47
SDU	Sudeste Urbano	5,49	7,55	5,76	7,66	5,40	6,83	5,31	8,15
SDM	Sudeste Metropolitano	5,81	7,79	4,37	6,18	6,66	8,20	6,39	8,99
SU	**Sul**	**5,63**	**7,75**	**6,72**	**8,31**	**5,21**	**6,95**	**4,97**	**8,00**
SRR	Sul Rural	3,84	5,68	7,27	9,14	1,70	3,11	2,56	4,80
SUU	Sul Urbano	5,91	8,07	6,99	8,49	5,58	7,35	5,18	8,36
SUM	Sul Metropolitano	6,24	8,30	6,09	7,70	6,66	8,28	5,98	8,93
CO	**Centro-Oeste**	**4,48**	**6,62**	**4,00**	**5,77**	**5,04**	**6,88**	**4,41**	**7,23**
COR	Centro-Oeste Rural	2,85	4,80	6,00	8,00	1,45	2,70	1,08	3,70
COU	Centro-Oeste Urbano	4,56	6,69	4,30	6,21	4,95	6,73	4,43	7,12
COM	Centro-Oeste Metropolitano	5,90	8,16	3,01	4,49	7,91	9,98	6,78	10,00
RO	Rondônia	4,39	5,93	4,96	6,97	4,32	5,17	3,89	5,65
AC	Acre	4,45	5,93	3,84	5,65	5,04	6,23	4,48	5,90
AM	Amazonas	4,58	6,04	3,88	5,92	5,22	6,37	4,63	5,82
RR	Roraima	4,02	6,17	4,24	5,71	3,95	7,05	3,87	5,75
PA	Pará	3,77	5,26	3,38	6,02	4,31	4,91	3,62	4,85
AP	Amapá	5,14	6,16	5,33	5,46	5,75	7,39	4,33	5,64
TO	Tocantins	2,81	5,57	3,32	5,89	3,39	5,91	1,73	4,91
MA	Maranhão	2,39	4,54	2,96	5,20	2,48	4,18	1,73	4,22
PI	Piauí	2,50	4,43	3,18	4,80	2,51	4,22	1,82	4,27
CE	Ceará	2,91	5,04	2,82	5,08	2,97	4,69	2,95	5,35
RN	Rio Grande do Norte	3,63	5,44	3,95	5,42	3,54	4,98	3,41	5,91
PB	Paraíba	3,19	4,80	3,24	4,43	2,88	4,35	3,46	5,61
PE	Pernambuco	3,16	4,76	2,45	3,88	3,57	4,84	3,46	5,57
AL	Alagoas	2,40	4,36	2,37	4,41	2,22	3,77	2,61	4,89
SE	Sergipe	3,46	5,73	3,46	5,48	3,38	5,36	3,55	6,35
BA	Bahia	2,73	4,71	2,78	4,35	2,85	4,54	2,56	5,25
MG	Minas Gerais	4,57	6,73	5,10	7,13	4,28	5,83	4,33	7,22
ES	Espírito Santo	4,62	6,96	4,85	7,19	4,68	6,05	4,34	7,63
RJ	Rio de Janeiro	5,59	7,52	4,68	6,11	6,31	7,93	5,78	8,54
SP	São Paulo	5,90	7,87	5,29	7,18	6,22	7,64	6,17	8,78
PR	Paraná	5,27	7,75	5,92	8,17	5,15	7,09	4,74	8,00
SC	Santa Catarina	6,22	8,25	8,34	9,12	5,02	7,05	5,29	8,57
RS	Rio Grande do Sul	5,66	7,48	6,62	7,98	5,35	6,77	5,02	7,68
MS	Mato Grosso do Sul	4,62	6,54	4,50	6,32	4,86	6,35	4,50	6,94
MT	Mato Grosso	4,09	6,30	4,75	6,31	4,32	6,23	3,19	6,36
GO	Goiás	4,22	6,39	4,34	6,48	4,28	6,06	4,04	6,65
DF	Distrito Federal	5,90	8,16	3,01	4,49	7,91	9,98	6,78	10,00

FONTES: Tabelas II a IV deste Anexo. Ver o Anexo Metodológico.

TABELA II

O IIS E SEUS SUBCOMPONENTES, 2001 E 2008, I

(COMPONENTE EMPREGO E RENDA)

SIGLA	Unidade Espacial	Taxa de Ocupação, %[1] 2001	2008	Grau de formalização do emprego, %[2] 2001	2008	Proporção de Não pobres, %[3] 2001	2008	Coeficiente de Igualdade[4] 2001	2008
BR	**BRASIL[5]**	**90,65**	**92,86**	**56,49**	**61,88**	**64,92**	**77,23**	**0,412**	**0,457**
BRR	BRASIL RURAL[5]	97,88	97,87	31,76	39,72	57,93	75,74	0,460	0,503
BRU	BRASIL URBANO	90,35	92,71	55,19	61,30	68,26	80,06	0,440	0,484
BRM	BRASIL METROPOLITANO	87,30	90,59	65,42	68,79	62,53	72,93	0,420	0,454
NO	**Norte**	**90,44**	**93,50**	**41,37**	**47,53**	**58,89**	**74,87**	**0,438**	**0,491**
NOR	Norte Rural	...	97,99	...	34,61	...	82,29	...	0,514
NOU	Norte Urbano	91,06	92,34	39,38	49,09	60,31	72,95	0,446	0,499
NOM	Norte Metropolitano	85,87	91,48	53,55	52,38	55,86	72,01	0,420	0,478
NE	**Nordeste**	**91,27**	**92,48**	**39,62**	**44,94**	**49,25**	**64,54**	**0,404**	**0,444**
NER	Nordeste Rural	97,74	97,61	19,51	25,22	46,27	64,73	0,509	0,522
NEU	Nordeste Urbano	89,13	91,82	38,69	43,90	51,43	66,09	0,438	0,467
NEM	Nordeste Metropolitano	86,06	87,22	56,95	60,41	47,89	60,29	0,384	0,424
SD	**Sudeste**	**89,15**	**92,24**	**63,74**	**69,30**	**70,58**	**81,31**	**0,442**	**0,489**
SDR	Sudeste Rural	97,10	97,57	39,53	50,98	70,89	85,85	0,465	0,535
SDU	Sudeste Urbano	89,77	92,64	63,43	69,53	76,70	87,46	0,467	0,515
SDM	Sudeste Metropolitano	87,05	91,00	67,47	71,17	63,93	73,86	0,439	0,475
SU	**Sul**	**93,47**	**95,07**	**65,47**	**69,54**	**82,13**	**92,21**	**0,458**	**0,509**
SRR	Sul Rural	98,98	98,65	49,40	58,52	77,48	92,58	0,497	0,561
SUU	Sul Urbano	92,58	94,59	66,07	70,11	84,60	93,55	0,481	0,525
SUM	Sul Metropolitano	90,99	93,73	69,20	71,73	79,67	88,94	0,441	0,486
CO	**Centro-Oeste**	**91,15**	**92,55**	**48,67**	**59,42**	**62,22**	**76,20**	**0,410**	**0,438**
COR	Centro-Oeste Rural	97,88	98,49	37,76	48,79	66,69	84,85	0,496	0,534
COU	Centro-Oeste Urbano	91,23	92,45	47,04	58,66	62,17	76,13	0,442	0,482
COM	Centro-Oeste Metropolitano	85,51	88,92	61,57	67,51	59,21	70,25	0,384	0,385
RO	Rondônia	91,24	93,84	51,24	54,95	67,60	82,60	0,459	0,507
AC	Acre	92,25	93,78	45,53	54,14	62,32	72,60	0,378	0,444
AM	Amazonas	89,76	91,55	52,08	58,45	57,98	72,65	0,434	0,491
RR	Roraima	91,45	93,86	27,32	39,85	66,71	77,15	0,473	0,470
PA	Pará	90,02	94,64	38,15	42,38	54,80	73,28	0,446	0,499
AP	Amapá	81,99	85,14	55,78	50,17	79,24	77,49	0,537	0,552
TO	Tocantins	93,96	94,95	24,94	38,67	57,99	79,61	0,402	0,459
MA	Maranhão	93,21	94,61	29,91	39,93	46,71	64,23	0,427	0,482
PI	Piauí	94,47	95,98	30,50	35,79	51,02	67,07	0,402	0,421
CE	Ceará	92,92	93,77	37,28	43,99	47,58	66,07	0,390	0,461
RN	Rio Grande do Norte	92,25	92,72	43,20	50,72	59,42	72,90	0,420	0,450
PB	Paraíba	92,23	93,24	41,41	40,94	50,98	67,00	0,407	0,415
PE	Pernambuco	89,94	90,37	44,33	49,26	45,47	57,20	0,391	0,437
AL	Alagoas	88,95	93,07	43,19	50,56	46,83	59,68	0,398	0,424
SE	Sergipe	88,38	92,32	50,33	54,02	55,54	70,59	0,436	0,464
BA	Bahia	90,02	90,95	39,44	43,99	50,27	65,41	0,412	0,443
MG	Minas Gerais	90,61	93,90	55,25	63,28	71,58	83,37	0,447	0,489
ES	Espírito Santo	91,01	94,16	54,09	59,01	72,67	86,59	0,415	0,487
RJ	Rio de Janeiro	87,78	90,44	64,72	67,60	69,26	78,26	0,436	0,465
SP	São Paulo	88,78	91,91	67,74	73,23	70,42	80,97	0,459	0,507
PR	Paraná	92,33	95,42	61,59	67,64	77,33	90,92	0,442	0,505
SC	Santa Catarina	95,83	95,47	72,20	75,52	89,67	95,91	0,505	0,537
RS	Rio Grande do Sul	93,27	94,51	65,18	67,85	82,65	91,38	0,450	0,499
MS	Mato Grosso do Sul	91,24	92,61	53,29	62,06	62,62	76,74	0,437	0,476
MT	Mato Grosso	94,02	94,22	42,11	56,18	65,27	78,03	0,437	0,461
GO	Goiás	91,96	93,21	44,89	56,55	61,73	77,55	0,443	0,494
DF	Distrito Federal	85,51	88,92	61,57	67,51	59,21	70,25	0,384	0,385

NOTAS: 1)Percentual de pessoas ocupadas na PEA.

2) Empregados com carteira assinada como percentual dos empregados remunerados (exclusive servidores públicos e militares).

3) Percentual de pobres (renda familiar per capita). Ver Rocha.

4) O complemento para 1 do Coeficiente de Gini (renda familiar per capita).

5) Exclusive a população rural dos Estados de Rondônia, Acre, Amazonas, Roraima, Pará e Amapá.

FONTES: IBGE, Pnads de 2001 e 2008 (Tabulações especiais).

TABELA III

O IIS E SEUS SUBCOMPONENTES, 2001 E 2008,

(COMPONENTE EDUCAÇÃO E CONHECIMENTO)

SIGLA	Unidade Espacial	Taxa de Alfabetização, %[1] 2001	2008	Pessoas com 4 anos ou mais de estudo, %[2] 2001	2008	Pessoas com 9 anos ou mais de estudo, %[3] 2001	2008	Pessoas com 12 anos ou mais de estudo, %[4] 2001	2008
BR	BRASIL[5]	87,62	90,04	58,77	68,00	31,81	43,53	10,25	14,05
BRR	BRASIL RURAL[5]	70,32	75,48	26,90	41,19	7,11	15,99	1,16	2,96
BRU	BRASIL URBANO	88,22	90,64	59,52	69,02	32,22	44,46	9,85	13,88
BRM	BRASIL METROPOLITANO	94,13	95,51	71,35	78,26	41,49	53,86	14,69	19,07
NO	Norte	88,77	89,27	62,34	66,73	33,47	41,56	6,70	9,97
NOR	Norte Rural	...	80,38	...	45,67	...	19,26	...	3,00
NOU	Norte Urbano	87,82	90,61	60,46	70,32	31,89	45,43	6,17	11,40
NOM	Norte Metropolitano	95,79	95,83	75,37	80,42	43,49	55,04	9,83	13,30
NE	Nordeste	75,76	80,59	45,80	58,76	23,63	35,23	5,63	8,71
NER	Nordeste Rural	59,15	65,47	20,03	35,29	5,38	12,90	0,56	1,75
NEU	Nordeste Urbano	78,73	83,31	50,26	62,78	26,25	38,77	6,02	9,69
NEM	Nordeste Metropolitano	89,99	92,07	68,24	77,05	40,08	52,58	11,04	14,42
SD	Sudeste	92,49	94,19	64,47	72,23	36,25	48,31	12,81	16,62
SDR	Sudeste Rural	79,24	83,44	30,65	44,10	9,21	18,69	1,86	4,22
SDU	Sudeste Urbano	92,14	93,65	62,74	70,51	34,10	46,70	11,86	15,21
SDM	Sudeste Metropolitano	94,86	96,25	71,39	77,95	41,55	54,01	15,42	19,77
SU	Sul	92,92	94,55	62,66	71,51	31,56	43,94	11,34	16,60
SRR	Sul Rural	87,88	90,59	39,25	51,04	8,38	18,88	1,70	4,52
SUU	Sul Urbano	93,11	94,63	64,78	73,22	34,45	46,92	12,34	17,85
SUM	Sul Metropolitano	95,73	96,62	73,00	79,32	39,95	51,50	15,47	20,83
CO	Centro-Oeste	89,78	91,82	61,16	71,17	33,13	45,91	10,53	15,96
COR	Centro-Oeste Rural	81,35	84,03	34,84	46,81	9,24	18,74	1,83	3,89
COU	Centro-Oeste Urbano	90,07	91,96	61,97	71,85	33,00	45,65	9,74	14,86
COM	Centro-Oeste Metropolitano	94,47	95,98	76,25	83,20	50,22	63,31	19,87	27,50
RO	Rondônia	89,81	90,83	59,32	61,23	28,05	35,24	7,86	10,46
AC	Acre	83,27	86,23	58,22	65,53	35,05	43,42	11,66	14,71
AM	Amazonas	92,26	91,72	69,42	71,63	40,30	49,43	7,05	11,24
RR	Roraima	88,52	90,74	58,07	75,03	31,32	53,29	4,70	13,91
PA	Pará	88,83	88,14	61,36	64,61	32,00	37,43	6,17	7,71
AP	Amapá	92,85	95,89	76,99	80,21	45,24	54,51	7,20	13,74
TO	Tocantins	81,51	85,62	51,50	64,55	25,32	41,89	5,70	13,35
MA	Maranhão	76,60	80,54	42,54	57,79	21,88	33,11	3,55	7,16
PI	Piauí	70,59	75,67	39,56	53,03	21,13	31,23	5,78	9,96
CE	Ceará	75,19	80,94	47,03	61,09	22,59	35,53	5,90	8,95
RN	Rio Grande do Norte	75,82	80,01	51,63	60,30	26,99	38,13	7,11	10,33
PB	Paraíba	72,83	76,51	40,86	54,77	22,07	33,10	7,21	9,67
PE	Pernambuco	78,03	82,14	49,65	60,77	26,26	36,21	7,61	9,56
AL	Alagoas	69,40	74,26	38,25	51,36	18,50	28,54	5,23	8,49
SE	Sergipe	78,57	83,13	50,03	64,06	26,99	40,18	5,88	10,82
BA	Bahia	77,18	82,70	46,46	59,35	24,12	36,81	4,31	7,56
MG	Minas Gerais	88,32	91,35	55,32	64,69	28,81	39,50	8,47	12,64
ES	Espírito Santo	88,55	91,19	59,05	67,44	31,66	42,54	9,30	12,47
RJ	Rio de Janeiro	94,36	95,56	70,85	76,80	39,53	51,82	13,96	19,09
SP	São Paulo	94,02	95,26	66,69	74,44	38,75	51,55	14,63	17,85
PR	Paraná	91,35	93,43	57,77	69,15	32,61	45,64	11,93	17,64
SC	Santa Catarina	94,06	95,59	60,13	69,19	31,72	45,17	10,37	17,15
RS	Rio Grande do Sul	93,75	95,03	68,49	75,06	30,52	41,65	11,30	15,33
MS	Mato Grosso do Sul	89,75	91,88	59,21	67,11	30,99	41,44	10,54	14,80
MT	Mato Grosso	88,81	90,45	56,48	68,84	27,57	41,90	8,80	13,77
GO	Goiás	88,33	90,69	58,03	68,75	29,71	42,13	7,56	12,48
DF	Distrito Federal	94,47	95,98	76,25	83,20	50,22	63,31	19,87	27,50

NOTAS: 1)Percentual de pessoas alfabetizadas na população de 15 anos ou mais.

2) Percentual das pessoas com 4 anos ou mais de estudo na população de 15 anos ou mais.

3) Percentual das pessoas com 9 anos ou mais de estudo na população de 20 anos ou mais.

4) Percentual das pessoas com 12 ou mais anos de estudo na população de 24 anos ou mais.

5) Exclusive a população rural dos Estados de Rondônia, Acre, Amazonas, Roraima, Pará e Amapá.

FONTES: IBGE, Pnads de 2001 e 2008 (Tabulações especiais).

TABELA IV
O IIS E SEUS SUBCOMPONENTES, 2001 E 2008, III
(COMPONENTE INFORMAÇÃO E COMUNICAÇÃO)

SIGLA	Unidade Espacial	Microcomputador		Internet		Televisão		Telefone[1]	
		2001	2008	2001	2008	2001	2008	2001	2008
BR	**BRASIL[2]**	**12,58**	**31,18**	**8,54**	**23,83**	**89,06**	**95,13**	**58,89**	**82,05**
BRR	BRASIL RURAL[2]	1,00	6,16	0,37	2,59	63,22	82,44	12,68	48,41
BRU	BRASIL URBANO	11,13	31,18	7,04	23,22	91,51	96,62	59,89	84,52
BRM	BRASIL METROPOLITANO	19,85	42,00	14,44	34,04	96,05	98,15	76,87	92,54
NO	**Norte**	**6,50**	**17,35**	**3,99**	**10,64**	**86,13**	**89,98**	**51,56**	**72,36**
NOR	Norte Rural	...	4,65	...	1,69	...	68,95	...	38,57
NOU	Norte Urbano	5,88	19,82	3,44	12,08	87,08	95,47	50,42	80,04
NOM	Norte Metropolitano	10,26	25,68	6,91	17,89	93,44	97,35	66,18	89,44
NE	**Nordeste**	**5,23**	**15,73**	**3,55**	**11,63**	**78,39**	**91,68**	**35,94**	**66,77**
NER	Nordeste Rural	0,36	1,81	0,05	0,86	51,52	78,91	4,55	35,23
NEU	Nordeste Urbano	5,06	17,27	3,18	12,36	86,83	95,51	40,49	72,38
NEM	Nordeste Metropolitano	11,98	28,30	9,04	22,47	92,55	97,33	65,60	90,08
SD	**Sudeste**	**17,31**	**39,98**	**12,02**	**31,52**	**94,42**	**97,63**	**70,55**	**88,90**
SDR	Sudeste Rural	1,66	11,14	0,92	5,22	76,25	91,38	16,90	59,97
SDU	Sudeste Urbano	15,00	38,97	9,70	29,67	94,27	97,56	69,72	89,17
SDM	Sudeste Metropolitano	22,02	44,94	16,06	37,00	97,29	98,55	79,43	92,56
SU	**Sul**	**13,88**	**38,45**	**8,75**	**28,57**	**92,29**	**96,38**	**64,84**	**89,84**
SRR	Sul Rural	1,95	13,60	0,71	5,01	81,70	90,60	29,35	73,96
SUU	Sul Urbano	14,51	40,98	8,74	31,18	94,00	97,35	68,30	91,36
SUM	Sul Metropolitano	19,71	46,37	13,63	35,61	94,97	97,38	78,76	95,09
CO	**Centro-Oeste**	**10,65**	**30,92**	**7,35**	**23,50**	**88,52**	**94,62**	**59,92**	**87,86**
COR	Centro-Oeste Rural	1,14	6,83	0,08	2,74	64,01	83,29	16,39	63,02
COU	Centro-Oeste Urbano	8,71	29,13	5,72	21,48	91,05	95,48	61,73	89,65
COM	Centro-Oeste Metropolitano	25,50	54,17	19,33	45,43	96,28	98,67	84,64	97,20
RO	Rondônia	6,64	20,30	3,92	14,83	87,65	89,93	55,80	73,32
AC	Acre	9,42	21,72	6,84	16,46	89,06	90,10	65,04	77,31
AM	Amazonas	9,69	22,42	5,93	12,43	91,72	93,38	66,53	74,95
RR	Roraima	3,47	19,76	2,40	13,87	89,33	92,88	59,99	73,07
PA	Pará	5,92	14,49	3,53	8,21	87,31	88,62	46,44	70,79
AP	Amapá	3,48	16,31	2,71	8,88	95,55	98,36	62,09	73,15
TO	Tocantins	4,01	15,67	2,11	11,29	65,90	85,53	29,82	70,99
MA	Maranhão	2,64	11,41	1,70	7,77	67,02	86,53	30,11	54,32
PI	Piauí	3,48	11,72	2,04	7,90	67,20	86,33	30,99	56,05
CE	Ceará	5,00	14,85	3,38	10,96	84,88	93,43	33,45	70,58
RN	Rio Grande do Norte	5,86	19,96	4,26	13,43	84,88	95,33	42,04	74,31
PB	Paraíba	5,81	15,65	4,00	12,12	87,74	95,32	36,83	72,24
PE	Pernambuco	6,79	16,38	4,62	11,94	84,27	94,15	43,28	72,78
AL	Alagoas	5,28	12,64	2,95	9,40	77,31	92,63	32,01	60,13
SE	Sergipe	5,96	22,05	3,93	15,55	86,54	96,00	44,18	82,94
BA	Bahia	5,36	17,26	3,82	13,52	74,86	89,83	34,27	64,32
MG	Minas Gerais	10,36	31,46	6,32	23,26	89,23	96,21	57,64	82,80
ES	Espírito Santo	11,14	33,11	7,55	26,51	88,13	96,97	56,11	86,77
RJ	Rio de Janeiro	17,20	40,92	12,43	33,39	97,36	98,40	70,26	89,85
SP	São Paulo	21,11	44,20	14,87	35,09	96,14	98,04	77,88	91,59
PR	Paraná	13,66	39,57	8,63	29,85	90,32	95,34	60,43	87,23
SC	Santa Catarina	15,80	43,34	10,12	33,47	94,17	97,69	66,47	89,36
RS	Rio Grande do Sul	13,09	34,80	8,15	24,76	93,09	96,65	67,93	92,50
MS	Mato Grosso do Sul	8,97	27,98	6,20	20,04	90,97	94,38	62,93	91,07
MT	Mato Grosso	7,36	26,13	4,76	20,60	79,51	89,61	43,58	79,77
GO	Goiás	7,07	25,10	4,35	17,47	88,86	95,57	56,92	86,88
DF	Distrito Federal	25,50	54,17	19,33	45,43	96,28	98,67	84,64	97,20

NOTAS:1) Com pelo menos um telefone fixo ou celular.
2) Exclusive a população rural dos Estados de Rondônia, Acre, Amazonas, Roraima, Pará e Amapá.

FONTES: IBGE, Pnads de 2001 e 2008 (tabulações especiais).

REFERÊNCIAS BIBLIOGRÁFICAS

ADLER, Mortimer J e GORMAN, William (org.). (1952). *The great ideas: a syntopicon of great books of the werstern world*. Chicago, Britannica, 1952, 2v.

ALBUQUERQUE, Roberto Cavalcanti de (2005). A questão social: balanço de cinco décadas e agenda para o futuro. Em VELLOSO, João Paulo dos Reis e ALBUQUERQUE, Roberto Cavalcanti de (coords.). *Cinco décadas de questão social e os grandes desafios do crescimento sustentado*. Rio de Janeiro, José Olympio, p. 63-177.

_____ (2008). O IDS, 1970-2007: ferramenta de análise da evolução social do Brasil, suas regiões e estados. Em VELLOSO, João Paulo dos Reis, (coord.) *O Brasil e a economia criativa — um novo mundo nos trópicos*. Rio de Janeiro, José Olympio, p. 543-99.

ALBUQUERQUE, Roberto Cavalcanti de e PESSOA, Antonio (2009). O IDS: análise da evolução social do Brasil (atualização para 2008). Em VELLOSO, João Paulo dos Reis (coord.). *Teatro mágico da cultura, crise global e oportunidades para o Brasil*. Rio de Janeiro, José Olympio, p. 593-642 [Anexo — o Índice de Desenvolvimento Social, IDS, 1970-2008].

_____ (2009). Proteção social e geração de oportunidades. Em CARDOSO JR., José Celso (org.). *Desafios ao desenvolvimento brasileiro: contribuições do Conselho de Orientação do Ipea*. Brasília, Ipea, p. 153-88.

A BÍBLIA DE JERUSALÉM (1986). São Paulo, Edições Paulinas.

HAMILTON, Alexander; MADISON, James; JAY, John. *The federalist* (1787-88) Great Books 43, Chicago, Britannica, 1952.

HIGNETT, Charles (1967). *A history of the Athenian constitution to the end of the fifth century b.C.* Londres, Oxford.

IBGE, Instituto Brasileiro de Geografia e Estatística (2002 e 2009). *Pnads (Pesquisas Nacionais por Amostra de Domicílios)*, Rio de Janeiro.

IPEA, Instituto de Pesquisa Econômica Aplicada (2010). Ipeadata macroeconômico, séries históricas, contas nacionais, PIB per capita (R$ de 2009), 1990-2009. Disponível em: www.ipeadata.gov.br.

KANT, Immanuel (1797). *The science of right*. Trad. de W. Hastie, Great Books, 42, Chicago, Britannica, 1952.

MILL, John Stuart. *Representative government* (1861). Great Books 43, Chicago, Britannica, 1952.

MONTESQUIEU, Charles-Louis de Secondat, baron de La Brède et de (1748). *De l'esprit des lois*. Paris, Gallimard, 1995 (texto de 1758), 2 v., parte I, livro II, capítulo 2, p. 39.

ROCHA, Sonia. Proporção de pobres e coeficiente de Gini, Brasil, regiões e estados, 2001 e 2008. Tabulações especiais das Pnads (Pesquisas Nacionais por Amostra de Domicílios, IBGE).

TUCÍDIDES, (séc. V a.C.) *The history of the peloponnesian war*. Trad. Richard Crawley, Great Books, Chicago, Britannica, 1952.

VELLOSO, João Paulo dos Reis (coord.) (2008). *O Brasil e a economia criativa: um novo mundo nos trópicos*. Rio de Janeiro, José Olympio.

Crescimento econômico e renda. Como ficam os pobres?

*Sonia Rocha**

* Do Instituto de Estudos do Trabalho e Sociedade, IETS.

INTRODUÇÃO

DESDE O INÍCIO da década de 1990, a pobreza passou a ocupar papel central nas preocupações nacionais, o que se deu, em parte, devido à nova ênfase atribuída ao tema pela academia e pelas instituições internacionais voltadas para as questões relativas ao desenvolvimento econômico. O relatório anual do Banco Mundial de 1990, que trazia uma impactante capa negra com a palavra pobreza escrita em letras garrafais,[1] bem caracteriza esta nova fase em que medidas e caracterização da pobreza, assim como políticas voltadas especificamente para a proteção e a inserção social e econômica dos mais pobres adquirem lugar de destaque.[2] No Brasil divulgam-se novos indicadores estatísticos, a sociedade civil se organiza e são criadas políticas públicas focalizadas nos mais pobres.

No entanto, a conjuntura econômica do início da década de 1990 no Brasil era certamente adversa. A inflação sem controle prejudicava os mais pobres, que não dispunham de mecanismos de proteção monetária e eram os mais afetados pela queda do valor real de seus rendimentos frente à escalada de preços. No contexto inflacionário, a política econômica tinha prioridade absoluta, e a gestão da conjuntura absorvia todos os esforços, não deixando espaço para o planejamento de longo prazo nem para a questão social. Em comparação com países com valor de produto per capita similar, o Brasil no início dos anos 1990 apresentava níveis elevados de desigualdade de renda e de pobreza absoluta, o que se devia aos efeitos concentradores da inflação e de mecanismos associados a ela.

---

[1] IBRD, 1990.
[2] Barrientos e Santibánez (2009) fazem uma excelente síntese das mudanças ocorridas na América Latina no que concerne à nova ênfase em políticas antipobreza a partir dos anos 1990.

O sucesso do Plano Real em assegurar a estabilidade monetária resultou, de imediato, em uma forte redução da pobreza e da desigualdade, efeito que foi potencializado por outros fatores paralelos muito bem-vindos, embora inesperados. Tal foi o caso da "âncora verde", isto é, o comportamento favorável dos preços alimentares em função de uma excelente safra agrícola, assim como o da abertura comercial, permitindo que importações neutralizassem, em parte, o efeito da expansão da demanda sobre os preços internos.

Para decepção geral, a queda da pobreza, que tinha sido excepcional após o Plano Real, tendo atingido em 1995 os menores níveis observados historicamente no Brasil, não teve continuidade. A partir de então, os indicadores de pobreza para o país como um todo ficaram relativamente estáveis, oscilando para mais ou para menos em função do comportamento conjuntural do nível de atividade econômica e do desempenho geralmente fraco do mercado de trabalho. Somente a partir de 2004 ocorre um claro ponto de inflexão no comportamento da pobreza do ponto de vista da insuficiência de renda: a retomada da atividade econômica, a partir daquele ano, resultou em redução sustentada dos índices de pobreza, que atingiram, a cada ano, novos mínimos históricos.

Este texto tem como objetivo analisar as mudanças na formação da renda das famílias, que determinam os resultados recentes obtidos em termos de redução da pobreza. Na seção 2 descreve-se o comportamento da proporção de pobres desde a década de 1990, comparando os efeitos espacialmente diferenciados ocorridos no período de baixo crescimento após o Plano Real e no período de retomada da atividade econômica, 2004-2008. A seção 3 apresenta as mudanças que ocorreram na formação da renda das famílias entre 2004 e 2008, deixando claro o papel primordial da renda do trabalho para a redução da pobreza e evidenciando, ademais, como as transferências assistenciais vêm tendo uma função compensatória crescente na formação da renda das famílias pobres. O funcionamento do mercado de trabalho é examinado mais de perto na seção 4, que mostra como a expansão da ocupação e, particularmente, como o aumento mais forte do rendimento dos trabalhadores menos qualificados manteve a característica distributivamente favorável que já se verificava antes da retomada, contribuindo, agora diretamente, para a redução da pobreza. A seção 5 utiliza os casos extremos de São Paulo metropolitano e Nordeste rural para ilustrar como, no período da retomada da atividade econômica, o mercado de trabalho e a formação da renda das famílias afetam as desigualdades espaciais da pobreza. Finalmente, a seção 6 sintetiza as principais evidências discutidas ao longo do texto.

DA ESTAGNAÇÃO DA POBREZA AO SEU DECLÍNIO SUSTENTADO NO PERÍODO 2004-2008

Embora pobreza não se limite à insuficiência de renda, o uso de linhas de pobreza em países de economia monetizada e de nível de renda média, como o Brasil, faz sentido para estabelecer um crivo básico entre pobres e não pobres, que poderão ser classificados posteriormente em relação a outras características. Para a obtenção dos indicadores de pobreza apresentados a seguir foram utilizadas, a cada ano, 24 linhas de pobreza localmente específicas, com o objetivo de levar em conta os diferenciais de estrutura de consumo e de preços nas diferentes regiões e áreas urbanas, rurais e metropolitanas no país. As linhas de pobreza se baseiam no consumo observado entre populações de baixa renda em cada região e área de residência, e seus valores são atualizados anualmente de acordo com a variação local de preços por grupo de produtos.[3]

O indicador de pobreza usual, mais sensível e de mais fácil compreensão, é a proporção de pobres na população total. Após a queda forte que se seguiu ao Plano Real, quando declinou de forma abrupta de 44,1% em 1993, para 33,2% em 1995, a proporção ficou praticamente no mesmo patamar, apenas oscilando em função dos ciclos de curto prazo que, devido a determinantes diversos, internos e externos, afetaram a economia. Como consequência, em 2004, a proporção de pobres verificada para o país como um todo se situava exatamente no mesmo nível de 1995 — 33,2% —, depois de ter atingido um pico em 2003 (Gráfico 1). A partir de então, com a retomada da atividade econômica de forma sustentada, a proporção de pobres declina todos os anos, atingindo mínimos históricos a cada ano desde 2005. A proporção de pobres atingida em 2008, 22,7%, corresponde a um declínio médio de 2,6 pontos percentuais anualmente desde 2004. É interessante observar que o aumento relativamente forte dos preços alimentares nos anos de 2007 e 2008 foi incapaz de interromper a tendência de redução da pobreza, já que estes aumentos foram largamente

---

[3] Para a descrição da metodologia utilizada para o estabelecimento das linhas de pobreza, ver Rocha (2006).

compensados por ganhos de renda, tanto devido a melhorias no mercado de trabalho, quanto à expansão das transferências previdenciárias e assistenciais. Ademais, a participação da alimentação no orçamento das famílias diminui continuamente, sendo que, mesmo dentre as famílias pobres, já deixou há muito de ser o grupo de despesa mais importante, pelo menos nas áreas urbanas e metropolitanas. Na metrópole de São Paulo, por exemplo, os gastos alimentares correspondiam a 28% do valor da linha de pobreza em 2008.[4]

GRÁFICO 1

EVOLUÇÃO DA PROPORÇÃO DE POBRES (%) — BRASIL, 1990-2008

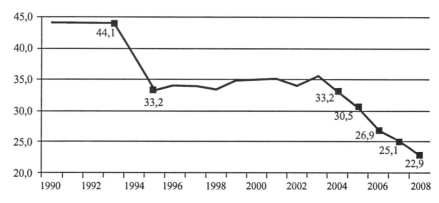

FONTE: IBGE/Pnad, tabulações especiais da autora.

Embora a queda dos indicadores de pobreza[5] desde 2004 tenha sido generalizada, afetando positivamente praticamente todas as regiões e áreas de

---

[4] A evolução dos preços alimentares tem efeito direto sobre as medidas de indigência, já que a linha de indigência é associada exclusivamente ao valor da cesta alimentar básica. Depois de muitos anos de queda relativa, os preços alimentares se elevaram mais do que os demais em 2007, levando um pequeno aumento da indigência naquele ano — de 5,64% em 2006 para 5,79% em 2007. No entanto, a continuidade da elevação relativa dos preços alimentares em 2008 não impediu que ocorresse declínio da proporção dos indigentes para 5,12% neste último ano. Vale lembrar que os indigentes são um subconjunto de pobres formado pelos mais pobres dentre eles (Estimativas de indigência da autora com base na Pnad/IBGE.)

[5] Embora sejam apresentados aqui apenas os indicadores de proporção de pobres, os demais indicadores usuais de pobreza do ponto de vista da renda (hiato da renda, hiato quadrático) também declinaram no período. Para o país como um todo, o hiato da renda passou de 0,44 em 2004, para 0,41 em 2008, enquanto o hiato quadrático, que sintetiza aspectos relativos à proporção de pobres, intensidade da pobreza e desigualdade de renda entre os pobres, declinou de 0,091 para 0,057 respectivamente. (Resultados calculados a partir da Pnad/IBGE.)

residência para as quais a amostra da Pnad permite obter estimativas, ela se deu de forma mais acentuada nas regiões mais desenvolvidas e dinâmicas do país. Trata-se, portanto, de um processo diverso do observado no período 1995-2004 quando a proporção de pobres ficou estagnada para o país como um todo. Naquele período, a estagnação da proporção encobria mudanças espaciais da pobreza, por exemplo, melhorias nas áreas rurais e agravamento nas áreas metropolitanas, ou ainda, melhorias no Norte e Nordeste e agravamento no Sudeste. Estes efeitos se compensavam em nível nacional, fazendo convergir os indicadores de pobreza por áreas de residência (Tabela 1).[6] Exemplificando com base em casos extremos, na metrópole de São Paulo a proporção de pobres se elevou dramaticamente no período, enquanto no Nordeste rural ocorriam melhorias importantes para este indicador.

Desde 2004, a pobreza cai mais fortemente nas regiões Sul e Sudeste, enquanto as demais regiões têm melhorias mais atenuadas, o que é um comportamento típico da fase de expansão econômica, quando o resultado mais favorável ocorre nas áreas mais desenvolvidas. No entanto, existem dois fatos a destacar em relação à evolução recente da pobreza. Primeiro, o comportamento do indicador de pobreza nas áreas urbanas, rurais e metropolitanas: a proporção de pobres cai nas três áreas em ritmo semelhante. Então, na fase ascendente do ciclo, não são mais as metrópoles que ficam na dianteira e as áreas rurais que apresentam progressos amortecidos. Os resultados se aproximam porque hoje existe uma maior heterogeneidade de comportamento dentro de cada estrato de residência. Assim, embora a metrópole paulista continue como ponta de lança na retomada do crescimento, outras metrópoles ficam para trás, mostrando dificuldades estruturais para reagir, como é o caso de Recife. Nas áreas rurais ocorre fato semelhante: enquanto o Nordeste rural apresentou uma reação relativamente fraca à retomada, a proporção de pobres no Centro-Oeste rural caiu fortemente desde 2004.

---

[6] As proporções de pobres apresentadas no Gráfico 1 não resultam dos microdados reponderados pelos novos pesos 2001-2007 divulgados em 2010. A reponderação pouco afeta resultados gerais para o país, de modo que as proporções de pobres para o Brasil relativas a 2004, por exemplo, são bem próximas usando os dados originais (33,2%) ou os reponderados (33,3%). Da Tabela 2 em diante, todos os resultados relativos a 2004 foram objeto de reponderação.

TABELA 1

EVOLUÇÃO DA PROPORÇÃO DE POBRES POR

ÁREAS SELECIONADAS — 1995, 2004* E 2008

Áreas Selecionadas	Proporção de Pobres (%)			Variação Anual (%)		
	1995	2004*	2008	1995-2008	1995-2004	2004-2008
Brasil	**33,2**	**33,3**	**22,8**	**-2,9**	**0,0**	**-9,0**
Metropolitano	31,2	38,8	27,1	-1,1	2,5	-8,6
Urbano	31,2	29,6	19,9	-3,4	-0,6	-9,4
Rural	41,5	35,4	24,3	-4,0	-1,7	-9,0
Norte	38,5	36,6	25,1	-3,2	-0,6	-9,0
Nordeste	52,0	48,5	35,5	-2,9	-0,8	-7,5
Sudeste	25,0	28,9	18,7	-2,2	1,6	-10,3
Sul	17,8	14,8	7,8	-6,2	-2,0	-14,8
Centro-Oeste	37,4	34,0	23,8	-3,4	-1,1	-8,5
Nordeste Rural	54,1	47,6	35,3	-3,2	-1,4	-7,2
São Paulo Metropolitano	26,9	41,6	27,6	0,2	5,0	-9,7

*RESULTADOS relativos a 2004 estão reponderados.

NOTA: Exclusive região Norte Rural (exceto Tocantins).

FONTE: IBGE/Pnad, tabulações especiais da autora.

Assim, embora as diferenças urbano-rurais se mostrem atenuadas, e, certamente, a área rural não seja há muito o lócus privilegiado da pobreza brasileira — nem do ponto de vista da incidência, muito menos na participação no número de pobres no país —, as diferenças regionais persistem e, como tradicionalmente, têm se acentuado na fase atual de expansão da renda. A este respeito cabe comentar a evolução da região Sul: com incidência de pobreza próxima da metade da média brasileira em 1995, seu ritmo de redução de pobreza se manteve mais elevado do que o das outras regiões em todo o período, seja na fase de estagnação de 1995-2004, seja na fase de crescimento recente de 2004 a 2008. As características socioeconômicas mais favoráveis do Sul parecem ter atingido um nível em que o círculo virtuoso se autoalimenta, neutralizando em boa parte os efeitos adversos da conjuntura nacional.

TABELA 2

DESEQUILÍBRIOS ENTRE TAMANHO DA
POPULAÇÃO E INCIDÊNCIA DE POBREZA
PARTICIPAÇÃO PERCENTUAL POR ÁREAS
SELECIONADAS — 1995, 2004 E 2008

Áreas selecionadas	1995			2004*			2008		
	População	Pobres	Desvio	População	Pobres	Desvio	População	Pobres	Desvio
Brasil	**100,0**	**100,0**	**-**	**100,0**	**100,0**	**-**	**100,0**	**100,0**	**-**
Metropolitano	30,7	28,7	1,9	30,8	35,9	-5,1	30,9	36,5	-5,7
Urbano	49,5	46,5	3,0	54,5	48,5	6,1	55,1	48,1	7,0
Rural	19,8	24,7	-4,9	14,7	15,6	-1,0	14,0	15,4	-1,4
Norte	4,6	5,3	-0,7	6,2	6,8	-0,6	6,6	7,8	-1,2
Nordeste	29,1	45,5	-16,5	28,8	42,0	-13,2	29,0	45,0	-16,0
Sudeste	43,9	33,1	10,9	42,6	37,0	5,6	42,1	34,5	7,7
Sul	15,5	8,3	7,2	15,1	6,7	8,4	14,9	5,1	9,8
Centro-Oeste	6,9	7,7	-0,9	7,3	7,5	-0,2	7,4	7,7	-0,3
Nordeste Rural	10,5	17,0	-6,6	8,1	11,5	-3,5	7,9	12,1	-4,3
São Paulo Metrop.	10,7	8,6	2,0	10,2	12,8	-2,6	10,2	12,3	-2,1

*RESULTADOS relativos a 2004 estão reponderados.

NOTA: Exclusive região Norte Rural (exceto Tocantins).

FONTE: IBGE/Pnad, tabulações especiais da autora.

A evolução comparada das participações percentuais no número de pobres e na população total do país por áreas reflete simultaneamente movimentos demográficos e de incidência de pobreza (Tabela 2). Assim, por exemplo, viviam na árca rural em 1995, 19,8% da população brasileira, mas 24,7% dos pobres brasileiros, isto é, havia relativamente mais pobres na área rural do que deveria se ocorresse uma distribuição proporcional da pobreza entre os três estratos de residência. Este quadro evoluiu para um quase equilíbrio das duas participações em 2004 e 2008 apesar do ligeiro agravamento no último ano. Este resultado se explica porque a proporção de pobres na área rural vem se reduzindo de forma sustentada, como também porque o declínio da população rural é inexorável. Embora esta tendência venha favorecendo o

Nordeste, onde a população rural é mais numerosa e a pobreza rural mais crítica, não foi capaz de alterar de forma fundamental a questão regional no que concerne à posição relativa do Nordeste na pobreza nacional: a região continua a concentrar cerca de 45% dos pobres brasileiros, portanto bem acima da sua participação de 29% na população brasileira, resultados praticamente idênticos aos de mais de uma década atrás. Os dados da Tabela 2 mostram, ainda, a deterioração da posição relativa do Nordeste em face da retomada recente do crescimento econômico (2004-2008), enquanto ocorre melhoria no Sul e Sudeste.

As informações apresentadas em relação à evolução da pobreza e à sua situação mais recente em 2008 resultam de um conjunto de fatores que determinam como se forma a renda das famílias brasileiras ao longo do tempo, já que a pobreza é medida levando em conta o valor total de todos os tipos de rendimentos recebidos por todos os membros da família repartido entre eles.[7] O componente mais importante da renda, portanto afetando preponderantemente o nível de pobreza, é o rendimento do trabalho, que decorre do funcionamento do mercado, tanto no que se refere à sua capacidade de gerar postos de trabalho, mas quanto ao nível de rendimento pago às diferentes categorias de trabalhadores. Até 2004, em função do baixo dinamismo da atividade econômica, o mercado de trabalho teve um desempenho fraco em termos de expansão de postos de trabalho, e, ademais, houve queda do rendimento médio.[8] Neste contexto, e considerando que a renda do trabalho representa cerca de 3/4 da renda das famílias, a estabilidade da proporção de pobres, tal como se verificou no período 1995-2004, se deveu à evolução demográfica favorável, à expansão das políticas previdenciária e assistencial, e às mudanças distributivas do rendimento do trabalho relativamente favoráveis aos indivíduos que percebem rendimentos mais baixos.

---

[7] A variável utilizada para medir a pobreza é a renda familiar ou domiciliar per capita, que permite considerar a família ou domicílio como unidade solidária de consumo e rendimento.

[8] Entre 1996 e 2003, o rendimento médio do trabalho caiu 19%. Apenas para o terceiro décimo da distribuição, devido à política de valorização do salário-mínimo, não houve queda do rendimento médio no período. (Fonte: Pnad/IBGE.)

MUDANÇAS NA FORMAÇÃO DA RENDA DAS FAMÍLIAS

A renda brasileira vem crescendo de forma sustentada desde 2004, o que, como se viu, teve impactos favoráveis sobre a pobreza, que declinou 10,3 pontos percentuais entre 2004 e 2008. Uma vez que a medida de pobreza a que nos referimos depende da renda familiar per capita, o objetivo desta seção é analisar o comportamento dos principais componentes da renda familiar, dentre os quais se destaca, como é natural, compreensível e desejável, o rendimento do trabalho.

A renda média[9] das famílias brasileiras cresceu 23,6% em termos reais entre 2004 e 2008, ritmo idêntico ao observado para o rendimento do trabalho. Aposentadorias e pensões evoluíram aproximadamente ao mesmo ritmo — 24,0% —, o que tem a ver tanto com o envelhecimento da população e o aumento do contingente de idosos protegidos por mecanismos de previdência social, quanto com a política de aumento real do salário-mínimo no período, a cujo valor corresponde a grande maioria dos pagamentos realizados sob esta rubrica.[10] Teve expansão excepcionalmente elevada no período o componente da renda familiar que agrega juros e transferências de renda assistenciais focalizadas nos pobres, isto é, os benefícios do programa Bolsa Família (BF) e os Benefícios de Prestação Continuada (BPC) pagos aos idosos e portadores de deficiência de famílias pobres. Seu crescimento real foi de 39,1% no período, elevando a sua participação na renda das famílias, que, no entanto, permanece marginal. Como a expansão da renda familiar se deu quase na mesma intensidade da expansão da renda do trabalho, o aumento da participação do agregado juros e transferências, que trataremos simplesmente como transferências daqui em diante, ocorreu em detrimento de "outras rendas".

---

[9] A Pnad investiga onze quesitos de renda que são os seguintes: rendimento do trabalho principal; rendimento do trabalho secundário; rendimento de outros trabalhos; aposentadorias oficiais; pensões oficiais; outras aposentadorias; outras pensões; juros, dividendos e transferências; abono permanência; aluguéis; e doações. Para fins desta análise agregamos os três quesitos relativos ao rendimento do trabalho, os quatro quesitos relativos a pensões e aposentadorias, e os quesitos de menor importância relativa associados a abono permanência, aluguéis e doações, que denominamos aqui "outros rendimentos". As transferências assistenciais, que, apesar de corresponderem a valores absolutos relativamente baixos, se expandiram fortemente no período em estudo, ainda não são objeto de quesito específico na Pnad, sendo investigada juntamente aos rendimentos financeiros.

[10] De 2004 a 2008, o aumento real do salário-mínimo foi de 32%, acelerando o ritmo de valorização que já vinha ocorrendo desde 1999 (+17% entre 1999-2004).

TABELA 3

RENDA FAMILIAR MÉDIA E DE SEUS PRINCIPAIS COMPONENTES
CRESCIMENTO E PARTICIPAÇÃO NA RENDA
FAMILIAR MÉDIA — 2004* E 2008

Tipo de Família	Total	Trabalho	Aposentadorias e Pensões	Juros e Transf. de Renda	Outras Rendas**
Todas as Famílias					
Δ % 2004-2008	23,6	23,6	24,0	39,1	11,2
Part. 2004 (%)	100	76,3	19,6	1,6	2,5
Part. 2008 (%)	100	76,1	19,7	1,8	2,2
Famílias Pobres					
Δ % 2004-2008	-0,1	-7,6	-16,6	76,4	-11,9
Part. 2004 (%)	100	76,5	10,9	10,2	2,3
Part. 2008 (%)	100	70,8	9,1	18,0	2,0

*DADOS relativos a 2004 reponderados.
** Abono permanência, aluguéis e doações recebidos.

FONTE: IBGE/Pnad, tabulações especiais da autora.

A situação se configura de forma diversa quando consideramos a evolução da renda do subconjunto de famílias pobres, neste caso específico definidas como aquelas cuja renda familiar per capita se situa abaixo do parâmetro de elegibilidade do Bolsa Família, isto é, R$ 100 em 2004 e R$ 120 em 2008.[11] Para estas, a renda média fica praticamente estável entre 2004 e 2008, embora haja queda do valor de todas as suas componentes, exceto as transferências de renda, que tem um acréscimo real notável de 76,2%.

A estabilidade da renda média dos pobres não é um fato adverso, já que com o declínio da proporção, em 2008 os pobres se situam mais abaixo na pirâmide de rendas. No entanto, a queda da participação do rendimento do trabalho na renda total destas famílias evidencia que, na medida em que se

---

[11] Optou-se por adotar o valor de R$ 120,00, valor real é bem próximo aos R$ 100,00 de setembro de 2004, atualizados para setembro de 2008 usando o INPC (R$ 121,30).

reduz a incidência de pobreza, mais caracterizada fica a pobreza como falta de renda ou a baixa renda devido às dificuldades de inserção no mercado de trabalho. Ademais, pobres são também os relativamente desprotegidos pelos mecanismos de previdência social: as receitas de pensões e aposentadorias têm para as famílias pobres uma participação na renda total que é a metade da verificada para o conjunto das famílias brasileiras. Em contrapartida, a expansão das transferências de renda assume importância crescente para as famílias pobres. Seu aumento real de 76,4% no período em que a renda agregada para este grupo ficou estável, resultou em incremento forte da sua participação na renda média, que atinge 18,1% em 2008. Portanto, para o conjunto de famílias pobres as transferências de renda focalizadas desempenham um papel fundamental em termos de garantia do nível de consumo e de bem-estar, especialmente em função da reconhecida volatilidade da renda do trabalho, que em setembro de 2008 ainda representava 70,8% da renda das famílias pobres. Diante da inserção geralmente precária no mercado de trabalho e do comportamento do rendimento do trabalho, que tende a oscilar muito de mês a mês, o recebimento de transferências assistenciais do Bolsa Família c do BPC representa a garantia de um piso mensal de renda, que resulta em um mínimo de previsibilidade na administração do dia a dia pelas famílias mais vulneráveis.

O COMPORTAMENTO DO MERCADO DE TRABALHO NA FASE DE RETOMADA

Embora seja possível caracterizar claramente, a partir de 2004, uma nova fase de crescimento da renda e de declínio da pobreza, os efeitos pró-cíclicos, que normalmente fazem com que as áreas mais atrasadas tenham redução dc pobreza relativamente mais fraca, têm se mostrado atenuados. Isto se deve ao comportamento do mercado de trabalho no período 2004-2008, em particular a forma como vêm evoluindo os rendimentos do trabalho, que, além de ser o componente mais importante na formação da renda das famílias, é o mais diretamente afetado pelas flutuações da conjuntura econômica. Ao examinar as variáveis básicas do mercado de trabalho — ocupação e rendimento — é possível detectar efeitos pró-cíclicos clássicos e outros que operam no sentido inverso, o que explica os resultados relativamente favoráveis quanto à evolução da renda e da pobreza nas áreas menos desenvolvidas.

Comecemos pelo comportamento da ocupação. No período anterior, a evolução do pessoal ocupado foi fraca — taxa média de 1,68% de 1995-2003, compatível com o ritmo modesto de crescimento da produção. Cabe destacar que os resultados relativos à ocupação poderiam ter sido ainda mais adversos se não houvesse efeitos compensatórios em jogo. Assim, diante da queda continuada do rendimento médio do trabalho no período 1996-2004, ocorreu um forte estímulo ao ingresso de trabalhadores familiares secundários no mercado, o que foi possível em função de determinantes demográficos e culturais. A partir de 2004, o efeito da retomada é claro: a taxa anual de crescimento do número de pessoas ocupadas passa a 2,44% no período 2004-2008.[12]

A ocupação desde 2004 apresentou, de forma geral, o efeito pró-cíclico clássico: embora sua expansão tenha ocorrido em praticamente todo o país, com exceção de algumas áreas rurais, ela se deu de forma mais acentuada onde se localiza o centro dinâmico da economia. A variação ocorrida nos quatro anos de 2004-2008 fornece uma medida destes diferenciais relevantes: enquanto no Sudeste, que no período anterior sofreu mais diretamente o efeito da crise, o crescimento da ocupação foi de 12,1%, no Nordeste foi de 7,6%. Trata-se de um resultado que se alinha ao que se sabe sobre os desequilíbrios regionais e os impactos do ciclo econômico. Ademais, se explica por diferenciações existentes entre áreas do país, como, por exemplo, o comportamento da ocupação no estrato rural, cuja população, no Nordeste, representa ainda mais de 1/4 da população regional.

Estes resultados diferenciados por regiões se vinculam às características do sistema produtivo e da população ativa, cabendo destacar a questão relativa ao nível de qualificação da mão de obra. É bem sabido que, em função da necessidade de modernização produtiva para garantir competitividade econômica, o número de trabalhadores com menos de 8 anos de escolaridade no Brasil vem declinando de forma sustentada, o que naturalmente significa a exclusão do mercado dos mais pobres e vulneráveis. De 1999 a 2008, este contingen-

---

[12] Resultados baseados em séries harmonizadas, que excluem o Norte rural, não coberto pela amostra da Pnad nos anos anteriores a 2004. Fontes: Rocha (2003) e Ipea (2009).

te passou de 43,7 milhões para 38,2 milhões, reduzindo sua participação de 57,9% para 42,5% no total de ocupados.[13] Cabe, porém, distinguir duas situações distintas, antes e depois da retomada iniciada em 2004.

TABELA 4

CRESCIMENTO DA OCUPAÇÃO

BRASIL E ÁREAS SELECIONADAS — 2004*-2008

Áreas	Δ % 2004 -2008
Brasil	**10,1**
Urbano	12,6
Rural	-4,2
Metropolitano	14,2
Norte	9,7
Nordeste	7,6
Sudeste	12,9
Sul	6,0
Centro-Oeste	12,9
São Paulo Metropolitano	15,5
Nordeste Rural	-3,7

*DADOS relativos a 2004 reponderados.

FONTE: IBGE/Pnad, tabulações especiais da autora.

No período anterior a 2004, quando houve queda contínua do rendimento do trabalho para todos os níveis de escolaridade, a substituição gradativa de trabalhadores com menos de 8 anos de escolaridade por trabalhadores mais qualificados permitiu ganhos de produtividade, que funcionaram como um incentivo à expansão da ocupação num cenário macroeconômico geralmente adverso.

Apesar da tendência sustentada de melhoria do perfil da ocupação por nível de escolaridade, especialmente desde meados dos anos 1990, a situação em 2004 ainda se configurava calamitosa, já que 48% das pessoas ocupadas no Brasil tinham menos de 8 anos de escolaridade. Mesmo na metrópole de São Paulo, que certamente é um caso especial no contexto brasileiro, este contingente de trabalhadores ainda correspondia a 31% do pessoal ocupado em

---

[13] Dados harmonizados que excluem Norte rural.

333

2004. Assim, diante do reconhecido descompasso entre nível de qualificação da população e estágio de desenvolvimento produtivo do país, havia a expectativa de que, uma vez retomado o crescimento econômico, a escassez de mão de obra se revelasse como um ponto de estrangulamento importante, além de resultar em efeitos distributivos adversos associados a ganhos salariais mais fortes para os trabalhadores mais qualificados.

TABELA 5

EVOLUÇÃO DA OCUPAÇÃO E DO RENDIMENTO MÉDIO MENSAL, SEGUNDO NÍVEIS DE ESCOLARIDADE — BRASIL, 2004*- 2008

Anos de estudo	Pessoas ocupadas (mil)			Rendimento (R$ de 2008)		
	2004	2008	Δ %	2004	2008	Δ %
Até 3 anos	17.067	14.945	-12,4	331,75	413,78	24,7
De 4 a 7 anos	22.078	20.760	-6,0	499,62	586,68	17,4
De 8 a 10 anos	13.538	15.307	13,1	602,70	692,04	14,8
11 anos ou +	27.608	36.950	33,8	1.446,68	1.509,96	4,4
Total**	80.778	88.342	9,4	805,30	961,85	19,4

*Dados relativos a 2004 reponderados.
** Total inclui os *missings* de escolaridade.

NOTA: Ocupados, inclusive aqueles com rendimento zero.

FONTE: IBGE, microdados da Pnad.

No entanto, o que ocorreu com a retomada da atividade econômica no período 2004-2008 foi peculiar. Enquanto, como era de se esperar, tenha aumentado de forma mais acentuada a ocupação para os mais qualificados, particularmente para aqueles com mais de 11 anos de escolaridade (+ 33,8%), os ganhos de rendimento continuaram a ocorrer mais fortemente para os trabalhadores de baixa qualificação (Tabela 5), para o que contribuiu a política de valorização do salário-mínimo.[14] Houve, portanto, continuidade do declínio

---

[14] Embora a política de valorização do salário-mínimo não seja uma panaceia, podendo ter efeitos adversos, por exemplo, no sentido de contribuir para a informalização das relações de trabalho, nos anos recentes no Brasil tem tido efeito distributivo favorável, contribuindo para reduzir a pobreza. A respeito do comportamento do rendimento do trabalho após 2004, ver Baltar (2009).

dos retornos à educação, que se verifica para todos os níveis de escolaridade, mantendo a tendência distributiva favorável associada ao rendimento do trabalho, que já tinha se verificado no período anterior a 2004. O aumento sustentado do rendimento do trabalho para todos, mas especialmente na base da distribuição, tem naturalmente efeitos diretos e indiretos em termos de redução da pobreza.

EFEITOS ESPACIALMENTE DIFERENCIADOS DA RETOMADA

Como o Brasil é um país continental, com características espaciais muito diferenciadas, informações agregadas nacionalmente encobrem necessariamente situações específicas que ajudariam a entender fenômenos complexos.

Optou-se aqui por ilustrar essas diferenças comparando dois casos extremos no que diz respeito à sensibilidade à conjuntura econômica, considerando explicitamente os efeitos da ocupação e do rendimento do trabalho sobre a massa salarial por anos de estudo. Por um lado, a metrópole de São Paulo, que continua como o motor dinâmico da economia brasileira, o que fica demonstrado pela rapidez e intensidade dos efeitos tanto da crise, quanto da retomada econômica. Por outro lado, o Nordeste rural, área extensa, pobre e atrasada por excelência, cuja importância é irrefutável em função do tamanho da sua população com condições de vida reconhecidamente adversa: os 5 milhões de pobres nordestinos residentes na área rural correspondem a 3/4 da pobreza rural brasileira. O comportamento de cada uma dessas duas áreas no período de retomada é relevante em função do seu impacto sobre distribuição da renda e espacialização da pobreza em nível nacional.

A reação à retomada da atividade nos dois casos foi diferenciada. Enquanto a expansão da ocupação se deu na metrópole paulista a um ritmo intenso, 17,4% no período, bem superior à média brasileira (9,4%), no Nordeste rural houve redução do número de ocupados no período 2004-2008 (-3,7%) (Tabela 6).

TABELA 6

VARIAÇÃO PERCENTUAL DO PESSOAL OCUPADO, DO RENDIMENTO
DO TRABALHO E DA MASSA SALARIAL, SEGUNDO ANOS DE ESTUDO
SÃO PAULO METROPOLITANO E NORDESTE RURAL — 2004*-2008

Anos de estudo	Δ P.O.* (%)		Δ Rendimento (%)		Δ Massa Salarial (%)	
	SP Metro	NE Rural	SP Metro	NE Rural	SP Metro	NE Rural
Até 7 anos	-3,0	-11,8	12,7	32,2	9,2	16,7
De 8 a 10 anos	10,0	36,4	8,4	41,1	19,3	92,4
11 anos ou +	33,4	90,6	1,2	13,1	35,1	115,6
Total	17,4	-3,7	9,6	40,6	28,6	35,4

*DADOS relativos a 2004 reponderados.
** Ocupados, exclusive os sem informação de rendimento do trabalho.

FONTE: IBGE/Pnad, tabulações especiais da autora.

O decréscimo absoluto da ocupação rural no Nordeste no período da retomada econômica recente não se vincula à evolução do tamanho da população residente, que ficou praticamente estável. Este decréscimo da ocupação se explica por um conjunto de fatores ligados à atividade produtiva, especificamente ao desempenho agrícola. A baixa produtividade da agricultura familiar nordestina se deve, em grande parte, ao nível de qualificação de mão de obra: em 2004, 88% dos ocupados no Nordeste rural tinham menos de 8 anos de escolaridade, o que é incompatível com as necessidades de técnicas de uma agricultura moderna e voltada para o mercado. Como os circuitos de comercialização se modernizam e aumentam as alternativas de obtenção de renda do não trabalho, crescentemente a produção familiar exclui a comercialização de excedentes, se limitando a alguma produção para o autoconsumo,[15] e, como consequência, a ocupação rural tende a declinar. A redução do contingente de ocupados com menos de 8 anos de escolaridade no Nordeste rural vem ocorrendo a um ritmo mais acelerado do que em outras áreas do país, o que, dada a importância relativa destes trabalhadores na região, acabou por resultar em

---

[15] No Nordeste os ocupados sem rendimento aumentam sua participação no total de ocupados — de 17% em 2004 para 20% em 2008 — em contracorrente ao que ocorre no país (8,1% em 2004 e 7% em 2008). (Fonte: Pnad/IBGE.)

queda absoluta do número total de ocupados, de 6,8 milhões em 2004 para 6,5 milhões em 2008.

Apesar de o crescimento econômico criar postos de trabalho que demandam mão de obra mais qualificada e levar a um aumento generalizado do rendimento do trabalho, a intensidade desses fenômenos e os resultados em termos de massa salarial[16] ocorrem com intensidade diversa, em função das peculiaridades das áreas em questão. Assim, mesmo com a queda do pessoal ocupado no Nordeste rural, o aumento do rendimento médio se dá para todos os níveis de escolaridade e de forma mais acentuada do que na metrópole de São Paulo. Em particular, o forte aumento de 32,2% do rendimento médio para os trabalhadores com menos de 8 anos de escolaridade no Nordeste rural beneficia o grupo mais numeroso de trabalhadores, justamente para o qual ocorreu redução do número de postos de trabalho. O aumento do rendimento mais do que compensa a redução de postos de trabalho para os menos qualificados, de modo que há incremento de 16,7% da massa salarial para este grupo de trabalhadores. Vale notar ainda que quanto maior o nível de escolaridade maior o diferencial do incremento do rendimento médio entre a metrópole paulista e o Nordeste rural. Assim, para os trabalhadores com mais de 11 anos de estudo, o ganho do rendimento foi quase 11 vezes maior no Nordeste rural do que na metrópole de São Paulo. Embora este aumento vertiginoso tenha impacto sobre um contingente relativamente restrito de trabalhadores na área rural do Nordeste (9,1% dos ocupados em 2008), ele dá uma medida da escassez local de mão de obra qualificada.

As evidências relativas às duas áreas em questão mostram que o comportamento do mercado de trabalho desde 2004 beneficiou todos os trabalhadores, mesmo os menos qualificados, que estão sofrendo um processo sustentado e inevitável de exclusão. A comparação esquemática da evolução ocorrida na metrópole de São Paulo e no Nordeste rural permite algumas conclusões.

Primeiro, os ajustes durante o período da retomada foram mais acentuados no Nordeste rural do que na metrópole paulista, o que resultou em redução

---

[16] Massa salarial, ou rendimento total do trabalho, é o somatório dos rendimentos de todos os trabalhos das pessoas ocupadas, qualquer que seja a posição na ocupação, na semana de referência da Pnad. Equivale ao produto do número de ocupados pelo rendimento médio.

das diferenças entre áreas quanto ao nível de escolaridade da mão de obra e ao valor do rendimento do trabalho. O aumento mais forte do rendimento do trabalho no Nordeste reduz o diferencial da região em relação aos rendimentos do trabalho em São Paulo, operando no sentido favorável à queda nacional dos índices de desigualdade de renda.

Segundo, apesar de os ganhos de rendimento serem mais fortes na base da distribuição, os impactos distributivos no Nordeste rural são amortecidos devido à escassez local aguda de mão de obra qualificada. Assim, a redução da desigualdade de renda na região se dá de forma mais lenta do que na região metropolitana de São Paulo, onde os retornos à educação são menores.

Terceiro, os ganhos de rendimentos para todas as categorias de trabalhadores, em particular os aumentos mais elevados para os menos qualificados, que tendem a ser os mais pobres, operam, naturalmente, no sentido de reduzir pobreza.

Quarto, o efeito favorável do mercado de trabalho sobre a pobreza tende a ser mais acentuado em São Paulo, porque, ainda que se considerem trabalhadores com o mesmo nível de escolaridade, os rendimentos do trabalho são muito mais altos — de três vezes a três vezes e meia por faixa de escolaridade — na metrópole paulista do que no Nordeste rural.[17] Assim, para trabalhadores com 4 a 7 anos de escolaridade, que correspondem a contingentes significativos nas duas áreas,[18] o rendimento médio em São Paulo era de R$ 696,19, enquanto no Nordeste era de apenas R$ 211,41 em 2008. Nestas condições, mesmo ganhos percentuais menores, como os que se verificaram na metrópole paulista, têm um impacto muito maior em termos de ganhos absolutos e redução da pobreza.

Apesar da evolução favorável do mercado de trabalho operando no sentido de reduzir pobreza e desigualdade, a participação do rendimento do trabalho na renda total das famílias ficou, considerando o agregado nacional, praticamente estável em 76% no período (vide seção 3). Em função dos contrastes

---

[17] Em função da distribuição diferenciada da ocupação por faixa de escolaridade nas duas áreas em questão, o rendimento médio do trabalho na metrópole paulista era, em 2008, quase seis vezes superior ao verificado na área rural do Nordeste.

[18] Esses trabalhadores eram 1,86 milhões na metrópole paulista e 1,66 milhões no Nordeste rural, correspondendo respectivamente a 18% e 28% do total do pessoal ocupado em cada área. (Fonte: Pnad/IBGE.)

entre a metrópole de São Paulo e o Nordeste rural, é interessante verificar como se deu a evolução da renda familiar nestes dois casos extremos no período de retomada da atividade econômica.

TABELA 7
RENDA FAMILIAR MÉDIA E DE SEUS PRINCIPAIS COMPONENTES
CRESCIMENTO E PARTICIPAÇÃO NA RENDA FAMILIAR MÉDIA
METRÓPOLE DE SÃO PAULO E NORDESTE RURAL
TODAS AS FAMÍLIAS, 2004-2008*

Áreas Selecionadas	Total	Trabalho	Aposentadorias e Pensões	Juros e Transf. de Renda	Outras Rendas**
São Paulo Metrópole					
Δ % 2004-2008	19,7	20,6	12,6	93,6	14,0
Part. 2004 (%)	100	80,8	16,3	0,7	2,2
Part. 2008 (%)	100	81,5	15,3	1,1	2,1
Nordeste Rural					
Δ % 2004-2008	33,7	23,6	48,4	59,5	45,6
Part. 2004 (%)	100	62,5	29,4	7,2	0,9
Part. 2008 (%)	100	57,8	32,6	8,6	1,0

*Resultados relativos a 2004 reponderados.
* *Abono permanência, aluguel e doação recebidos.

FONTE: IBGE/Pnad, tabulações especiais da autora.

Os dados da Tabela 7 mostram que o rendimento do trabalho na metrópole de São Paulo cresceu em termos reais 20,6% no período 2004-2008, mantendo sua participação na renda das famílias praticamente estável em 81%, em um contexto geral em que a participação da renda do trabalho tendeu a declinar. Trata-se, ademais, de uma participação relativamente alta no contexto brasileiro (ver Tabela 3 para fins de comparação), evidenciando o dinamismo econômico de São Paulo, que se explicita nos períodos de retomada e representa um atrativo para trabalhadores de todo o país em busca de oportunidades de trabalho e de rendimentos mais elevados.

As aposentadorias e pensões, segundo componente em importância na formação da renda, têm participação relativamente baixa na metrópole paulista, além de declinante em relação a 2004. Apesar dos ganhos reais do salário-mínimo, ao qual corresponde a maioria dos benefícios pagos nesta rubrica, seu valor se compara desfavoravelmente ao rendimento médio do trabalho na metrópole paulista — respectivamente R$ 450 e R$ 1.363 em setembro de 2008 —, o que contribuiu para este resultado. Os outros dois componentes têm importância marginal na formação da renda em São Paulo.

TABELA 8

RENDA FAMILIAR MÉDIA E DE SEUS PRINCIPAIS COMPONENTES
CRESCIMENTO E PARTICIPAÇÃO NA RENDA FAMILIAR MÉDIA
METRÓPOLE DE SÃO PAULO E NORDESTE RURAL
FAMÍLIAS POBRES, 2004-2008*

Selecionada	Total	Trabalho	Aposentadorias e Pensões	Juros e Transf. de Renda	Outras Rendas**
São Paulo Metrópole					
Δ % 2004-2008	-18,8	-25,6	3,3	39,8	-36,6
Part. 2004 (%)	100	79,9	11,7	5,7	2,8
Part. 2008 (%)	100	73,2	14,8	9,8	2,2
Nordeste Rural					
Δ % 2004-2008	-0,8	-11,2	-19,4	59,1	8,0
Part. 2004 (%)	100	73,2	9,8	15,6	1,3
Part. 2008 (%)	100	65,5	8,0	25,0	1,4

*Resultados relativos a 2004 reponderados.
** Abono permanência, aluguel e doações recebidos.

FONTE: IBGE/Pnad, tabulações especiais da autora.

No Nordeste rural, a evolução tanto no nível da renda, quanto na sua composição apresentou características bem diversas das observadas em São Paulo. A participação da renda do trabalho é relativamente fraca, e, mais importante, declinou no período, apesar do seu crescimento ter sido vigoroso, expandindo-se em 23,6% de 2004 a 2008, taxa superior à verificada na metrópole paulista. Em contrapartida, aumentam as participações já relativamente elevadas tanto das pensões e aposentadorias, como das transferências assistenciais. Vale lembrar que as aposentadorias do Funrural, por serem não contributivas, têm cobertura universal, tornando o benefício assistencial da Loas irrelevante para os idosos de baixa renda não só no Nordeste rural, como na área rural brasileira em geral. Neste contexto de concessão de aposentadoria igual a um salário-mínimo para praticamente todos os idosos, a participação crescente da rubrica os *juros e transferências* se deve essencialmente ao Bolsa Família. Essas transferências assistenciais de pequeno valor unitário tiveram a maior elevação da participação no período e já representam 8,6% da renda no Nordeste rural.

No que tange à renda das famílias pobres, observa-se que a renda do trabalho tem uma participação relativamente elevada nos dois casos, em particular no Nordeste rural, onde ela permanece com maior importância para as famílias pobres do que para o conjunto de todas as famílias. Este fato evidencia que as pensões e aposentadorias, em função do seu valor que tem como piso o salário-mínimo, são determinantes para tirar famílias da pobreza, particularmente no Nordeste rural onde o custo de vida dado pela linha de pobreza se situa bem abaixo do da metrópole paulista.[19] Em ambos os casos o declínio da participação do rendimento do trabalho está associado ao aumento forte da participação das transferências, que no caso do Nordeste rural já correspondem a 25% da renda das famílias pobres. Assim, as transferências de pequeno valor do BF, embora incapazes, em muitos casos, de tirar as famílias da pobreza,[20] representam um componente importante da renda das famílias pobres, especialmente em áreas rurais.

---

[19] A linha de pobreza, que reflete o custo de vida localmente específico em termos de valor pessoa/mês, era de R$ 91,84 no Nordeste rural e R$ 300,78 na área metropolitana de São Paulo em setembro de 2008.
[20] Sobre o impacto das transferências do Bolsa Família sobre a pobreza, considerando as regras de elegibilidade do programa e os critérios de definição do valor do benefício, ver Rocha e Albuquerque (2009), p. 201.

CONSIDERAÇÕES FINAIS

A redução da pobreza no Brasil desde 2004 é um fato irrefutável, que não depende de dados estatísticos para ser reconhecido. Pode ser percebido a olho nu, em função da expansão do consumo por todas as camadas da população e da melhoria das condições de vida no que depende diretamente da renda familiar.

Este texto teve como objetivo chamar a atenção para aspectos específicos da queda sustentada da pobreza no período 2004-2008, o que pode ser sintetizado pelos seguintes pontos.

Primeiramente, trata-se do papel primordial desempenhado pelo mercado de trabalho. A retomada econômica aumentou a ocupação e o rendimento do trabalho. O rendimento médio do trabalho, que se elevou em 19,4% de 2004 a 2008, beneficiou a todos, mas teve um forte componente distributivo. Os ganhos para os trabalhadores que se situam na base da distribuição foram mais acentuados — 36% a mais para os 20% dos ocupados com rendimentos mais baixos —, enquanto aumentou de 14% para os 20% dos ocupados que se situam no topo da distribuição. Além de reduzir a pobreza, a forma como ocorreram os acréscimos de rendimento do trabalho contribuíram para dar continuidade à queda da desigualdade de renda, que já se verifica desde a segunda metade da década de 1990. A evolução sustentada da melhoria distributiva da renda do trabalho frente à retomada econômica é um fato a celebrar. Ganharam todos, mas ganharam mais os mais vulneráveis, por exemplo, os trabalhadores com baixa qualificação que têm participação decrescente na força de trabalho brasileira. Apesar dos reclamos permanentes e justificados sobre a escassez de mão de obra qualificada,[21] o ajuste em direção ao aumento da escolaridade da mão de obra se deu, até 2008, sem efeitos distributivos adversos.

A elevação do valor, combinada aos aspectos distributivos favoráveis da renda do trabalho, foi crucial para a redução da pobreza às taxas observadas,

---

[21] O Brasil forma cerca de 30 mil engenheiros por ano, diante de uma necessidade estimada de 100 mil por ano, para atender projetos nas áreas de energia, petróleo, gás, química e construção civil (*O Globo*, 15/1/2010). Fala-se em gargalo de mão de obra, mas não há medida do prejuízo em termos de crescimento da produção devido à escassez de trabalhadores qualificados.

já que este rendimento representa 3/4 da renda total das famílias brasileiras. Na medida em que a renda do trabalho manteve sua participação na renda total em um patamar estável entre 2004 e 2008, houve elevação no mesmo ritmo das outras rendas, que assim também contribuíram, mas em menor proporção, para a evolução favorável da pobreza no período.

O segundo aspecto a considerar foi a evolução dos demais componentes da renda das famílias. A renda de aposentadorias e pensões, que mantém sua participação estável na renda das famílias (19,7% em 2008), contribuiu para a redução da pobreza. Isto se deveu em parte à valorização do seu piso, vinculado ao salário-mínimo, que teve um ganho real de 32% no período. Ademais, a queda progressiva da pobreza rural, que vem ocorrendo no longo prazo, está fortemente associada à expansão da cobertura dos benefícios pagos pelo sistema de aposentadoria rural — o Funrural — que, por não ser contributivo, tem um papel quase assistencial importante. No Nordeste rural, a participação alta e crescente destas rendas — 32,6% da renda familiar em 2008 — revela o elevado grau de dependência das famílias em relação aos proventos de aposentadoria: eles são determinantes para seu *status* como pobres ou não pobres, já que dentre as famílias pobres no Nordeste rural, a participação da renda de aposentadorias e pensões é relativamente baixa (8,0% em 2008), além de declinante.

No que concerne às transferências assistenciais — mecanismo de política antipobreza *stricto sensu* — o aumento de sua participação na renda das famílias, e particularmente na das famílias pobres, se deu em função da elevação dos valores pagos e da expansão da clientela atendida, tanto pelo Benefício de Prestação Continuada (BPC), quanto pelo Bolsa Família (BF). Embora haja evidências empíricas de que ao pagar benefícios de menor valor do que o BPC, mas uma clientela muita mais ampla, o BF seja um mecanismo mais efetivo para redução da pobreza e da desigualdade,[22] as transferências assistenciais em conjunto tiveram certamente um papel compensatório, evitando tanto o empobrecimento daqueles com desvantagens para a inserção no mercado de trabalho, como, de maneira mais geral, o aumento da pobreza dentre os mais vulneráveis. As transferências evitaram ainda um agravamento maior

---

[22] Paes e Barros, Foguel e Ulyssea (2006) sobre impacto das transferências sobre a desigualdade (p. 19-73). Rocha e Albuquerque (2009) sobre os impactos sobre a pobreza.

das desigualdades regionais da pobreza, já que no Nordeste chegava a 25% sua participação na renda das famílias pobres.

Um terceiro aspecto a comentar são os impactos espacializados da fase de crescimento econômico sustentado 2004-2008 sobre a pobreza. Todos ganham, mas a retomada beneficia mais diretamente os centros dinâmicos da economia e as regiões onde se localizam. Os progressos são mais acentuados no Sudeste do que no Nordeste, revertendo, assim, a tendência de redução das desigualdades regionais no que concerne à pobreza, que se verificara no período anterior.[23] É um efeito pró-cíclico esperado, mas indesejável, que só pode ser amenizado no curto prazo via aumento de transferências de renda para as famílias pobres com crianças. A comparação estilizada entre a metrópole de São Paulo e o Nordeste rural mostra que o mercado de trabalho na metrópole paulista tem vantagens estruturais que permitem avançar mais rápido a partir de patamares de renda mais elevados no período de retomada.

Este contraste no comportamento da metrópole paulista *versus* área rural nordestina não pode ser generalizado para o país. Durante a retomada 2004-2008, teve continuidade a queda da pobreza rural, apesar da redução relativa do ritmo verificado no período anterior. Assim, em 2008, a área rural apresentou uma participação "justa" no número de pobres do Brasil, isto é, quase equilibrando a participação no número de pobres e a participação na população brasileira, respectivamente 15,4% e 14,0%, em 2008. Como o país, a pobreza se desruralizou, e não só no que concerne à renda, como vimos aqui, mas às condições de vida em geral.

Os resultados relativos à pesquisa domiciliar de setembro de 2008, nos quais se embasou a análise aqui apresentada, ainda não mostravam efeitos no Brasil da crise global que se iniciara nos Estados Unidos em 2007. Embora os efeitos sobre nível de atividade, renda e emprego tenham sido fortes no último trimestre de 2008 e no primeiro trimestre de 2009, especialmente para os setores industrial e exportador, a situação já tinha praticamente voltado ao normal em setembro de 2009, de modo que as oscilações da renda, da pobreza e da desigualdade não serão captadas pela Pnad 2009. Do ponto de vista do

---

[23] A queda do número de pobres foi de 35% no Sudeste e 27% no Nordeste.

crescimento da economia, certamente 2009 foi um ano perdido, com um crescimento do PIB próximo de zero. Do ponto de vista das medidas de pobreza, é possível que a valorização do salário-mínimo e a expansão dos programas de transferência permitam resultados bem menos adversos, já que se trata da comparação entre as situações observadas em setembro de 2008 e setembro de 2009.

A retomada do crescimento econômico em 2010 — as estimativas para o PIB se situam entre 5% e 6% — se fará necessariamente em bases diferentes do que no período 2004-2008, em função da conjuntura externa adversa. Manter a trajetória de redução da pobreza depende, naturalmente, de crescimento econômico sustentável, garantindo o componente pró-pobre que teve no período 2004-2008. Depende ainda de introduzir mudanças na política social, entendida no sentido amplo. Por um lado, trata-se de aperfeiçoar as políticas previdenciária e assistencial, objetivando maximizar seus efeitos redistributivos e garantindo, assim, maior eficácia do seu papel compensatório sobre a renda dos mais pobres. Por outro lado, requer a implementação de melhorias educacionais de fato, que permitam "afrouxar" a restrição de mão de obra, viabilizando taxas de crescimento econômico mais elevadas, e operando simultaneamente no sentido de criar uma sociedade menos pobre e mais igualitária em todos os aspectos.

REFERÊNCIAS BIBLIOGRÁFICAS

BALTAR, Paulo Eduardo. Os Salários na Retomada da Economia e do Mercado de trabalho no Brasil: 2004-2007, em BALTAR, KREIN e SALAS (org.). *Economia e trabalho: Brasil e México*. São Paulo: LTr, 2009.

BARRIENTOS, Armando, SANTIBÁÑEZ, Claudio. New Forms of Social Assistance and the Evolution of Social Protection in Latin America, *Journal of Latin American Studies*, v. 38, n. 4 (2009), p. 689-709.

BARROS, R. P., FOGUEL, M., ULYSSEA, Gabriel. *Desigualdade de renda no Brasil: Uma análise da queda recente*. Brasília: Ipea, 2006.

IBGE. *Pesquisa Nacional por Amostra de Domicílios*, diversos anos.

_____. *Sistema Nacional de Índices de Preços ao Consumidor*, diversos anos.

IBRD. *World Development Report 1990: Poverty*. Washington, D.C.: Oxford University Press, 1990.

IPEA. *PNAD 2008: Primeiras Análises*. Brasília: 2009.

ROCHA, Sonia. *Pobreza no Brasil. Afinal, de que se trata?* Rio de Janeiro: FGV, 2006.

_____. Structural Changes in the Brazilian Labor Market and their Impact on the Poor. Osaka: XI Congresso da FIEALC, 2003.

_____, ALBUQUERQUE, Roberto C. Como gerar oportunidades para os pobres, em VELLOSO, J. P. (org.). *Na crise global, as oportunidades do Brasil.* Rio de Janeiro: José Olympio, 2009, p. 185-219.

Este livro foi impresso nas oficinas da
DISTRIBUIDORA RECORD DE SERVIÇOS DE IMPRENSA S.A.
Rua Argentina, 171 – Rio de Janeiro, RJ
para a
EDITORA JOSÉ OLYMPIO LTDA.
em setembro de 2010

*

78º aniversário desta Casa de livros, fundada em 29.11.1931